DU MÊME AUTEUR

Aux Éditions Actes Sud

DEMI-SOMMEIL, 1998 (Points Seuil P2444).

Aux Éditions Stock

LE MORAL DES MÉNAGES, 2002 (Le Livre de Poche n° 15544).
EXISTENCE, 2004 (Folio n° 5553).
CENDRILLON, 2007 (Le Livre de Poche n° 31075).
LE SYSTÈME VICTORIA, 2011 (Folio n° 5554).
ÉLISABETH OU L'ÉQUITÉ, 2013.

Aux Éditions Xavier Barral

TOUR GRANITE (avec Jean Gaumy et Harry Gruyaert), 2009.
TOURS, DENIS VALODE ET JEAN PISTRE, 2010.
PAVILLON NOIR (avec Angelin Preljocaj, Rudy Ricciotti, Michel Cassé et Jehanne Dautrey, photographies de Pierre Coulibeuf), 2006.

Aux Éditions Rizzoli New York

CHRISTIAN LOUBOUTIN, entretiens avec Christian Louboutin (photographies de Philippe Garcia et David Lynch), 2011.

L'AMOUR ET LES FORÊTS

ÉRIC REINHARDT

L'AMOUR
ET LES FORÊTS

roman

GALLIMARD

Je demeurai comme charmé, durant près d'une demi-minute, à contempler ce féerique spectacle... Me sentant bien asséché de la route, j'éprouvai, malgré moi, — je l'avoue, — une attirance vers le ténébreux enchantement de cette onde! Sans mot dire, je me dévêtis, posai mes vêtements à côté de moi, presque au niveau de l'étang, et, ma foi, — m'y aventurant à corps perdu, — j'y pris un bain délicieux, — éclairé par la complaisance de l'hôtelier, qui me considérait d'un air de stupeur soucieuse, concentrée même... car, vraiment, à présent que j'y songe, il avait des expressions de figure incompréhensibles, ce brave homme.

VILLIERS DE L'ISLE-ADAM,
«L'Agrément inattendu», in *Histoires insolites*

1

J'ai eu envie de connaître Bénédicte Ombredanne en découvrant sa première lettre : c'était une lettre dont la ferveur se nuançait de traits d'humour, ces deux pages m'ont ému et fait sourire, elles étaient aussi très bien écrites, c'est un alliage suffisamment rare pour qu'il m'ait immédiatement accroché.

D'abord un peu précautionneuse, cette lettre était, à mesure qu'elle progressait, de plus en plus féroce et mécontente. De l'ironie, une réjouissante indiscipline, des clameurs de cour de récréation résonnaient dans ses phrases — leur graphie inclinée vers l'avenir suggérait bien l'audace consciente d'elle-même avec laquelle cette inconnue s'était précipitée vers moi par la pensée, comme si sa lettre avait été écrite d'une traite sans être relue avant de disparaître irrémédiablement dans la fente d'une boîte postale, hop, ça y est, trop tard, au terme d'une course irréfléchie, fougueuse, qui sans doute avait démarré à la seconde où la jeune femme avait posé la plume de son stylo sur le papier, déterminée, en se refusant la possibilité de tout retour en arrière. Il me paraissait évident que le pilote authentique de ces deux pages avait été la timidité, timidité que leur auteur avait soûlée au sardonique afin d'être sûre de mener l'entreprise à son terme. C'était une intuition relativement vaporeuse, une intuition que j'aurais eu le plus grand mal à étayer à partir d'exemples précis prélevés dans ces deux pages, mais l'élan même de cette lettre, de nature composite, intimidé et audacieux, respectueux et cavalier, sérieux et désinvolte, intelligent et ingénu voire enfantin (donc d'une nature continuellement paradoxale), m'a fait penser que cette lectrice fuyait par ce moyen une situation qui ne lui convenait pas, qui la faisait souffrir ou lui était tout simplement intolérable : cette lettre était comme une urgente échappatoire (je le sentais confusément), mais une échappatoire dont son auteur ne pouvait pas présumer si elle non plus ne la fracasserait pas contre un mur d'indifférence ou de mépris condescendant, donc de silence, d'où les efforts qu'elle s'obligeait à faire — toutes les trois ou quatre phrases — pour ne pas y croire elle-même tout à fait, ainsi éviterait-elle toute déception trop cuisante si d'aventure cette tentative restait infructueuse. J'ai perçu toutes ces choses devant la porte de mon appartement, en manteau, après avoir ramassé sur le paillasson, alors que je sortais, réexpédiée par ma maison d'édition dans son enveloppe d'origine (bleu pâle, postée à Metz, raturée par une stagiaire qui y avait ajouté mon adresse), cette première lettre de Bénédicte Ombredanne, que j'ai lue intégralement sur le palier sans descendre une seule marche de l'escalier.

Ces impressions initiales ont toutes été vérifiées par les faits.

Le plus simple aurait été que je produise ici cette lettre *in extenso*, mais je l'ai malheureusement égarée.

La colère de cette jeune femme concernait le rejet de sa candidature pour faire partie du jury d'un prix littéraire décerné par les lecteurs d'un magazine, et ce qui l'attristait le plus, dans cet échec, m'écrivait-elle, était qu'elle ne pourrait peser dans les débats en faveur de mon roman, afin que ce soit lui qui obtienne ledit prix.

Ah, qu'est-ce que cette lettre me plaisait !

Comme elle avait fait figurer, sous sa signature, une adresse électronique, je lui ai envoyé dès le lendemain un message de remerciements. Les deux pages qu'elle avait eu la gentillesse de m'envoyer m'avaient procuré un grand plaisir, je les avais trouvées spirituelles et magnifiques, c'était pour moi un motif de fierté que mon travail puisse s'attacher des lecteurs de sa qualité, ai-je écrit à cette jeune femme.

J'ai reçu de Bénédicte Ombredanne, par mail, quelques semaines plus tard, une lettre qui détaillait ce qu'elle avait aimé dans mon roman. C'était un texte de toute beauté, vibrant et lumineux, où elle s'était abstenue cette fois-ci de faire le moindre humour.

J'ai retrouvé cette intensité du sentiment d'exister déjà perçue dans son premier envoi. Non parce que ma lectrice y témoignait d'un insolent bonheur : c'était en creux, par défaut, en suggérant qu'elle était confrontée à des vides, à des obstacles, à des entraves, qu'elle exprimait l'intensité de sa présence au monde — un jour, à force de le vouloir, elle parviendrait à être heureuse, semblait-elle vouloir dire. Elle ne donnait aucune indication sur la nature des contrariétés rencontrées, j'ignorais si ce qui l'empêchait d'être heureuse prospérait en elle-même ou dans son entourage (qu'il soit professionnel ou familial), mais en revanche sa volonté d'y résister, de les combattre, peut-être un jour d'en triompher circulait dans les profondeurs de sa lettre avec incandescence. Ce qui accentuait cette intuition que Bénédicte Ombredanne n'allait pas très bien, c'était aussi l'importance qu'elle accordait aux livres qu'elle adorait, une importance que je sentais *démesurée* : comparable à un naufragé qui dérive en haute mer accroché à une bouée, elle les voyait comme détourner leur route et s'orienter lentement vers sa personne de toute la hauteur de leur coque, c'était bien eux qui allaient vers elle et non l'inverse, comme s'ils avaient été écrits pour l'extraire des eaux sépulcrales où elle s'était résignée à attendre une mort lente. En cela je dois admettre que les lecteurs de cette catégorie n'ont pas une attitude ni des attentes fort différentes des miennes : moi aussi j'attends des livres que j'entreprends d'écrire qu'ils me secourent, qu'ils m'embarquent dans leur chaloupe, qu'ils me conduisent vers le rivage d'un ailleurs idéal. Elle me voyait comme un capitaine au long cours qui l'aurait distinguée dans les flots depuis le pont de son navire — et qui serait venu la sauver.

Bénédicte Ombredanne me confiait qu'elle avait perçu quelque chose de vital dans mon roman : *il avait été écrit parce qu'il devait l'être*. De la même manière que toute personne qui est née doit absolument s'accepter et se réaliser un jour telle qu'elle est pour ne pas mourir (je me suis dit qu'elle avait forcément songé à elle en composant cette phrase curieuse), elle pensait que par ce livre je m'étais trouvé et transcendé, justement pour ne pas mourir. L'autre versant du vital c'est que les quatre personnages que j'avais créés avaient la possibilité de donner vie à leur tour : ces destins pas si roses provoquaient chez le lecteur un optimisme fou.

Je précise que dans ce livre j'avais tressé les trajectoires d'un propriétaire de hedge fund établi à Londres, d'un chômeur longue durée vivant reclus chez sa mère en grande banlieue, d'un géologue travaillant en Allemagne pour le leader mondial de la chaux, enfin d'un écrivain aimant passer du temps à la terrasse d'un café du Palais-Royal, le Nemours (moi, sous mon propre nom). Avec ce livre, j'avais voulu créer un espace mental : les quatre lignes narratives qu'il entrecroise ne se rencontrent jamais, le lecteur découvre progressivement que ces protagonistes sont différentes modalités d'un seul et même individu. Je leur ai donné la même enfance, les mêmes parents, les mêmes goûts, les mêmes aspirations, le même tempérament, la même intelligence et les mêmes références culturelles, mais cette essence qu'ils partagent, identitaire, se décline différemment selon les expériences qu'ils vivent à partir de leur dix-huitième année — et surtout en fonction du milieu dans lequel chacun d'eux finit par faire sa vie : le lecteur voit quatre fusées identiques s'élever du même lanceur, mais dans quatre directions opposées. Sous les contrastes de ces travestissements socioprofessionnels, on continue de percevoir la substance qu'ils ont en commun, qui continue de diffuser la même lueur inaltérable : seuls diffèrent le dosage et l'acclimatation des ingrédients qui la constituent, le contexte de chacune de ces expériences finissant naturellement par les définir. Que serais-je devenu si je n'avais pas rencontré Margot, ma femme, à vingt-trois ans ? Cette question est le principe qui a donné sa forme à mon roman : je me suis décliné en spéculateur financier, en révolté terroriste et en salarié résigné, en plus de me mettre en scène moi-même, sous mon propre nom, en écrivain insatisfait. À mesure que le roman progresse, les personnages donnés d'emblée pour fictionnels peuvent offrir le sentiment de devenir effroyablement véridiques, tandis que les contours *a priori* documentaires de l'écrivain finissent par s'estomper dans les brumes d'un récit féerique, comme s'il s'affranchissait de tout réalisme. Suis-je un rêve ? De quel autre personnage chaque personnage de ce roman est-il le songe, l'hypothèse cauchemardesque, l'espoir, l'intime frayeur ? Qui est réel et qui ne l'est pas ? J'ai laissé entendre dans des interviews que ces trois personnages seraient mes avatars, je pourrais dire tout aussi bien qu'ils incarnent des catégories que j'ai su éviter : le désir de pouvoir et d'argent, le désir de vengeance et de violence suicidaire, le désir de claustration et d'existence virtuelle — à moins que ma vie n'ait consisté à synthétiser les désirs respectifs de ces trois catégories, d'où l'écrivain que je suis devenu, avide d'estime et solitaire, suicidaire, spéculatif, dangereux, rigide, frustré, insatiable, obsessionnel, perfectionniste, maniaque, fuyant, violent, virtuel, radical, intransigeant — aimant le risque et le danger, adorant les paris périlleux et les gains qu'il est dans la nature de ces derniers de laisser espérer, mirifiques, face à une possibilité de pertes équivalente.

Je me souviens qu'au lycée, assis derrière de hautes paillasses de carrelage blanc, on assemblait des boules et des bâtonnets en bois peint pour construire des molécules, chacune d'elles se différenciant par le choix et le dosage des atomes mis en présence. De la même manière, ne peut-on jouer avec les données qui entrent dans la formule de notre tempérament, en modifiant leur équilibre, leur hiérarchie et leur combinaison, pour inventer de nouvelles molécules de notre présence au monde, intérieurement ou socialement ?

En ce qui me concerne, je le crois. Bénédicte Ombredanne, selon toute apparence, le croyait également, d'où cette belle lettre qu'elle m'avait envoyée, et qui disait exactement cela.

Bénédicte Ombredanne m'écrivait en effet que ces quatre personnages avaient été créés pour que vienne au monde un être réconcilié, le seul qui resterait lorsque le livre aurait été refermé : l'auteur sans doute, mais aussi le lecteur, à commencer par elle, dans une vitale réinvention de sa personne, ce sont ses propres termes. Elle s'était sentie mieux après avoir lu mon roman, il en était résulté la conviction qu'il est possible de s'unifier malgré le fait qu'on se perçoit comme

16

fragmenté. Ce que mon livre démontrait, c'est qu'en super-posant des morceaux de vie divergents, en agençant les pièces de différents puzzles, on peut voir surgir malgré tout un être en trois dimensions, sans trop de trous, même si des fêlures restent perceptibles à la jonction approximative des frag-ments, je la cite. Ces personnages qui se ressemblent, qui en réalité sont des déclinaisons d'un même individu, finissent par donner beaucoup d'intensité au personnage du roman-cier qui les condense, celui qui sous le nom d'Éric Reinhardt s'installe souvent pour travailler à la terrasse d'un café du Palais-Royal, m'expliquait Bénédicte Ombredanne. On est tous divisés, on est intérieurement plusieurs personnes contradictoires qui se combattent ou dont les intérêts se contredisent, on est tous amenés à jouer des rôles qui en définitive sont les facettes d'une vérité unique qu'on passe son temps à intérioriser, à travestir, à protéger du regard d'autrui et finalement à trahir, parce qu'on a honte de s'avouer aussi complexe, pluriel, tiraillé, contradictoire et donc essentiellement indéfini, alors que c'est précisément notre force, m'écrivait Bénédicte Ombredanne. En se proje-tant simultanément dans les quatre personnages (et en parti-culier dans celui qui donne le sentiment de contenir les trois autres, à savoir le romancier), le lecteur finit par s'accepter tel qu'il est, dans toute sa diversité, avec toutes ses contradic-tions. Quelle libération ! Dans le livre, le personnage du romancier est le seul qui par intermittence peut apparaître heureux ou apaisé, c'est le seul qui parvient à apercevoir des éclaircies et à tirer de ces moments de magnifiques épipha-nies, c'est le seul qui ne se perd pas dans des méandres qui à l'inverse font souffrir les trois autres, je recopie les phrases exactes qu'elle m'a écrites : il accepte sa propre bizar-rerie pour en faire sa joie. Bénédicte Ombredanne concluait ce paragraphe de la manière suivante : accepter sa propre bizarrerie pour en faire sa joie, n'est-ce pas ce qu'on devrait tous faire dans nos vies, n'est-ce pas ce que je suis en train de faire en ayant l'audace d'écrire une lettre comme celle-ci à un homme que je n'ai jamais rencontré, et qui sans doute me prend déjà pour une folle ?

Bénédicte Ombredanne abordait ensuite une thématique qui m'intéresse au plus haut point : le statut de l'écrivain dans le champ même de sa fiction, en particulier quand il se fait apparaître nommément dans celle-ci. Elle me disait que tout était fiction pour elle dans ce roman, à commencer par cet Éric Reinhardt que je mettais en scène. Elle n'avait jamais entendu parler de moi avant de se voir recommander ce livre par son libraire, et c'est pourquoi elle avait abordé ce personnage comme un pur personnage de roman, au même titre que les trois autres. Ainsi à ses yeux tout dans ce livre était invention pleine d'allégresse. Même ce qui était présenté comme inspiré de ma vie réelle lui était apparu comme le produit de mon imagination et c'était là que résidait la joie. Elle supposait que j'avais tout réinventé et c'était là que résidait la joie. C'est la plus belle chose que ce livre lui avait permis de comprendre, *le fait qu'il soit possible d'inventer sa propre vie, et qu'elle soit belle*, m'écrivait Bénédicte Ombredanne à la toute fin d'un paragraphe très émouvant, l'inventer à condition qu'elle devienne réelle, qu'elle devienne réelle comme mon roman l'était entre les mains du lecteur avec sa couverture bleue, son papier blanc, concluait-elle. Ainsi pouvait-on faire sa vie à l'image de ses rêves : ce n'était peut-être pas ce que j'avais à transmettre à mes lecteurs mais tant pis pour moi et tant mieux pour elle, car c'est précisément ce qu'elle avait besoin d'entendre à ce moment-là de son existence. Elle allait donc, à partir de maintenant, s'inventer, s'inventer chaque jour, se réinventer toutes les fois qu'elle le pourrait, ainsi sa vie deviendrait sans doute un peu plus belle qu'elle ne l'avait jamais été, c'est la leçon qu'elle retirait de cette lecture.

Bénédicte Ombredanne me remerciait d'avoir avalé ce pensum indigeste jusqu'au bout. Elle me promettait d'être moins bavarde la prochaine fois et surtout de me parler plus en détail de mon roman, au lieu de s'attarder sur la lecture narcissique qu'elle en avait faite. Elle m'adressait un au-revoir brumeux, frisquet, mouillé de bruine, comme il convenait pour un mois de février en Lorraine.

Ce que cette lettre de Bénédicte Ombredanne me révélait, c'est que plusieurs personnes vivaient en elle qu'elle peinait à concilier. Il lui fallait les emmurer presque toutes dans le silence de son intimité, cela ayant pour conséquence qu'elle n'était pas parvenue à se déployer comme elle l'aurait voulu, ou selon ses désirs véritables, ou bien encore dans ses nuances les plus subtiles. Plutôt que d'être éternellement, face à elle-même et au casse-tête de sa complexité, comme un lapin dans les phares d'une voiture, effrayée, incapable du plus petit mouvement, elle réclamait l'audace de décider enfin, maintenant qu'elle était grande, quelle personne elle voulait être, de s'essayer à de nouvelles mises en lumière de son mental.

J'ai répondu à Bénédicte Ombredanne que sa lettre n'avait rien d'un pensum indigeste : elle m'avait bouleversé. Elle avait esquissé, sans s'en apercevoir, un magnifique autoportrait, et c'est précisément ce qui m'avait plu. Je terminais en lui disant que je serais heureux de faire sa connaissance la prochaine fois qu'elle séjournerait à Paris : qu'elle me prévienne de sa venue, je l'inviterais à boire un verre.

Comme il doit être tenu ici pour acquis que je propose rarement à mes lecteurs des rencontres en tête à tête, je précise que cette invitation ne spéculait aucunement sur le physique de cette jeune femme (les écrivains ont la réputation d'être des croqueurs de lectrices, c'est pourquoi j'apporte ces précisions) : l'idée de faire sa connaissance s'est imposée à mon esprit comme une évidence de savoir-vivre. Naturellement je m'étais dit qu'il serait agréable que l'apparence de Bénédicte Ombredanne soit à la mesure de son intensité existentielle, je m'étais dit que son regard aurait sur moi un effet dévastateur si en plus d'exprimer la ferveur que je trouvais dans ses lettres il était environné d'un visage à mon goût, j'ai pu me dire que cette jeune femme déterminée par la lecture de mon roman à inventer chaque jour sa propre vie serait une interlocutrice à la séduction démoniaque, en effet, si de surcroît son corps me ravissait. Il m'aurait plu qu'il en soit ainsi, je l'avoue, mais je n'y croyais pas, quelque chose dans la contenance de ces deux lettres me persuadait qu'elles avaient été écrites par une jeune femme accoutumée à être perçue comme ordinaire, j'avais la conviction que tout passait chez elle par une intensité principalement intérieure : les regards de la vie quotidienne devaient glisser sur sa personne sans la remarquer, ni soupçonner la richesse de ce qui se passait dans sa tête.

J'ai rencontré Bénédicte Ombredanne à deux reprises, les deux fois à la terrasse du Nemours, un café à l'entrée des jardins du Palais-Royal. Le premier rendez-vous a eu lieu en mars 2008, le second quelques mois plus tard, un dimanche de septembre.

La première fois nous étions intimidés tous les deux, c'est surtout moi qui ai parlé, elle avait de nombreuses questions à me poser sur l'écriture de mes romans. La seconde fois elle s'est confiée pendant quatre heures, j'avais senti qu'elle avait besoin de me raconter sa vie. J'entretenais ses confidences par des questions et des encouragements affectueux, il me semblait primordial qu'elle puisse évacuer ce que j'ai compris qu'elle gardait pour elle seule depuis des années.

J'avais failli ne pas accepter de seconde entrevue, une seule rencontre me paraissait suffire, je n'avais pas tellement envie de prolonger cette relation, tout agréable qu'ait été notre échange du printemps. Cependant, faible et lâche que j'étais, j'avais été incapable de lui dire clairement *non* quand elle m'avait proposé qu'on se revoie lors d'un séjour qu'elle faisait à Paris, mes SMS lui parlaient d'un emploi du temps fluctuant, je ne savais pas à quel moment je serais libre, qu'elle n'hésite pas à tenter sa chance le lendemain, etc. Elle m'avait relancé chaque jour sans se décourager le moins du monde et était même allée jusqu'à m'écrire un message dans la matinée du dimanche, à quelques heures du départ de son train. Je ne pouvais plus éluder une demande de rendez-vous formulée avec cette insistance, d'autant plus que Bénédicte Ombredanne n'avait jamais cessé d'être délicate malgré l'urgence croissante de ses messages. En lui répondant que j'étais d'accord pour qu'on se voie en tout début d'après-midi, je savais que j'allais vivre ce dimanche-là quelque chose de bouleversant.

Lors de notre conversation printanière au Nemours, j'ai appris que Bénédicte Ombredanne était agrégée de français et qu'elle enseignait cette matière à des classes de première dans un lycée public de Metz. Ayant consacré son mémoire de maîtrise à Villiers de l'Isle-Adam, découvrir au tout début de mon roman que la nouvelle *L'Agrément inattendu* comptait parmi les références les plus précieuses de mon imaginaire lui avait plu au-delà de toute mesure. Cette connivence s'était amplifiée au fil de la lecture, les points de conjonction s'étaient accumulés jusqu'au vertige et avaient fait s'allumer nos deux univers de *feux réciproques* : Mallarmé, *Brigadoon, Le Trou,* Médée, Cendrillon, l'automne, l'instant, l'absolu, le théâtre, Gênes, le Palais-Royal, l'extase, Nadja, la danse, l'amour qui dure longtemps étaient les astres par la lumière desquels nos planétariums respectifs se contemplaient réciproquement. Sans oublier les petits pieds cambrés : elle chaussait, tenez-vous bien, *un délicat 37 ½*, m'a-t-elle avoué en rougissant, un 37 ½ *crûment cambré*, pour reprendre une expression parlante qu'on trouve dans votre livre.

Je lui ai confirmé que *L'Agrément inattendu* résumait parfaitement mon rapport à la réalité, ou plutôt les fantasmes d'émerveillement que m'inspirait son âpreté. Émerveillement, extase, épiphanie et transfiguration, comme je l'ai déjà souvent écrit. Bénédicte Ombredanne m'a répondu qu'elle aussi : elle aussi aspirait à la même chose et c'est pourquoi elle se projetait souvent dans cette histoire du marcheur déshydraté. Chaque matin en sortant de chez elle, elle espérait qu'une trappe insoupçonnée lui serait révélée pendant la journée par une quelconque circonstance miraculeuse de sa vie quotidienne, alors elle s'éclipserait subrepticement par cette trappe pour sortir du monde réel, elle emprunterait l'escalier et descendrait doucement dans les profondeurs de ce spectacle insipide qu'était devenu pour elle-même depuis de nombreuses années le déroulement de sa propre existence, à la suite de quoi, après un temps d'excitation plus ou moins long, au terme de cette descente dans les tréfonds de sa vie intérieure, au cœur de la réalité rocheuse du temps présent, elle connaîtrait la même sidération que le marcheur de Villiers de l'Isle-Adam dans les sous-sols de sa banale auberge de campagne, une expérience sensitive insensée. Voilà à quel miracle elle aspirait chaque jour, voilà l'urgence à laquelle l'avait durablement rappelée la lecture de mon roman : retrouver son propre éclat, le retrouver au plus profond d'elle-même comme le marcheur déshydraté découvre l'éblouissement d'un spectacle mirifique sous le plancher d'une vieille auberge, au cœur même de la roche. C'est cet impératif qui doit filigraner nos pensées tandis que le temps passe, que nos journées s'effritent, que nous voyons des silhouettes inconnues s'agiter dans la rue (et parfois désirables, désirables ne serait-ce que métaphysiquement, en raison de notre solitude, a précisé Bénédicte Ombredanne), tandis que tombe la pluie et qu'on s'absorbe dans l'examen de son reflet dans les vitres d'un autobus, un reflet indulgent. Cet autobus nous ramène à la maison dans la même nuit épaisse, violente, glaciale, aveugle, d'octobre, de novembre, de décembre, d'hiver, de froid, mouillée, fouettante, jour après jour, soir après soir, janvier, février, mars, année après année, dans la même nuit cinglante que si cet autobus nous arrachait à notre réalité pour nous conduire à travers l'obscurité vers une région inconnue, aux confins du réel, exactement comme un bateau dans les embruns d'une mer hostile, une mer hostile mais attirante. Attirante ? Vous me demandez, Éric, pourquoi je trouve cette mer hostile attirante ? Je vais vous dire : en raison de ces lointaines profondeurs invisibles, noires, épaisses, où peuvent s'entendre les échos de nos rêves. Rien n'est pire que le dur des surfaces planes, que le tangible des surfaces dures, que l'obstacle des écrans qui se dressent, sauf si des films y sont projetés. Je préfère le profond, ce qui peut se pénétrer, ce en quoi il est envisageable de s'engloutir, de se dissimuler : l'amour et les forêts, la nuit, l'automne, exactement comme vous. Claquemurées dans la résignation depuis tellement d'années, ses ambitions pour le bonheur — ses ambitions d'adolescente — avaient beau avoir été violentées par la vie, elle les avait ranimées récemment : elle réclamait dès lors de chaque journée qu'elle lui prodigue une minute irradiante, une heure miraculeuse, une enclave d'émerveillement, un grand soupir extatique oublieux des tristesses de l'existence. Malheureusement, la réalité n'est pas tellement généreuse avec ceux qui réclament d'être enchantés. Il ne se passe pas grand-chose d'excitant dans nos vies, vous savez, m'a dit ce jour-là Bénédicte Ombredanne, ce n'est pourtant pas grand-chose ce qu'une femme comme moi peut demander, ce n'est vraiment pas grand-chose et pourtant c'est déjà trop : vous ne pouvez pas savoir à quel point les agréments sont rares dans l'existence d'une femme comme moi. Je me suis remise à y croire dernièrement, en partie grâce à vous, c'est pourquoi nous parlons tous les deux à la terrasse de ce café du Palais-Royal, je me suis remise à espérer qu'un beau matin l'équivalent d'un prince charmant surgira dans ma vie pour m'emporter loin de tout, même momentanément, même si ce prince charmant n'est pas un homme, oui, pas un homme, pas même un être humain, mais une péripétie charmante, un instant romanesque, une éclaircie soudaine et pleine d'espoir, un grand et beau moment d'intensité, vous comprenez ce que je veux vous dire ? Dans la nouvelle de Villiers de l'Isle-Adam, le merveilleux est enfoui dans la roche sous les pieds du voyageur. Il suffit peut-être de savoir regarder un vieux plancher ? Personne ne regarde les vieux planchers, personne ne scrute son quotidien usé avec l'espoir que s'y révèlent une trappe secrète, le démarrage d'un escalier, les ténèbres d'un espace inconnu. Il suffit peut-être de surveiller la surface de son quotidien, d'avoir suffisamment de sensibilité pour détecter l'existence d'un passage, pour identifier la nécessité de s'y faire disparaître ? (Plutôt que de se dire à quoi bon, plutôt que de se dire pour quoi faire, plutôt que de se dire une autre fois, il ne faut pas, ce n'est pas bien, c'est trop risqué, qu'en penseraient les enfants ? qu'en diraient mes collègues, mes amis, les membres de ma famille, s'ils venaient à l'apprendre ?) C'est environné du réel le plus aride que se déploie le merveilleux, voilà ce que murmurent votre roman sur six cents pages et la nouvelle de Villiers de l'Isle-Adam sur une demi-douzaine, m'a dit Bénédicte Ombredanne pour conclure cet assez long moment consacré à évoquer sa propre vie, lors de notre première rencontre.

Je suis arrivé en avance au rendez-vous du mois de mars et en retard d'un nombre équivalent de minutes à celui du mois de septembre, environ une dizaine. Dans les deux cas Bénédicte Ombredanne était déjà là : mais, autant, la seconde fois, en m'apercevant sur l'esplanade, elle s'est levée pour venir à ma rencontre et m'embrasser, autant, la première fois, elle ne s'est pas manifestée immédiatement, ni d'une manière particulièrement visible. Ce jour-là, j'ai parcouru à deux reprises, par son allée centrale, la longue terrasse abritée du Nemours, je cherchais une table libre en vérifiant qu'aucune femme seule n'était susceptible d'être ma lectrice lorraine déjà installée à m'attendre, mais à cette heure très animée aucune table n'était plus disponible. J'inspectais les alentours pour repérer un consommateur s'apprêtant à demander son addition, mon regard s'est appuyé, pour les interroger, sur le visage de deux jeunes femmes qui me semblaient attendre quelqu'un, mais elles n'ont pas réagi. Je suis retourné vers l'entrée du Nemours, j'ai bavardé avec un serveur en continuant de balayer la terrasse des yeux et c'est alors que j'ai détecté un visage, ce visage me regardait avec un sourire tendre et légèrement moqueur, il me murmurait qu'il était celui de la jeune femme dont les deux lettres m'avaient conquis. Aucun signe ostensible, aucune main levée, aucune fébrilité démonstrative, aucun sourire éclatant me signalant qu'elle était bien Bénédicte Ombredanne : non. Mais l'attentisme de celui qui préfère ne pas connaître une expérience si c'est au prix d'un sacrifice consenti par la personne qui prétendait la lui faire partager. Mais la densité de celui qui observe et enregistre, souhaite faire venir autrui par la seule force de sa sincérité ou de son affection, une affection qui renoncerait d'emblée à tout renfort rhétorique. Elle ne ferait aucun geste plus prononcé que la démonstration de ce bonheur au fond d'elle-même comme un lac au clair de lune : des scintillements dans ses yeux sombres. Ce regard fixe comme un pacte entre nous, avant les mots que nous allions échanger, surtout si j'éprouvais le désir de m'extraire du merdier où selon elle je pouvais craindre d'être venu m'enliser, d'où la possibilité que Bénédicte Ombredanne me laissait, par ce regard lucide et silencieux, très élégant, de rebrousser chemin : elle comprendrait que je m'en aille, elle ne m'en voudrait pas, j'en avais encore la possibilité, allez, ne vous encombrez pas d'une femme comme moi. Mais en même temps la subsistance, pâle, immanente, ravivée par cet échange, d'un orgueil très ancien. Je savais qu'elle voulait me montrer son visage comme un paysage, de loin, en silence, afin que se laisse entrevoir un peu de vérité, comme moi-même je l'avais fait vis-à-vis d'elle avec mon livre, je le sentais. Un tête-à-tête momentané, intime et véridique, sans maquillage : par ce bel incipit rétinien, elle voulait me faire comprendre qu'il ne s'agirait pas d'une comédie superficielle ou de futiles mondanités, j'en ai acquis d'emblée la conviction. Alors que le serveur planté à mes côtés continuait de murmurer dans mon oreille des commentaires d'esthète sur la beauté des Parisiennes, c'est de cette manière que j'ai interprété le comportement de Bénédicte Ombredanne tandis qu'elle se montrait à moi par la seule force de son regard, sans faire le moindre geste, sans amorcer le plus petit mouvement, en restant aussi essentielle que dans ses deux lettres. Sauf que j'avais sous les yeux non plus des phrases rapides penchées vers la droite, mais une jeune femme d'environ trente-cinq ans, brune et les cheveux courts, menue et habillée en noir, pâle, le visage un peu fatigué, installée sur une chaise en rotin contre un pilier rugueux. Bon, qu'est-ce que vous voulez faire, vous avez un rendez-vous, ou vous voulez que je vous trouve une table ? m'a demandé Lionel. Je lui ai répondu qu'effectivement j'avais un rendez-vous, et qu'il était déjà arrivé. Vous m'avez l'air songeur, quelque chose ne va pas ? a ajouté Lionel avec sa pétulance habituelle (il devait penser que j'avais un rendez-vous galant : Lionel se trompe, je n'ai jamais de rendez-vous galant au Nemours). Non, tout va bien, j'y vais, vous viendrez prendre notre commande dans quelques minutes ? ai-je enchaîné. Je me suis alors approché de Bénédicte Ombredanne qui n'avait pas cessé de me regarder pendant que je marchais sur la terrasse pour la rejoindre, elle s'est levée en me tendant la main au moment où j'arrivais devant sa table.

J'ai appris que mes yeux avaient glissé sur le visage de Bénédicte Ombredanne à deux reprises, elle n'avait pas osé m'intercepter, elle s'était contentée d'un sourire attentif, aussi discrète qu'un oiseau, encline à s'envoler. À ma décharge, elle était assise à la même hauteur, mais de l'autre côté de l'allée, à l'abri d'un pilier, que l'une des deux jeunes femmes que j'avais regardées : guettant sur le visage de cette dernière l'apparition d'un signal de reconnaissance, je n'avais pas tourné la tête vers Bénédicte Ombredanne qui pourtant m'observait, tout à proximité. Mais, bien plus que le pilier qui la dissimulait, bien plus que l'autre jeune femme qui patientait, parisienne, à laquelle plutôt qu'à ma lectrice lorraine une pulsion préférentielle qui me rendait honteux m'avait fait adresser ce regard insistant, c'est la banalité de Bénédicte Ombredanne qui expliquait que sa présence me soit passée inaperçue, je le savais : comme j'en avais eu l'intuition en lisant ses deux lettres, elle était de ces personnes que la plupart du temps on ne voit pas. J'étais furieux de m'être ajouté à la longue liste de ceux qui attestaient cette vérité.

Lors de ce premier rendez-vous, éludant certaines questions que Bénédicte Ombredanne me posait, j'ai réussi à la faire un peu parler d'elle et notamment de cette nouvelle de Villiers de l'Isle-Adam qu'elle aimait tant, comme je viens de l'évoquer. Elle m'a aussi appris qu'elle était mariée et mère de deux enfants âgés de sept et quatorze ans, un garçon et une fille. Mais en dépit de mes relances, elle est restée silencieuse sur ce qui la poussait à qualifier son existence de *délabrée*, à désigner sa personne comme un objet *mis au rebut*, à se décrire comme une jeune femme *abandonnée*. Je n'ai pas non plus réussi à savoir ce que faisait son mari, je n'ai pas eu l'impression qu'elle avait tellement envie de me parler de lui. Il me faudrait attendre les confidences de notre rencontre dominicale de septembre pour qu'elle devienne plus explicite.

C'est à la fin de mon premier rendez-vous avec elle que Bénédicte Ombredanne m'a demandé si j'avais commencé un nouveau roman. Nous nous trouvions à proximité de la bouche de métro créée par Jean-Michel Othoniel. Je lui ai répondu non, je n'avais rien commencé, pas encore. Je lui ai dit que je m'étais attardé à l'excès dans l'ivresse des interviews et des rencontres en librairie, afin de reculer le plus possible le moment où je devrais m'y remettre. Je voyais mal comment atteindre un bonheur équivalent à celui que j'avais atteint en terminant mon dernier livre, il me paraissait difficile de reproduire les conditions qui permettraient que ce mouvement miraculeux se reproduise, même moins intense qu'il ne l'avait été. Je ne pourrais pas faire mieux que ce roman, je passais mon temps à essayer d'anéantir cette idée, c'est pourquoi je craignais d'avoir à me vivre désormais — jusqu'à ma mort — comme *en deçà* de celui que j'avais été à un moment particulier de mon existence, quand tout mon être avait été transfiguré pendant des mois par l'embrasement d'une mystérieuse épiphanie. En fait je n'allais pas très bien, j'allais de nouveau aussi mal qu'à l'époque où mes romans n'avaient pas tellement de succès. Maintenant que les douze coups de minuit avaient fini de retentir, que le bal avait pris fin et que le sortilège où je m'étais consumé pendant les derniers mois allait se dissiper, je comprenais qu'il me faudrait porter sur les épaules un fardeau autrement plus encombrant que l'amertume d'être inconnu : l'injonction à faire mieux. Faire mieux que ce roman ? Me dépasser ? En fait je vais vous dire, l'idéal aurait été que je meure sitôt mon livre paru, ou encore il y a deux mois, après avoir profité de son succès. Mais qu'est-ce que vous racontez, m'a alors interrompu Bénédicte Ombredanne, taisez-vous voyons, je préfère que vous soyez vivant ! Ne protestez pas, l'ai-je interrompue : c'est la stricte vérité. D'ailleurs ce livre vous aurait plu encore plus, vous l'auriez trouvé encore plus bouleversant si vous aviez su que j'en étais mort, que ce livre était une chose tellement sérieuse que chaque phrase avait été pesée dans la balance de ma prochaine disparition. C'est dans cet esprit-là que j'en ai entrepris l'écriture, ce livre est le testament d'un homme de quarante ans qui préfère encore mourir que d'être un écrivain noyé dans la masse, mais néanmoins il se donne une dernière chance en écrivant le livre définitif qu'il a toujours rêvé d'écrire, qu'il laissera derrière lui après avoir disparu. J'ai commencé ce livre dans l'énergie et la fureur d'une expérience désespérée : me faire entrer tout entier dans un seul livre ultime au lieu de m'émietter minablement, quotidien et terrestre, raisonnable, économe, par petites doses, pendant trente ans, dans des écrits perlés et relatifs, circonstanciels, quasiment salariés. J'ai compacté toutes les idées que j'avais, j'ai injecté dans l'organisme de ce roman vorace l'ensemble de mes carnets, mes sensations fondatrices, mes pensées les plus précieuses, toute ma substance intime, tout ce par quoi, depuis l'adolescence, je me sens écrivain. Taper un grand coup et disparaître. Tout dilapider. Risquer sa vie. Ne rien garder en réserve au-dedans de soi. Se faire remplacer par un roman. Faire un grand feu sublime de sa personne, un brasier littéraire, par vengeance. S'impressionner soi-même par l'audace de son geste puis tirer sa révérence. Vous comprenez ce que je veux vous dire ? C'est ce que j'avais au fond de moi et j'ai fini par en tirer une joie profonde, tout est parti d'une infinie tristesse et du désir d'en terminer avec la vie et avec l'art et cette tristesse s'est transformée en euphorie. Rouler à deux cent trente à l'heure sur l'autoroute de ce roman sans avoir peur de mourir, prendre tous les risques et s'en moquer, lâcher prise et foncer à toute vitesse vers mes rêves, vers Gênes, vers l'Italie, doubler les escargots classe moyenne à deux cent trente à l'heure dans cette Porsche rouge que je m'étais offerte à crédit (alors que d'ordinaire j'écris plutôt en Renault Clio, lentement, en économisant le carburant), j'ai découvert l'ivresse, j'avais de moins en moins envie de mourir à mesure que j'avançais dans mon roman et que je prenais goût à la vitesse, aux kilomètres de joie que la calandre de celui-ci avalait sans la moindre peine, sur la route de mon accomplissement. À un moment ma Porsche rouge s'est transformée en fusée, je suis parti à travers le ciel vers les étoiles. J'étais en train de me métamorphoser, pour la première fois de ma vie j'ai senti qu'enfin je devenais moi-même. C'était magique. Je n'ai jamais été aussi heureux. Si bien qu'au moment où j'ai terminé mon roman, je n'avais plus du tout envie de mourir, mais alors plus du tout : je voulais en profiter ! Je regardais Bénédicte Ombredanne qui tremblait comme une feuille sous la tempête de mes confidences : elle attendait de toutes ses forces une conclusion heureuse. Mais maintenant je suis revenu au point de départ, ai-je poursuivi. Pire encore car je n'ai plus aucune réserve : j'ai été dévalisé par celui qui s'est illustré à ma table entre octobre 2004 et mars 2007 — et qui n'est pas tout à fait moi. L'homme éperdu qui a écrit ce livre n'en avait rien à foutre du besogneux qui allait passer après lui, autrement dit de l'homme qui est en train de vous parler en se demandant ce qu'il va bien pouvoir écrire qui serait à moitié aussi libre, aussi tempétueux. Je suis redevenu moi-même. Il ne me reste plus rien. Je suis épuisé. Comme une mine de charbon et comme quelqu'un qui n'a plus aucune force.

J'ai éclaté de rire.

Bénédicte Ombredanne m'a observé en silence pendant quelques instants, des gens passaient tout près de nous en sortant de la bouche de métro, elle devait se demander si j'avais été sérieux en lui tenant des propos aussi catastrophistes sur ma personne, ou si j'avais pour habitude de théâtraliser de la sorte mes angoisses, pour mieux pouvoir les surmonter. Vous n'avez pas l'air de me croire, ai-je fini par lui dire : mais c'est pourtant la vérité. Elle m'a alors répondu qu'elle ne se faisait aucun souci pour moi, elle voyait mal comment l'auteur de ce roman pouvait se retrouver sans aucune provision du jour au lendemain. Il faut peut-être vous reposer un peu, en revanche, a-t-elle conclu : c'est normal de se sentir épuisé après une telle expérience. Je vous remercie, vous avez sans doute raison. En attendant, pour répondre à votre question, j'ai pour projet un livre rapide et incisif dont j'aimerais qu'il aille se ficher en ligne droite dans le cœur de ses lecteurs, comme une fléchette. Ce roman mettrait en scène un personnage masculin d'une trentaine d'années qui vit reclus chez sa mère et entretient une correspondance électronique avec un couple exhibitionniste rencontré sur Internet. Comme Patrick Neftel dans votre roman, m'a interrompu Bénédicte Ombredanne. Exactement, d'ailleurs ce sera sans doute de nouveau lui, ai-je répondu. Sauf que Patrick Neftel entretenait avec son couple anglais une relation qu'on pourrait qualifier d'idyllique, ce couple-là exhibait sur la toile la plénitude de son accomplissement et c'est précisément ce qui faisait fantasmer mon personnage : il se mettait à la place du mari et imaginait qu'il était marié avec la femme, qu'il vivait avec elle, qu'il parcourait chaque soir avec sa langue ses pieds crûment cambrés. Là il s'agirait d'autre chose, le mari inscrit son couple dans une forme de déviance que mon personnage décide d'interrompre, parce qu'il est tombé amoureux de l'épouse. Bénédicte Ombredanne m'a répondu qu'elle avait hâte de lire ce livre mais qu'elle serait d'une patience infinie, il ne fallait pas que je me sente sous pression, je devais prendre mon temps et retrouver ma respiration. Je lui ai répondu qu'évoquer mes angoisses avec elle m'avait fait le plus grand bien. Vous aurez appris quelque chose que je n'ai osé dire à aucun de mes proches : personne ne sait dans quel état déplorable je me trouve, personne ne sait que je pleure tous les matins caché dans mon bureau, ai-je conclu. Nous nous sommes embrassés sur les joues, je l'ai regardée s'enfoncer dans les entrailles de la terre sous les perles de verre de Jean-Michel Othoniel, elle allait prendre le métro pour se rendre chez une amie.

Quand on est dehors et au soleil et qu'on pénètre dans un endroit plongé dans la pénombre, le regard requiert quelques minutes d'acclimatation avant de pouvoir transmettre au cerveau des images détaillées : de même, je n'ai pas décelé immédiatement ce que pouvait avoir de séduisant le visage de Bénédicte Ombredanne. Confronté à son apparente banalité, ce n'est qu'au bout d'une heure que j'ai commencé à vraiment le distinguer, il a alors entrepris de me charmer, je me suis mis à le scruter avec un intérêt grandissant. J'aimais beaucoup les expressions par lesquelles elle surmontait sa timidité, ou encore les longs silences qu'elle s'octroyait pour réfléchir. Elle se mordait les lèvres comme une enfant prostrée et mécontente, elle était à l'égard de sa propre pensée d'une exigence intransigeante, c'est pourquoi ses silences me la montraient toujours insatisfaite, intérieurement, irrémédiablement insatisfaite. J'aimais aussi beaucoup la profondeur de son regard rêveur dont tout à coup de métalliques lueurs d'humilité venaient rapatrier tous les lointains, c'était alors comme un assourdissant repentir de tout son être, comme si elle s'en voulait de s'être abandonnée devant témoin aux splendeurs d'illusions pitoyables. En général cet écroulement s'accompagnait d'un sourire, le sourire de Bénédicte Ombredanne avait ceci de spécifique qu'il remontait nettement vers ses pommettes en dessinant un arrondi accentué : l'étroite silhouette d'un délicat quartier de lune. C'était pour moi une chose irrésistible que son sourire pût évoquer la lune au tout début de son premier croissant, et les deux fois que nous avons parlé je n'ai pas arrêté de désirer la réjouissante apparition de cette image de cil céleste.

Que je me sois confié à Bénédicte Ombredanne à l'issue de notre premier rendez-vous est certainement ce qui l'a encouragée à se confier à moi au début du second. Si je ne m'étais pas laissé entrevoir comme un homme qui n'allait pas très bien (en dépit du fait que le récit de mes angoisses avait été comme un dessin animé emphatique, plein d'exagérations et de rebondissements burlesques), il est probable qu'elle n'aurait pas osé s'ouvrir à moi.

Dans les semaines qui ont suivi notre première rencontre, Bénédicte Ombredanne s'est informée plusieurs fois de l'avancement de mon roman. La fléchette que je projetais d'écrire progressait-elle vers ses lecteurs ? Allait-elle la recevoir bientôt en plein cœur ? Est-ce que j'étais parvenu à surmonter mes blocages ? Comme, n'ayant aucune envie d'évoquer mon travail avec quiconque, j'éludais toutes les questions qu'elle me posait relatives à l'écriture (par ailleurs, la perspective d'une correspondance assidue m'ennuyait au plus haut point, fût-ce avec une lectrice de sa qualité), notre relation a fini par s'éteindre. C'est à la suite de notre seconde entrevue que nous avons recommencé à nous écrire, ce que j'ai appris ce dimanche-là m'ayant à ce point bouleversé qu'il m'a paru naturel d'entretenir désormais avec elle une liaison continue, par SMS ou par courrier électronique : non seulement pour obtenir de ses nouvelles et lui apporter le réconfort dont elle pourrait avoir besoin, mais aussi pour en savoir davantage, pour l'obliger à clarifier des épisodes que ses confidences n'avaient fait que survoler, pendant les quatre heures que nous avions passées au Nemours. Qui aurait pu se douter, en nous apercevant dans cet endroit si élégant, en terrasse, un dimanche après-midi, que cette jeune femme me racontait des histoires si terribles ? Elle me les racontait froidement, avec une précision clinique, égrenant les faits, parlant d'elle-même comme d'un cas extérieur et lointain — c'était moi qui devais faire des efforts pour ne pas manifester des signes de faiblesse, j'avais envie de la serrer dans mes bras ou de lui prendre la main. Tandis qu'elle me parlait, je détaillais son visage anguleux aux traits livides tendus par l'insomnie, ses yeux et ses paupières obscurcies par le maquillage, son regard si profond, ses ongles vernis de noir qui s'amassaient comme en troupeau sur le ballon du verre de vin, ses vêtements et ses bijoux anciens : un camée accroché au col de sa veste, une montre ronde en pendentif, une bague volumineuse qui me faisait songer à un reliquaire. Je n'arrêtais pas de lui dire que ça allait s'arranger, en tout cas il était évident qu'elle devait prendre des dispositions pour que sa situation évolue, je l'y aiderais, elle devait réagir, il n'était pas possible qu'elle continue de se laisser détruire de cette manière sans opposer de réactions plus affirmées. Bénédicte Ombredanne me répondait qu'elle était bien de mon avis sur le principe mais qu'en même temps, concrètement, elle ne voyait aucune issue, elle était coincée, il lui arrivait de devoir affronter des moments de découragement où elle était tentée d'abdiquer. Eh bien il ne faut pas, Bénédicte, lui disais-je, il ne faut pas abdiquer, vous devez décider de vous battre. C'est compliqué, me répondait-elle, je me trouve dans une situation réellement compliquée, je vous raconterai d'une manière plus précise quand nous nous écrirons. C'est ainsi que pendant plusieurs mois j'ai reçu de Bénédicte Ombredanne des mails où elle me relatait ce qu'elle avait vécu ces dernières années, elle joignait parfois à ces récits des pages de son journal intime ou des textes qu'elle avait écrits pour elle-même à l'époque des faits les plus graves. Nous devions nous revoir, notre correspondance évoquait la possibilité d'un nouveau séjour à Paris, mais son mari exerçait sur sa vie une surveillance de plus en plus étroite, il ne comprenait pas qu'elle ait déjà envie de retourner chez son amie retraitée alors qu'elle y était déjà allée en mars et en septembre. Il arrivait que Bénédicte Ombredanne laisse s'écouler un délai de plusieurs semaines, sans explication, avant de répondre à mes mails — ces périodes de silence étaient pour moi d'autant plus surprenantes qu'elles venaient interrompre des échanges d'une grande intensité. Je me suis dit plusieurs fois que ce n'était pas seulement son mari qui désapprouvait notre relation (ayant fini par en découvrir l'existence, il s'efforçait par tous les moyens d'en entraver le déroulement, c'est pourquoi elle avait dû créer une adresse spécifique dont elle n'ouvrait la boîte que dans la salle des profs de son lycée), Bénédicte Ombredanne elle-même me donnait parfois le sentiment de vouloir freiner notre amitié, en malmener la fluidité, provoquer autre chose qu'une douceur qui peut-être la brûlait — comme si cette relation était aussi pour elle une source de gêne ou de tourments. Je me suis parfois dit qu'elle avait peur de décevoir l'affection que je lui portais et que la seule façon de surmonter cette crainte était de prendre les devants en abîmant délibérément des attentes qu'elle était seule à avoir postulées.

À un moment de notre seconde rencontre, vers la toute fin des quatre heures qu'elle avait passées à me parler, Bénédicte Ombredanne m'a désigné l'esplanade qui s'étend devant la Comédie-Française. Regardez, l'ai-je entendu me dire, regardez comme la lumière est belle, vous avez eu raison de l'affirmer dans votre livre, c'est à l'automne que la lumière est la plus belle, aujourd'hui elle est miraculeuse, on la sent vibrer dans l'atmosphère comme des milliards de particules. J'ai l'impression que si j'avance la main vers la beauté de cette vision je vais pouvoir la toucher et qu'elle va réagir, comme quand on pose les doigts sur le pelage d'un chat.

Tandis qu'elle avançait la main vers les étincellements du carrosse en perles de verre de Jean-Michel Othoniel, je regardais la bague qu'elle portait à l'annulaire de sa main droite.

Bénédicte Ombredanne était loin de s'habiller comme une poétesse décadente de la fin du XIXe siècle, mais des détails de ses tenues me suggéraient qu'elle se serait volontiers abandonnée à cette influence si son statut de professeur de lycée lui en avait laissé la possibilité. D'après ce que j'ai pu constater, elle ne portait que des couleurs sombres, elle était chaussée de bottines à lacets, elle arborait de la dentelle et des bijoux anciens, elle affectionnait le velours grenat ou véronèse de certaines vestes de coupe cintrée qu'on trouve dans les friperies. Cette allure évoquait l'univers symboliste d'Edgar Poe et de Villiers de l'Isle-Adam, de Maeterlinck, Huysmans et Mallarmé, un univers crépusculaire et pâli où les fleurs, les âmes, l'humeur et l'espérance sont légèrement fanées, délicatement déliquescentes, dans leur ultime et sublime flamboiement, comme une mélancolique et langoureuse soirée d'automne, intime, charnelle, toute de velours et de rubans soyeux, rosés, rouge sang. Certes, chez elle, ce style était timide voire indécis, il n'émergeait que par de petites touches que diluait le caractère contemporain de la plupart des vêtements ou des accessoires qu'elle portait, son apparence n'était pas excentrique, elle restait relativement modeste et donc conforme à l'idée qu'on peut se faire d'un professeur de lycée, mais à mes yeux Bénédicte Ombredanne délivrait des indices sur la façon dont elle s'imaginait qu'étaient vêtues Claire Lenoir, Ligeia, Berenice, Morella, l'inconnue de la rue de Grammont, ses héroïnes.

— J'aime beaucoup votre bague, elle vient d'où ?

— Je la porte dans les grandes occasions. C'est une bague que m'a laissée ma grand-mère, elle la tenait elle-même de la sienne, elle date du début du XIXe siècle. On y trouve la peinture d'un regard.

— La peinture d'un regard ?

— Un œil. Regardez. Cette bague a été faite pour une femme amoureuse d'un homme qui était déjà pris. Elle a fait peindre son œil plutôt que son portrait, afin que personne ne puisse l'identifier. C'était une pratique assez courante au XVIIIe siècle.

J'avais entre les miens les doigts vernis de noir de Bénédicte Ombredanne, un œil ancien et minuscule me regardait au milieu de cet entremêlement.

— C'est magnifique.

Bénédicte Ombredanne a fini par retirer sa main et le regard ancien a disparu.

— Il faut qu'on y aille. Vous allez rater votre train si on continue de parler.

— Je n'ai aucune envie de rentrer.

— Mais vos enfants. Ils vous attendent, Bénédicte. Vos enfants, ils vous aiment, ils vous attendent.

Elle ne m'a pas répondu. Elle regardait un point au-delà de l'esplanade.

— Nous allons nous écrire, ne vous en faites pas.

— J'aimerais beaucoup.

— Je vous accompagne à la gare, nous allons prendre un taxi, c'est dimanche, ça roule bien, je vais porter votre sac.

Je me suis levé en prenant l'addition sur la table et je l'ai apportée à Lionel qui en faction devant la porte m'a souri en me voyant venir vers lui.

2

Un soir de mars 2006, alors qu'elle rentrait d'une réunion qui s'était terminée tard, notamment en raison d'une bouteille de mousseux apportée par un professeur de physique dont c'était l'anniversaire, Bénédicte Ombredanne s'aperçut depuis la rue, en garant sa voiture, qu'il se passait chez elle quelque chose d'anormal : aucune fenêtre n'était éclairée et sa maison paraissait avoir été désertée par ses occupants. Cette impression lui fut confirmée une fois la porte d'entrée refermée derrière elle : toutes les pièces étaient obscures et silencieuses, circonstance inhabituelle à une heure où régnait d'ordinaire une animation indescriptible, qu'il s'agisse de la télévision à haut volume sonore, ou des disputes de ses enfants, ou bien des jeux bruyants auxquels souvent ils s'adonnaient, ou encore des rangements qu'on effectuait dans la cuisine après avoir dîné. Déposant sur le carrelage son sac à main et son cartable en cuir, Bénédicte Ombredanne cria vers le premier étage le nom de ses enfants, «Lola!», «Arthur!», puis celui de son mari, «Jean-François!», sans obtenir aucune réponse, obscurité, silence total. Quand elle rentrait tard de ses réunions, il arrivait qu'elle trouve ses enfants installés par leur père devant la distraction d'un film d'animation (plutôt que de les voir courir, hurler, se battre, frôler l'accident grave ou se lancer par vengeance des épluchures de pommes de terre au visage), mais la télévision se trouvait dans le salon et le salon était vide, ainsi que la cuisine. L'inquiétude de Bénédicte Ombredanne se transforma en panique, elle courut vers l'escalier et se précipita dans la première des chambres, celle de Lola, vide également. Criant le nom de ses enfants d'une voix tremblante, répétant sans cesse «Mais vous êtes où?», «Arthur, Lola, vous êtes où, répondez, c'est pas drôle!», elle courut vers celle de son petit garçon, où elle les découvrit recroquevillés sous la couette au milieu d'un amoncellement de peluches. Bénédicte Ombredanne s'effondra sur le lit toujours vêtue de son manteau, tremblante et essoufflée, rassurée de constater que ses enfants allaient bien, tout du moins en apparence. Agrippés à son cou, ils se concurrençaient pour pouvoir lui embrasser les joues, les mains, le front, ainsi que ses yeux noirs déjà rougis par les larmes, l'appelant maman avec tendresse, maman, maman, sans s'arrêter, sans s'arrêter.

— Vous m'avez fait peur! Qu'est-ce qui se passe dans cette maison, pourquoi vous êtes dans le noir?

Ils ne lui répondaient pas, elle les tenait serrés contre son corps. Mes amours, mes amours, je suis là, tout va bien, maman vous aime, disait doucement Bénédicte Ombredanne en les berçant. Il s'écoula quelques minutes de cette douceur réconfortante, aucune phrase ne fut plus prononcée, chacun essayait d'éloigner sa terreur en ajustant son souffle à celui des deux autres, si bien qu'au bout d'un long moment leur fusion n'eut plus qu'une seule et même respiration, celle de l'amour et du bonheur d'être ensemble, parfaitement synchronisée.

Bénédicte Ombredanne finit par s'écarter de ses enfants pour leur demander ce qui s'était passé et où était leur père.

— Il s'est enfermé dans ta chambre, lui répondit Lola.

— *Notre* chambre, tu veux dire.

— *Votre* chambre, OK, c'est bon, tu vas pas jouer sur les mots.

— Pourquoi il s'est enfermé dans la chambre ? Tu me racontes ?

— Je crois qu'il dort.

— *À neuf heures du soir ?* Lola, essaie d'être plus précise.

— Il ne veut voir personne.

— Arthur, tu ne veux pas essayer de me raconter ?

— Si. Alors. Tu vois. On était dans la kisine.

— Je peux te raconter ce qui s'est passé, si c'est ça que tu veux, ça ira plus vite qu'avec lui, l'interrompit Lola.

— Attends Lola, laisse finir Arthur.

— Non, c'est moi qui raconte, poursuivit Lola en faisant signe à son frère qu'elle n'en avait que pour un instant. On était avec papa, il venait juste de nous servir, on était en train de commencer à manger, il écoutait la radio. Tu sais, debout, appuyé au placard bas près du lave-vaisselle, à sa place habituelle quoi. À un moment il nous a demandé de faire un peu moins de bruit, soi-disant on l'empêchait d'entendre ce que disaient les gens dans l'émission. Moi j'écoutais pas, je sais pas de quoi ils parlaient, mais ça avait l'air de l'énerver. À un moment j'ai pas compris, on était tranquillement en train de manger, je te jure qu'on était sages, hein Arthur qu'on faisait aucun bruit ?

— Très très sages, confirma Arthur.

— Eh bien ? demanda Bénédicte Ombredanne.

— Il nous a demandé de sortir de la cuisine. Je lui ai dit qu'on venait juste de commencer et qu'en plus on l'empêchait pas d'écouter son émission, alors à ce moment-là il s'est mis à hurler, *mais alors vraiment hurler,* comme quoi j'étais insolente et qu'il m'interdisait de lui répondre sur ce ton. Je l'avais jamais vu dans cet état. Il nous a dit sortez putain, je vous rappellerai quand vous pourrez revenir.

— Tu exagères un peu, non ? C'est vrai Arthur ? Papa il s'est mis en colère contre vous ?

— Aujourd'hui et pas plus tard qu'à dix-neuf heures trente, affirma Lola sur un ton catégorique.

— Il a crié très fort, mais vraiment très très très très très très fort, confirma Arthur en fermant les yeux, comme s'il voulait compter le nombre de fois qu'il prononçait le mot *très.*

— C'est incompréhensible, répondit Bénédicte Ombredanne en regardant ses doigts pénétrer dans l'épaisse chevelure brune de son petit garçon. Ne vous en faites pas, il a sans doute été contrarié par quelque chose. Je vais aller l'interroger. Ce n'était qu'un mouvement d'humeur. Je suis certaine que c'est déjà passé.

— J'espère parce que dis donc, *franchement,* être traité comme ça alors qu'on n'avait rien fait, mais alors *strictement rien...*

— J'ai compris Lola. Pourquoi tout est éteint dans la maison ?

— Parce que après, une fois qu'on est sortis de la cuisine en laissant tout en plan...

— Vous n'avez pas fini votre repas ? demanda Bénédicte Ombredanne en interrompant sa fille. Alors on va descendre, moi non plus je n'ai pas mangé. Continue, qu'est-ce que tu disais ?

— On est allés regarder un film au salon. Il écoutait son émission toujours planté à la même place. Au bout d'un moment il est sorti en claquant la porte de la cuisine derrière lui. De toute ma vie j'ai jamais vu une porte claquer comme ça. Je te jure, tout a tremblé dans la maison.

— Ça a fait BROUM, comme ça, très fort, BROUM, précisa Arthur en fermant les yeux toutes les fois qu'il disait BROUM, qu'il disait BROUM de plus en plus fort tandis qu'il figurait des explosions avec ses doigts qu'il propulsait en avant, en ouvrant les mains brusquement.

— Bon, ça va, on a compris, t'es vraiment soûlant putain quand tu t'y mets.

— BROUM, répéta Arthur en avançant son visage tout près de celui de sa sœur, avant de lui tirer la langue.

— Tu ne dis pas putain à ton frère. Et toi cesse de tirer la langue. À cinq ans on ne tire plus la langue à personne, même à sa sœur, c'est compris ?

— Ensuite il est monté dans *votre* chambre, continua Lola avec une pointe d'ironie en regardant sa mère. On a entendu la porte claquer.

— BROUM, l'interrompit Arthur.

Lola regarda son frère avec une grimace qui signifiait : *t'es vraiment qu'un abruti, pendant encore combien d'années je vais devoir te supporter,* puis elle tourna vers sa mère un visage orgueilleux.

— Alors je suis montée, j'ai demandé à papa qu'est-ce qui se passe, pourquoi t'es comme ça, mais à travers la porte, sans entrer dans la chambre, j'osais pas. Il m'a répondu laisse-moi tranquille. Je lui ai répondu mais nous alors, qu'est-ce qu'on fait ? Ce que vous voulez, foutez-moi la paix, laissez-moi crever, il m'a fait. J'en ai rien à foutre de tout, il m'a fait.

— Lola, *pour la énième fois,* on ne dit pas *il m'a fait* mais *il m'a dit.* Je t'en supplie, une bonne fois pour toutes, arrête avec tes *y m'a fait,* c'est insupportable.

— C'est bon, tu crois vraiment que c'est le moment de me reprendre sur la grammaire ? On n'est pas au lycée, là : *on est dans la merde ! Nuance !*

— Il n'a pas pu te dire laisse-moi crever, s'emporta Bénédicte Ombredanne en regardant sa fille dans les yeux. Tu auras mal compris.

— Je te jure. Maman. C'est ce qu'il m'a dit. Texto. *Je te jure.*

— Après, qu'est-ce qui s'est passé ?

— Je crois qu'il pleurait.

Bénédicte Ombredanne regarda sa fille, interloquée.

— Il pleurait ? Ton père *pleurait* ?

— Je suis descendue et j'ai dit à Arthur qu'on ferait mieux de se tenir à carreau, il fallait qu'on se mette en pyjama et qu'on aille tranquillement dans nos chambres en attendant que tu rentres. J'ai éteint la lumière du salon, on est montés, on s'est mis en pyjama. On entendait papa qui parlait tout seul, parfois il criait des phrases, je crois même qu'il a jeté des trucs contre les murs. Comme Arthur s'était déjà enfoui sous sa couette et qu'il avait peur, je l'ai rejoint. On t'a attendue. On n'osait plus bouger. Qu'est-ce qui se passe ? Pourquoi il a été comme ça avec nous ?

— Je ne sais pas ma chérie, je vais aller voir.

— Il va te faire du mal, comme l'autre jour ?

— Mais qu'est-ce que tu racontes ? Enfin, Lola, de quoi tu parles ?

— Tu sais très bien de quoi je parle, hasarda Lola timidement.

— Eh bien tu te trompes. Écoute-moi au lieu de regarder par terre avec cet air têtu. Lola, c'est important, il faut que tu me croies : *tu auras mal interprété une situation.* D'accord ? On en reparlera si tu veux, je t'expliquerai, mais une autre fois. En attendant ne vous inquiétez pas, papa ne vous fera aucun mal — il ne fera aucun mal à personne. Descendez et finissez votre dîner, Lola au besoin fais-le réchauffer, j'arrive tout de suite.

Bénédicte Ombredanne serra ses enfants dans ses bras quelques secondes puis alla voir son mari. Elle frappa deux coups secs à la porte de leur chambre, n'obtint aucune réponse, ouvrit et s'avança dans l'obscurité en prononçant son prénom. *Jean-François. Qu'est-ce qui se passe ? Qu'est-ce qui ne va pas ? Je peux allumer la lumière ?* mais son mari ne lui répondait pas. Comme elle ne voulait pas profaner son repos par la lumière abrupte et blanche du plafonnier, elle alluma la lampe de chevet de son côté du lit à elle, au milieu de plusieurs piles de livres. Le mari de Bénédicte Ombredanne était effectivement sous la couette, ses vêtements étaient éparpillés dans la chambre comme des dépouilles, on aurait dit qu'ils avaient été jetés sur le sol avec colère ou qu'une maîtresse enfiévrée les lui avait arrachés — alors que d'ordinaire il les disposait sur le fauteuil avec le plus grand soin et allait faire disparaître ses sous-vêtements dans le panier à linge sale sans les laisser traîner par terre ne serait-ce qu'un instant. Bénédicte Ombredanne avait toujours perçu cette coutume comme une marque d'extrême pudeur, elle se souvenait que le soir de leur première nuit elle l'avait vu dissimuler subrepticement ses sous-vêtements dans son cartable en cuir, mais par ailleurs il ne l'avait jamais gêné que ce soit son épouse qui transvase dans la machine à laver la masse indifférenciée du linge sale familial, ce n'était donc pas par respect pour elle qu'il avait pris cette habitude. Ce qui semblait l'indisposer, c'était de se voir lui-même sur la moquette à travers le pitoyable amas d'un slip souillé et de chaussettes tirebouchonnées, comme si ce résidu de la journée écoulée était dans le fond ce qui le résumait le mieux, tel un emblème de son identité profonde : l'être social qu'il s'efforçait d'édifier de jour en jour en essayant de se hisser péniblement au-dessus de lui-même n'était donc finalement qu'un homme élémentaire et

dérisoire contenu dans les limites d'une enveloppe corporelle méprisable, réalité que les grands hommes étaient
capables de faire oublier aux autres et à eux-mêmes par
l'effet de leur transcendance alors que lui, une fois la journée
terminée, une fois les masques tombés, une fois seul avec
lui-même et la conscience de sa finitude, il redevenait à ses
propres yeux ce qu'il n'avait jamais cessé d'être, un homme
médiocre et sans hauteur, un slip souillé et deux chaussettes
puantes sur le sol de sa chambre. Il avait donc fallu qu'il se
heurte à une contrariété majeure pour qu'il consente à se
laisser traîner négligemment sur la moquette, Bénédicte
Ombredanne eut la délicatesse de repousser contre les
plinthes avec son pied les sous-vêtements et la chemise rou-
lée en boule de son mari, à la suite de quoi elle vint s'asseoir
sur le lit à proximité de son visage aux paupières closes. Il
lui parut évident qu'il n'était pas endormi mais seulement en
veilleuse, comme un ordinateur dont il suffit d'enfoncer la
touche de n'importe quelle lettre pour que l'écran s'illumine
de nouveau, la lettre I d'inquiétude, la lettre P de prudence,
la lettre A d'appréhension, ce qu'elle fit en déposant une
main légère sur la tempe droite de son mari, avant d'y amorcer une douce caresse. Un œil rougi et accablé finit par
apparaître entre ses doigts (comme les jours où Bénédicte
Ombredanne portait la bague de sa grand-mère, mais cet
œil-là était d'une taille plus importante que celui du bijou et
l'affliction qu'on y trouvait n'était pas celle d'un amoureux
inconsolable des temps passés, mélancolique et libertin),
laquelle pupille, après s'être attardée un instant sur le visage
de sa femme, alla loger ses réflexions impénétrables dans un
angle du plafond, à la rencontre des trois arêtes, comme
à l'endroit précis d'un rendez-vous, où de fait elle allait
demeurer pendant une grande partie de leur conversation.
Qu'est-ce qui ne va pas ? Jean-François, raconte-moi, tu as

des ennuis ? Pourquoi tu t'es couché si tôt, qu'est-ce qui t'est arrivé ? Tu es tombé malade ? Les enfants m'ont raconté que tu t'étais mis en colère à cause d'une émission à la radio. Bénédicte Ombredanne avait égrené ces questions dans un silence complet. Il entreprit de lui répondre, par bribes, une fois qu'elle se fut levée pour retirer son manteau, lui confirmant que le contenu d'une émission radiophonique l'avait anéanti. Anéanti ? Mais qu'est-ce que tu racontes ? lui demanda Bénédicte Ombredanne. Comment une émission peut-elle t'anéantir au point que tu te mettes au lit à huit heures du soir sans finir de t'occuper des enfants ? Je ne comprends pas, parle, dis-moi, il faudra bien que tu craches le morceau, tu ne peux pas rester dans cet état sans rien dire ! Le regard de son mari était toujours en conciliabule à la rencontre des trois arêtes et paraissait s'entretenir avec un nombre croissant d'interlocuteurs, comme s'il devait se justifier auprès d'un attroupement de plus en plus nombreux et objectif : son expression était craintive. Jean-François, pourquoi cette émission t'a ébranlé, qu'est-ce qu'ils ont dit qui t'a tellement frappé ? Il lui répondit qu'il avait subi un choc. Un choc ? Du temps passait entre chacune de leurs phrases. Oui, un choc. Il s'était reconnu, c'était atroce, il n'arrivait pas à s'en remettre. Tu t'es reconnu ? Comment ça tu t'es reconnu ? Il s'était reconnu, il ne pouvait pas être plus clair, éructa-t-il. L'œil fixe de son mari disparut un instant derrière sa paupière, avant de délivrer un vif éclair d'effroi : ce en quoi il s'était reconnu n'était pas beau à voir, il se sentait dans le même état que si l'animateur avait donné son nom sur les ondes de France Inter, comme s'il l'avait dénoncé. La phrase qu'il venait de prononcer avait d'abord retenti dans l'espace de son regard, où elle avait fait naître un éclair de terreur, avant de se répandre dans la pièce et de parvenir aux oreilles de Bénédicte Ombredanne. Dénoncé, mais de quoi ? Le mari de Bénédicte Ombredanne déglutit péniblement, il avait soif, elle hésita à se lever pour aller lui chercher à boire mais elle se ravisa : il était sur le point de parler. Eh bien il avait reconnu quelques constantes de ses comportements les plus communs dans les témoignages des auditeurs qui avaient téléphoné à l'émission, des femmes mais aussi des hommes, des victimes et des harceleurs, reconnut-il, au bord des larmes. Maintenant qu'il s'était mis à parler, rien ne semblait devoir l'interrompre, son œil évoluait comme un oiseau de branche en branche en fonction des mots qui résonnaient dans la chambre, si bien que son regard croisait parfois celui de son épouse ou se posait sur son visage un bref instant, avant de s'envoler de nouveau, poussé par un sursaut de honte, un mot particulier qu'il s'entendait prononcer. Les expertises, les diagnostics, les commentaires des spécialistes réunis dans le studio n'avaient fait que confirmer ce que les témoignages des auditeurs avaient insinué dans son esprit dès le début de l'émission, à savoir qu'il se comportait, lui, vis-à-vis d'elle, depuis des années, comme un harceleur certifié. Il avait vraiment dit ça, prononcé ces mots-là, harceleur certifié. Bénédicte Ombredanne n'en revenait pas, elle en restait pétrifiée, elle regardait son mari qui le visage sur l'oreiller s'était mis à pleurer, elle n'éprouvait pour lui aucune pitié mais au contraire une immense froideur — comme si soudain l'affaire était jugée et qu'elle donnait à Bénédicte Ombredanne une liberté considérable, au même titre que le verdict d'une erreur judiciaire allège d'un poids inestimable celui qui en bénéficie, sans effacer pour autant les tourments qu'il a subis. Ainsi, contrairement à ce que son mari s'efforçait de lui faire croire depuis des années, sa souffrance n'était pas le produit d'une imagination corrompue par la bêtise, les hormones, la complaisance, l'acrimonie — par les humeurs larmoyantes, insatisfaites, irrationnelles, d'un cerveau stupidement féminin, pour reprendre quelques-unes de ses locutions favorites. Voilà à quel aveu aboutissait son exil dans la chambre! Il admettait que son comportement vis-à-vis d'elle l'incorporait *de facto* à la catégorie des maris humiliants! Elle n'avait pas rêvé sa douleur, année après année! Bénédicte Ombredanne retira sa main du visage de son mari et le regarda parler, il pleurait et il disait que des femmes avaient téléphoné pour raconter le traitement que leur conjoint leur infligeait, elles décrivaient leur existence comme une torture perpétuelle et ce qu'elles décrivaient était ni plus ni moins la même chose que ce qu'il faisait endurer à Bénédicte Ombredanne. Il avait entendu des anecdotes qui paraissaient avoir été collectées dans les profondeurs de leur vie quotidienne, ces anecdotes avaient provoqué une unanime réprobation, les spécialistes avaient dépeint ces situations comme anormales, choquantes, inadmissibles. Leur voix avait parfois tremblé mais ces femmes qui témoignaient étaient toutes restées fortes, belles, droites et courageuses, leur contenance forçait l'admiration, on avait envie de les aimer, lui-même s'était senti solidaire de leur douleur. Il avait régné sur l'antenne de France Inter une atmosphère de recueillement. En écoutant ces récits, il partageait avec les invités la même révolte irrépressible — sauf qu'à travers les cas particuliers qu'ils commentaient les spécialistes le construisaient lui-même phrase après phrase comme un coupable de la même étoffe, il s'était senti étudié, décortiqué, stigmatisé. Pourquoi personne ne lui avait jamais dit que son comportement n'était pas approprié? Les experts disaient aux auditrices que leurs maris étaient malades et qu'ils devaient se faire soigner: la seule façon d'enrayer ce mécanisme est de mettre un terme à la relation, d'y mettre un terme définitif et inconditionnel, insistait le psychiatre présent dans le studio, racontait à sa femme le mari de Bénédicte Ombredanne. Un harceleur repenti avait téléphoné à l'émission pour raconter qu'au plus fort de sa déviance désormais résorbée sa femme l'avait quitté du jour au lendemain en emmenant ses enfants. Le monde s'était écroulé, elle avait rompu brutalement sans qu'il puisse la retenir — et aujourd'hui cet homme avait refait sa vie avec une autre femme, après quelques années d'un suivi psychiatrique assidu. Bénédicte Ombredanne regardait son mari qui pleurait, son œil noyé errait à la surface des murs comme un marcheur épuisé en rase campagne, elle avait l'impression que cet œil accablé allait finir par périr, par tomber mort sur les draps. Cet auditeur avait dit que si sa femme ne l'avait pas quitté il serait resté avec elle jusqu'à la fin de ses jours et il aurait continué de l'humilier et de la maltraiter jusqu'à la fin de ses jours, il en était certain, avait-il affirmé. Il l'avait dit et répété à ceux qui écoutaient l'émission : vous qui subissez ce fléau, vous qui vivez sous le joug d'un homme qui vous harcèle, PARTEZ, NE RESTEZ PAS, FAITES-LE POUR VOUS MAIS AUSSI POUR VOTRE MARI, AFIN QU'IL PUISSE SE FAIRE SOIGNER, GUÉRIR, REFAIRE SA VIE DIGNEMENT. Car la plupart de ces hommes ne savent même pas qu'ils sont malades, disait cet auditeur, racontait à son épouse le mari de Bénédicte Ombredanne. À la suite de quoi son visage se contracta et il surgit du pli profond de cette grimace un brutal filet d'eau, on avait l'impression qu'une main invisible était en train d'essorer ses traits comme une éponge. Il sanglotait sur l'oreiller en disant à sa femme qu'elle allait le quitter — il ne le supporterait pas, non, il ne pourrait jamais le supporter, il ne pourrait jamais le supporter, répétait-il avec une très épaisse salive qui l'empêchait d'articuler distinctement les phrases qu'il prononçait. Elle allait tout raconter, elle allait se plaindre à un médecin, elle allait témoigner de sa misère et rendre publique leur intimité, cette idée n'était pas supportable. Il s'excusait, il demandait à sa femme de lui pardonner, il n'avait jamais mesuré la gravité de ses actes, il avait fallu cette émission sur France Inter pour lui ouvrir les yeux mais maintenant c'était fait — découvrir qu'il devait être considéré comme un malade l'avait projeté à terre, elle ne se rendait pas compte du choc qu'il avait subi, non, elle ne s'en rendait pas compte, c'était atroce de se savoir catalogué, même à distance, comme un individu malsain et névrosé, il avait honte, il ne s'en remettrait pas. Il ne trouverait jamais le courage d'aller voir un médecin mais il s'en sortirait tout seul, désormais il la respecterait, jamais plus il ne la rabaisserait, jamais plus il ne l'humilierait, jamais plus il ne lèverait la main sur elle, il le lui promettait. Tu m'as déjà dit ça cent fois, lui répondit Bénédicte Ombredanne avec froideur. Son mari en parut affecté. C'est tout l'effet que ça te fait, lui répondit-il dans un ultime sursaut de force. Je te dis que je m'excuse et que je vais changer et toi tu le prends de haut, comme ça, méprisante ? Si tu penses toi-même que tu rentres dans la catégorie des hommes malades qui doivent se faire soigner, alors pour moi c'est la moindre des choses que tu décides de changer d'attitude à mon égard, lui répondit Bénédicte Ombredanne. Tu ne veux pas en plus que je te remercie d'avoir avec moi un comportement qui serait juste normal, tu ne vas tout de même pas renverser la situation et faire que ce soit moi qui doive te plaindre ! Tu devrais même aller plus loin que ces sempiternels vœux pieux, même si j'admets qu'effectivement ils n'ont jamais été aussi affirmés que ce soir — tu devrais envisager la possibilité d'aller voir un psychiatre, comme l'ont recommandé les spécialistes de l'émission. Bénédicte Ombredanne manifestait à l'égard de son mari une sécheresse dont la détermination ne manquait pas de la surprendre elle-même, comme si les phrases qu'elle venait d'entendre, au lieu de l'attendrir, avaient eu pour effet de promulguer son indépendance. Pour quelle raison ? Peut-être parce que ces remords n'avaient pas été émis pour panser des plaies qui viendraient juste d'être faites, comme il pouvait arriver que cela se produise, les pleurs de Bénédicte Ombredanne entraînant un repentir momentané de son mari : ce soir elle entendait ces phrases sans avoir été mise au préalable dans un état d'extrême mendicité, aucun désir de réconciliation ne les avait provoquées, ce qui venait de lui être signifié s'était inscrit dans la pénombre de leur chambre comme une vérité générale : pour la première fois depuis qu'elle vivait avec cet homme elle voyait sa situation de l'extérieur, identifiée avec une acuité terrifiante par celui-là même qui la lui imposait. Son mari reconnaissait spontanément qu'il lui gâchait les plus belles années de son existence, elle n'avait encore que trente-six ans, un âge auquel elle pouvait prétendre refaire sa vie avec un homme dont l'objectif serait de la rendre heureuse, un âge auquel elle pouvait jouir du meilleur de ses moyens physiques et intellectuels, un âge auquel il est impardonnable de se priver des plaisirs, des jouissances, des richesses et des gratifications qu'on est en droit d'attendre de la réalité quand on est une femme sensible, intelligente et cultivée. C'est ce qu'elle s'était dit tandis qu'elle regardait le visage de son mari posé sur l'oreiller, la couette sous le menton.

Bénédicte Ombredanne sortit de la chambre sans dire un mot et descendit dans la cuisine où sa fille était en train de débarrasser la table. Elle déclara à ses enfants qu'ils devaient aller dormir, les protestations qu'entraîna cette annonce furent vaincues par la promesse qu'elle leur fit de passer avec eux au petit-déjeuner un moment un peu plus long que d'habitude — elle ferait sonner son réveil dix minutes plus tôt. Elle dîna rapidement, debout, agitée, d'un yaourt et d'une tranche de jambon, décapsula une bouteille de bière, mangea une pomme en tournoyant dans la cuisine. À la suite de quoi elle alla s'enfermer dans son bureau, au rez-de-chaussée de la maison.

Sa décision était prise, le cheminement qui l'y avait conduite avait été accompli pendant la brève durée de son repas. Pourtant, jusqu'à ce soir de mars, l'idée de se rendre sur ce genre de sites ne s'était même jamais présentée à son esprit, y compris dans ses fantasmes les plus inavouables.

L'explosion qui venait de se produire avait été d'une puissance inouïe, accentuée par l'attitude de rétention dont elle avait fait preuve ces dix dernières années : rétention de désirs, de pulsions, de gaieté, de rêves, d'espérance, d'exigences, d'ambition, de tendresse, de colère, de révolte. Les conséquences de cette posture de renoncement avaient été comparables en définitive à une insidieuse accumulation d'explosifs, c'est ce qu'elle avait découvert ce soir-là quand la présence de toute cette dynamite entreposée par son abnégation dans un recoin obscur de son cerveau avait encore amplifié la violence du souffle. Un observateur présent dans la maison au moment des faits aurait pu percevoir distinctement deux détonations successives, la première liée au temps présent et aux aveux humides de son mari, la seconde au gâchis qu'elle se disait qu'elle avait fait des années dernièrement écoulées. La seconde avait été encore plus assourdissante que la première.

Bénédicte Ombredanne alluma son ordinateur et se rendit sur le site de Meetic. La colère l'avait transfigurée, elle n'éprouvait aucune douleur, elle pianotait sur son clavier déterminée et méthodique, rapide, adepte de la ligne droite et consciente du but à atteindre, comme si les flammes consécutives aux deux déflagrations, et qui se propageaient à toute vitesse dans son esprit, lui permettaient d'apercevoir précisément ce qu'elle cherchait, et le moyen d'y accéder : une clarté d'incendie s'était faite. De nombreuses pages se succédaient qu'elle devait renseigner pour bâtir son profil, elle n'avait pas imaginé que l'inscription serait aussi fastidieuse, il fallait se soumettre à un processus de validation qui lui parut interminable. Malgré tout, elle ne s'était pas sentie aussi déterminée depuis l'époque où elle avait passé et réussi l'agrégation, depuis ces temps lointains où devant sa copie, solitaire et prête à en découdre, elle voulait être la plus brillante — pendant toute sa jeunesse, les moments où elle s'était sentie le plus radieuse avaient été ces heures d'effort intense dans les grandes salles où avaient lieu les épreuves des concours, au milieu des autres, comme si la place qui lui convenait le mieux était celle de *candidate*, la place de la personne qui *se mesure* aux autres par le savoir et la performance *individuelle*. Concentrée, elle avançait avec prudence dans ce parcours de schématisation identitaire, cochant les cases qui lui semblaient les plus opportunes par rapport au caractère circonstanciel de sa démarche, optant pour l'euphémisme ou se livrant à de minimes ajustements, décidant en dernier recours de ne pas répondre aux questions les plus délicates, afin de compromettre le moins possible ses chances de réussite.

Je suis une femme qui cherche un homme.

Elle hésita sur l'âge de l'homme mais décida de le contenir entre 35 et 45 ans.

Elle se demanda si elle ne devait pas se rajeunir, puis si son intérêt n'était pas plutôt de se vieillir, mais finalement elle décida d'être véridique : 12/09/1970.

Pays de résidence : France.

Elle s'interrogea sur le département. Était-il envisageable que cette aventure se produise dans sa ville ? Y étant professeur de lycée depuis des années, elle connaissait à Metz et dans ses environs, au moins de vue, un nombre élevé d'individus, à commencer par les parents de ses anciens élèves. Elle décida d'effectuer sa recherche en dehors de Metz mais à une distance qui rendait la rencontre réaliste. Elle tapa : 67000. Meetic fit apparaître spontanément le nom de la ville : Strasbourg.

Parfait.

Pseudonyme.

Ses ongles vernis de noir s'immobilisèrent en surplomb du clavier, prêts à fondre sur les lettres d'un pseudonyme sublime et rayonnant, aussi magique qu'un sortilège, qu'ils feraient éclater sur l'écran. Mais ils restèrent suspendus, frétillants, comme des corbeaux en vol stationnaire.

Bénédicte Ombredanne ne s'était jamais retrouvée dans la situation de devoir s'attribuer un substitut patronymique qui soit joli et judicieux. À part les mots bougie, lampe, glace, moquette, apparus dans ses pensées en même temps que son regard avide d'idées vagabondait dans la pièce, aucun vocable approprié ne vint éclore dans son cerveau. Elle se leva et arpenta quelques instants son bureau, elle s'approcha de la bibliothèque et son regard tomba sur le boîtier de *Brigadoon*, un film qu'elle adorait. Cyd était trop bref et surtout présomptueux (ne parlons pas de Cydcharisse, dont la puissance évocatrice ferait naître au sujet de ses jambes des espoirs disproportionnés), mais en revanche Fiona paraissait idéal compte tenu du rôle qu'elle entendait jouer dans la fiction qu'elle convoitait : une folle histoire d'une seule journée, belle et ardente, dansante et musicale, décisive, terriblement romantique. Elle retourna s'asseoir et toute contente de sa trouvaille elle inscrivit Fiona dans le rectangle dévolu au pseudonyme, avant de valider son choix.

Ce pseudo n'est pas disponible, voici quelques suggestions :

Fiona_c_839
Fiona_c_903
Fiona_c_282
Fiona_c_214

Déception.

Qui peut avoir déjà choisi Fiona ?

Bénédicte Ombredanne alla devant sa bibliothèque et inclinant la tête énuméra les titres des livres, jusqu'à tomber sur *Poésies*, Mallarmé. Elle retourna s'asseoir et toute contente de sa nouvelle idée elle tapa Herodiade (le virtuel proscrit l'accent aigu).

Ce pseudo n'est pas disponible, voici quelques suggestions :

Herodiade_a_472
Herodiade_a_145
Herodiade_a_228
Herodiade_a_582

Elle n'en revenait pas.

On rencontrait sur Meetic des personnes qui choisissaient de se faire appeler Hérodiade ?

En réalité, il devait y prospérer une compagnie bien plus sophistiquée qu'elle ne l'avait imaginé (pour ne pas dire pédante, soucieuse de se signaler prioritairement par son niveau d'éducation), sans doute des professeurs de lettres aussi esseulées qu'elle, aussi amères qu'elle pouvait l'être ce soir-là, n'ayant pour toute consolation que leur amour des livres et l'espoir d'une rencontre insensée, quelle pitié.

Bénédicte Ombredanne réitéra l'opération avec le prénom de l'héroïne des *Nuits blanches* de Dostoïevski (Ce pseudo n'est pas disponible, voici quelques suggestions, etc.), puis excédée tapa Roseroserose (Ce pseudo n'est pas disponible, voici quelques suggestions, etc.), avant d'opter pour l'astucieux Fionarose, que Meetic accepta.

Me voici Fionarose.

Êtes-vous prête à vous engager dans une relation ? Bénédicte Ombredanne cocha l'option laissons faire le hasard.

Votre statut marital : mariée.

Vous vivez : avec mes enfants.

Dans la rubrique votre personnalité, Bénédicte Ombredanne prit connaissance des traits de caractère proposés par le site : aventureuse, conciliante, humoristique, sociable, insouciante, vive, expansive, inquiète, réservée, superstitieuse, attentionnée, calme, généreuse, sensible, spontanée, timide, exigeante, fière, possessive, solitaire, tenace.

Qui pouvait avoir dressé cette liste si lacunaire, si hasardeuse, si arbitraire, si peu subtile, où manquaient les substantifs idéaliste, peureuse et complexée, pour ne donner que trois exemples ?

L'idée de se décrire avec sincérité la dégoûtait, il fallait qu'elle reste ludique et détachée, maline, dissimulée, et qu'elle évite de basculer dans l'écœurante démagogie sentimentale de notre époque : elle n'avait pas à commercialiser sa vie intérieure sur Internet. À l'opposé, l'option je le garde pour moi proposée aux plus pudiques des utilisatrices risquait de la faire passer pour une femme acariâtre, ou encore mijaurée, de mauvaise compagnie, c'est pourquoi elle cocha les mots sensible, attentionnée, timide, avant de valider sa sélection.

On n'entendait aucun bruit dans la maison, le silence était complet, il était un peu moins de vingt-trois heures, elle trouvait déplorable que son mari soit resté à pleurer sous sa couette. Tant mieux après tout, son infantile réclusion volontaire l'arrangeait, le voir débarquer maintenant dans son bureau l'aurait carrément contrariée.

La couleur de vos yeux : noirs.

La couleur de vos cheveux : bruns.

Votre taille : 160 cm.

Votre silhouette : normale.

Votre physique : aïe, il faut dire si on est belle. Bénédicte Ombredanne réfléchit quelques instants puis cocha je le garde pour moi.

Vos opinions politiques : gauche. Elle se ravisa et cocha extrême gauche.

Votre vision du mariage : je le garde pour moi.

Êtes-vous romantique : assez romantique.

Voulez-vous des enfants : non.

Votre niveau d'études : bac + 5 et plus.

Votre profession : je le garde pour moi.

Bénédicte Ombredanne renseigna les pages suivantes à toute vitesse : style classique, natation, mange de tout, ne fume pas, pas d'animaux, lecture, expositions, musique classique, comédies musicales, comédies romantiques.

Quel est votre livre préféré ? Elle écrivit dans la case dévolue à la réponse : Le Maître et Marguerite.

Dites-en plus sur la personne que vous recherchez.

Bénédicte Ombredanne décida de remplir ces quelques pages avec la même spontanéité qu'elle l'avait fait pour son profil à elle, n'ayant aucune idée préconçue sur le type d'hommes qu'elle souhaitait rencontrer. Pour se rassurer, elle l'esquissa comme un exact reflet d'elle-même : attentionné, sensible, timide, ainsi que bac + 5 et plus, le niveau intellectuel des candidats à son émancipation restant le seul critère sur lequel elle ne transigerait pas. Elle avait beau partir à l'aventure, et se projeter dans les ténèbres d'une expérience extrême, elle savait qu'elle ne ferait aucun compromis sur ce qui était pour elle essentiel : qu'il soit possible d'avoir avec cet homme, au préalable, pour laisser au désir l'opportunité d'apparaître, un minimum de conversation.

Décrivez votre personnalité, la personne que vous recherchez, ce que vous aimez, ce que vous attendez…

Bénédicte Ombredanne décida de ne donner aucune indication sur la nature et sur le sens de sa démarche. Enregistrez et continuez : elle cliqua sur ce rectangle.

Votre inscription est terminée, félicitations !

Elle fut projetée soudain dans la grande cuve du masculin, où elle sentit qu'elle s'enfonçait dans une eau tiède et surpeuplée, profonde, malsaine. Son écran était maintenant comme la fenêtre d'un scaphandre, elle perçut les secousses de tout un tas d'anguilles et de présences précipitées qui la frôlaient de leur luisante viscosité, sans précaution ni ménagement.

Napoleon04 visite votre profil.

Thirydis visite votre profil.

Napoleon04 vient de flasher sur vous !

Gentleman visite votre profil.

Thirydis vient de flasher sur vous !

Vous avez reçu un message de Gentleman.

Gentleman : Slt.

Bénédicte Ombredanne consulta le profil de Napoleon04, cadre supérieur, 37 ans, habitant aux alentours de Strasbourg. Il pratiquait le karaté et le hand-ball, appréciait le cinéma et les restaurants, ses hobbies étaient le bricolage et les expositions — curieuse combinaison ! Le sourire qu'il arborait n'inspirait pas confiance, sa tête avait la forme d'un œuf et en raison du pull à col roulé qu'il portait elle paraissait avoir été déposée dans un coquetier en terre cuite. Pour savoir qui était réellement cet homme, et surtout ce que cachait ce regard fuyant, il aurait fallu fendiller la coquille de son crâne chauve avec le dos d'une cuillère à café, tac-tac-tac-tac, et y prélever un échantillon de matière cérébrale — sinon, aucun moyen de se faire une idée précise de cet individu, se dit-elle en inspectant sa tête affreuse. Justement, quelques lignes plus bas, Bénédicte Ombredanne consomma un paragraphe qui lui fit l'effet d'une mouillette que l'on aurait trempée dans les pensées gluantes de Napoleon04. À la question «Si je ne devais garder qu'un objet», cet homme replet avait écrit : *mon slip ou mon boxer... lol... car cette partie du corps est réservée à qui de droit...* Quelle horreur! Son portrait témoignait d'un embonpoint d'où suintait l'apparence d'une gentillesse accommodante, mais celle-ci n'était qu'une tromperie éhontée : elle commençait à s'y connaître en matière de faux-semblants masculins et il ne faisait pour elle aucun doute que cet homme transpirant était fourbe, vicieux, sexiste, graveleux. L'image de son corps lourd remuant sur son corps frêle dans l'horreur d'une étreinte aberrante faillit lui faire éteindre son ordinateur — mais elle parvint à se ressaisir à temps.

Fionarose@Gentleman : Bonsoir. Comment vous portez-vous, ce soir, Gentleman?

Dauphinblanc67 vient de flasher sur vous!

Thirydis : Bsr.

Fionarose@Thirydis : Bonsoir. Merci pour votre message.

Gentleman : Et toi? Tu t'ennuies? Tu veux de la visite? ;-)

Fionarose@Gentleman : Vous allez vite en besogne Gentleman! Vous portez mal votre pseudo!

Playmobil677 consulte votre profil.

Thirydis : T'es comment?

Fionarose@Thirydis : Douce. Attentionnée. Charmante, je crois.

Thirydis : Tu crois ou t'es sûre ?

Playmobil677 vient de flasher sur vous !

Fionarose@Thirydis : J'en suis sûre. Charmante. Parfois. D'autres fois, un peu moins. Cela dépend des jours, des circonstances.

Thirydis : Ce soir, comment tu te sens ?

Fionarose@Thirydis : Charmante.

Thirydis : Mais c'est quoi pour toi charmante ? T'es comment en fait ? Tu m'envoies ta photo ?

Bénédicte Ombredanne consulta le profil de Thirydis, 44 ans, marié, cadre commercial, 177 cm, yeux marron, cherchant une femme de 26 à 45 ans. Dans la rubrique « Quelques mots sur moi », il avait écrit : *Ma recherche s'oriente vers une femme qui comme moi aime profiter de chaque gourmandise que nous offre la vie, la sensualité, la douceur, le désir... Mesdemoiselles, mesdames, je serais ravi dans un premier temps de dialoguer avec vous.* Son trait de caractère le plus marqué : aventureux. Activités sportives : cyclisme, golf, hockey, judo. La lecture n'apparaissait pas dans ses loisirs.

Playmobil677 : Bonsoir. Votre profil est bien mystérieux.

Fionarose@Thirydis : Je vous enverrai ma photographie plus tard. Commençons par dialoguer, comme vous le proposez dans votre annonce.

Thirydis : OK. Qu'est-ce que tu veux savoir ?

Napoleon04 : Salut ma belle ? Ça va t'y ?

Ah, Napoleon04 se manifeste enfin !

Fionarose@Napoleon04 : Je vais très bien, je vous remercie. Et vous ?

Fionarose@Thirydis : Je voulais juste converser, pour faire connaissance.

Thirydis : Tu m'as l'air drôlement compliquée comme fille.

Fionarose@Thirydis : Ah bon, compliquée, vous trouvez ?

Parce que je vous demande un peu de temps pour faire connaissance?

Thirydis : Je connais un meilleur moyen de faire connaissance! ;-) Tu seras pas déçue par la qualité de ma conversation! ;-) Tu m'envoies ta photo?

Napoleon04 : Je digère. J'ai mangé chez ma mère. Je viens juste de rentrer. C'était bon.

Fionarose@Napoleon04 : Ah, c'est bien de pouvoir manger chez sa mère une fois de temps en temps, surtout si c'est une bonne cuisinière. Que vous avait-elle préparé, ce soir, Napoléon?

Finalement, Napoléon n'était peut-être pas aussi terrible qu'elle l'avait craint.

Gentleman : Qu'est-ce que tu cherches?

Fionarose@Gentleman : De la douceur. De l'attention. Donner du réconfort.

Gentleman : Ça tombe bien! J'adore le réconfort! Tu pratiques quoi comme réconfort? lol

Fionarose@Gentleman : Je commencerais par vous lire une belle histoire, comme quand vous étiez petit...

Napoleon04 : Du cassoulet! Du coup j'arrête pas de péter! Mais ça m'aura passé quand on se verra, t'inquiète!

Napoleon04 : Non, je déconne, elle m'a fait du poisson. J'ai l'haleine fraîche!

Gentleman : Quoi comme livre? Un truc un peu salé?

Napoleon04 : L'haleine fraîche et la bite bien dure, comme d'habitude, si ça t'intéresse! ;-)

Fionarose@Gentleman : Si vous voulez. J'ai chez moi quelques livres très osés.

Gentleman : Why not. Pas trop longue quand même la lecture! L'idée c'est pas de s'endormir! lol

Thirydis : T'es toujours là? T'as disparu? Tu m'envoies pas ta photo?

Fionarose@Thirydis : Je vous ai dit que je vous enverrai ma photo quand nous aurons un peu conversé.

Thirydis : OK.

Napoleon04 : T'es comment en fait ? Y a pas ta photo. T'es mettable comme fille ? lol

Fionarose@Napoleon04 : Jolie. Ultra chaude. Super excitée. Je cherche une grosse queue pour me prendre.

Napoleon04 : T'es bien tombée, la mienne est prête à l'emploi. On se tel ? Tu m'envoies ta photo ?

Fionarose@Napoleon04 : T'emballe pas Napoléon ! Je suis sur d'autres coups, qu'est-ce que tu crois ?

Playmobil677 : Mystérieuse Fionarose, vous me négligez ! Répondez-moi !

Bénédicte Ombredanne consulta le profil de Playmobil677, 36 ans, séparé, 170 cm, yeux bleus, habitant Strasbourg, cherchant une femme de 27 à 40 ans. Silhouette : sportive. Hobbies : bricolage, décoration, jardinage. Quelques mots sur moi : *L'improbable, mais qui sait ? Une belle rencontre et une bonne entente pour commencer, le reste viendra probablement ! Je préfère préciser que ma recherche est sérieuse malgré mon pseudo qu'il ne faut pas mal interpréter : je n'ai pas la frange, je suis un garçon plutôt souple et pas du tout guindé, je peux plier les jambes, mon cœur n'est pas en plastique et ma tête ne peut pas tourner sur elle-même à 360 degrés ! Après tout ce n'est qu'un pseudo ! À bientôt !* Il indiquait qu'il vivait avec ses enfants une partie du temps. Lui non plus ne citait pas la lecture parmi ses centres d'intérêt. Un portrait accompagnait ce texte, mais il était typique de ces photographies dont on ne peut rien déduire de significatif, ni en bien, ni en mal.

Le profil de Playmobil677 fit sourire Bénédicte Ombredanne.

Fionarose@Playmobil677 : Je suis là, pardonnez-moi.

Bonsoir Playmobil. Le texte de votre annonce m'a fait sourire…

Fionarose@Thirydis : Vous n'êtes pas très bavard ! Il faut que ce soit moi qui engage la conversation visiblement !

Playmobil677 : Ah, tant mieux, je commençais à m'inquiéter !

Napoleon04 : Je suis un bon amant, les femmes me l'ont toujours dit, ma mère pas plus tard qu'il y a une heure.

Napoleon04 : Non, je déconne :-) Viens, tu jugeras sur pièce, j'ai la bite comme un rôti ! Mais tu la couperas pas en tranches ! lol

Fionarose@Napoleon04 : Ah, tu sais t'y prendre avec les femmes ! Quel raffinement dans la séduction ! Je commence à mouiller carrément, j'adore ça les bites bien épaisses. Je les préfère courtes et épaisses plutôt que longues et fines. Elle est comment, la tienne ?

Napoleon04 : Longue et épaisse. Pas courte. Sorry ;-)

Fionarose@Napoleon04 : Ça m'excite à mort. J'ai envie de te sucer. Tu sais Napoléon, je suis une sacrée chaudasse, tu vas pas le regretter. On peut se voir ?

Playmobil677 : Je m'appelle Christian. Et vous, Fionarose ?

Napoleon04 : Quand, ce soir ?

Playmobil677 : Vous savez que c'est joli, comme pseudo, Fionarose ? C'est très évocateur. Je ne sais pas pourquoi mais il me fait rêver votre pseudo.

Fionarose@Napoleon04 : Maintenant. Tu me files ton adresse, j'arrive.

Thirydis : OK.

Fionarose@Thirydis : Parfait. Je suis heureuse que vous acceptiez cette conversation. Vous êtes quel genre d'homme ?

Etpourquoipas consulte votre profil.

Fionarose@Playmobil677 : Merci du compliment, j'ai essayé de choisir un pseudo poétique, je suis heureuse qu'il vous plaise. Le vôtre, en revanche, est plutôt dans l'autodérision ! Je vous envie, je ne possède pas cette qualité, j'aimerais bien pourtant...

Fionarose@Playmobil677 : Je m'appelle Fiona.

Napoleon04 : File-moi ton tel. Je t'appelle.

Thirydis : Cérébral.

Valisette69 consulte votre profil.

Etpourquoipas vient de flasher sur vous !

Fionarose@Thirydis : Cérébral ?

Thirydis : Cérébral.

Fionarose@Thirydis : Mais encore ? Qu'entendez-vous par cérébral ?

Thirydis : Je fonctionne avec la tête. Mais ça m'a l'air râpé pour ce soir.

Timothée888 vient de flasher sur vous !

Fionarose@Thirydis : Je ne comprends pas. Qu'est-ce qui vous semble râpé pour ce soir ?

Thirydis : La rencontre. Tu parles tout le temps, on tourne en rond, ça avance pas.

Blakemortimer67 consulte votre profil.

Fionarose@Thirydis : C'est effectivement râpé pour ce soir, vous n'avez pas tort. Mais il n'y a pas que ce soir dans la vie, il y a aussi demain, après-demain, la semaine prochaine ! Vous l'oubliez, malgré vos qualités d'homme cérébral.

Valisette69 vient de flasher sur vous !

Gentleman : Alors ???

Thirydis : OK, j'ai compris, pas de temps à perdre avec des filles tarées comme toi, slt.

Blakemortimer67 vient de flasher sur vous !

Playmobil677 : Oui, c'est important de savoir garder une certaine distance avec soi-même, ça aide à supporter les contrariétés de l'existence. J'adore votre prénom.

Gentleman : Alors ??? Qu'est-ce qu'on fait ???

Napoleon04 : T'es comment physiquement ? Si je vois débarquer un boudin, je suis pas dans la merde. Je me suis fait avoir une fois, on m'y reprendra plus.

Fionarose@Napoleon04 : Il est vrai que toi tu es spécialement sexy.

Fionarose@Gentleman : Vous pourriez vous donner un peu de mal pour me séduire, vous ne croyez pas ? L'idée d'écrire une phrase entière ne vous a pas traversé le cerveau une seule fois depuis que nous avons commencé à dialoguer. Les femmes que vous entreprenez, elles vous tombent dans les bras en vous voyant émettre des onomatopées ? Elles obéissent à vos télégrammes en rappliquant chez vous avec un string ?

Gentleman : Ben tiens. Tout le temps.

Napoleon04 : Merci du compliment. Je sais pas si je suis sexy mais j'ai du bon matos. T'as du flair ma pouliche !

Fionarose@Gentleman : Eh bien moi je ne suis pas comme ça, voilà. J'apprécie la lenteur et les marques d'attention. J'ai besoin de vous connaître davantage.

Fionarose@Playmobil677 : C'est une sage philosophie. Je prendrais volontiers des cours particuliers !

Napoleon04 : Alors, t'es canon ou t'es pas canon ? Je commence à perdre patience.

Fionarose@Napoleon04 : Je te l'ai déjà dit, je suis belle, les hommes raffolent de mon corps, j'ai des seins énormes, je suis hyper bouillante, je suce comme une Américaine, ma chatte est en train de dégouliner sur la moquette à cause de ta bite en forme de rôti. Alors, tu me la files ton adresse ? Tu te dégonfles ? T'as peur de pas être à la hauteur ?

Patounet_563 consulte votre profil.

Napoleon04 : Alors là pas du tout.

Gentleman : Je comprends parfaitement. Qu'est-ce que tu viens chercher, sur ce site, en fait ?

Fionarose@Napoleon04 : J'ai envie que tu me broutes la chatte. Tu sais faire, tu vas me faire jouir ?

Fionarose@Gentleman : Je voudrais me sentir revivre sous le regard d'un homme. Mais un homme qui saurait percevoir mes attentes, comprendre mon rythme. Cela exige de la délicatesse. Je ne suis pas expérimentée. Vous m'aviez l'air plutôt délicat, de prime abord, ne serait-ce qu'en raison de votre pseudo.

Playmobil677 : Je m'exerce depuis des années. Paradoxalement, pour rester authentique, il faut savoir parfois ne pas se prendre au sérieux. Moi, quand je rencontre un vrai souci je saute dedans comme un enfant dans une flaque d'eau et je rigole d'en être éclaboussé. Se relativiser soi-même, c'est essentiel. J'ai découvert cette vérité au fil du temps, au plus fort des épreuves que j'ai traversées.

Napoleon04 : Faut voir. Sauf si ça dure trop longtemps. Je suis pas un mouton, je vais pas passer la nuit à brouter.

Gentleman : Mais je le suis, délicat. Seulement, je recherche un peu plus que ce que vous recherchez vous-même.

Fionarose@Napoleon04 : J'ai la chatte hyper poilue, c'est pour ça que je disais brouter, j'espère que ça te dérange pas.

Bobby33 vient de flasher sur vous !

Fionarose@Playmobil677 : Moi j'en suis incapable. Je prends tout trop au sérieux. Je ne m'évade jamais de moi-même. J'aimerais pouvoir me dire que les choses qui m'accablent n'ont aucune importance, que mon âme peut rester libre et s'envoler, voguer vers d'autres cieux, mais mon corps m'emprisonne, les ennuis m'alourdissent, mes angoisses me barrent le ventre, mon esprit est confiné dans ma poitrine, c'est un espace minuscule où j'étouffe. C'est pour ça que je suis là, pour faire voler cet étau en éclats. Je suis sous séquestre. Je veux me libérer.

Caffer 68 consulte votre profil.

Patounet_563 vient de flasher sur vous !

Bobby33 : Bonsoir, vous êtes sur Strasbourg même ?

Fionarose@Gentleman : Qu'est-ce que vous en savez ? Qui vous dit que je n'attends pas de ces échanges exactement la même chose que vous ? Mais vous voulez aller directement à la case sexe sans prendre le temps de jeter quelques dés.

Napoleon04 : C'est moyen moyen les femmes poilues. Tu veux pas te raser avant de venir ? Sans déconner.

Gentleman : Je comprends. Moi aussi je veux bien discuter mais pas trop tourner autour du pot quand même. Je ne recherche rien de compliqué. Mais des moments de plaisir partagé. Tu fais quoi comme métier ?

Fionarose@Napoleon04 : D'accord, je vais me raser vite fait. Mais c'est bien parce que c'est toi.

Napoleon04 : Cool. Moi aussi j'ai les boules rasées.

Fionarose@Gentleman : Infirmière.

Fionarose@Playmobil677 : Pardon pour toutes ces attristantes considérations. Je suis désolée de vous avoir importuné avec mes problèmes. Vous êtes ici pour vous distraire, pas pour entendre les plaintes d'une femme foutue ! D'ailleurs je vais éteindre mon ordinateur et aller me coucher. Ma présence sur ce site est navrante. Au revoir.

Gentleman : Ah, cool.

Fionarose@Gentleman : Moi aussi je recherche des moments de plaisir partagé. Avec respect. Avec délicatesse.

Playmobil677 : Non, attendez, ne partez pas, restez encore un peu !

Fionarose@Napoleon04 : Je voulais te prévenir d'autre chose, j'ai une odeur très forte, j'espère que ça pose pas problème. On me dit parfois que je pue, ma chatte c'est carrément une infection, les hommes hésitent à y enfouir leur nez.

L'autre jour, j'étais avec un type, il a vomi dans le lit après m'avoir léchée.

Gentleman : Je ne suis pas un type irrespectueux. Je m'inquiète toujours du bien-être de ma partenaire.

Napoleon04 : Ehhhh... pauvre conne... va te faire enculer. Tu t'es bien foutue de ma gueule espèce de salope.

Fionarose@Playmobil677 : D'accord, je reste encore un peu, mais seulement pour vous faire plaisir.

Fionarose@Napoleon04 : Que se passe-t-il ? Pourquoi tu réagis comme ça Napoléon ? Comme tu es charcutier, je pensais que ça t'exciterait un truc un peu bestial !

Playmobil677 : Merci, je préfère ça. Vous êtes la seule femme intéressante, ce serait dommage que vous partiez !

Fionarose@Gentleman : Mais par exemple. Si on se rencontre la semaine prochaine. Imaginons. Vous acceptez l'idée que rien ne se passe entre nous, éventuellement ? J'ai envie de franchir le pas mais je ne peux pas le garantir. Il est possible qu'au tout dernier moment je me défile.

Napoleon04 : Je suis pas du tout charcutier, eh, espèce de pute.

Playmobil677 : Vous écrivez merveilleusement bien, c'est un bonheur de vous lire, ici personne ne se donne la peine de bien tourner ses phrases. Moi aussi j'essaie mais je n'ai pas votre talent !

Fionarose@Napoleon04 : Ah, pardon, j'ai dû mal lire ton profil ! Depuis le début je sais pas pourquoi je pense que t'es charcutier. Peut-être à cause de ta tête.

Bobby33 : J'habite sur Bordeaux mais je viens sur Strasbourg la semaine prochaine pour une semaine de formation. Je me disais que peut-être, une Strasbourgeoise...

Napoleon04 : Moi j'ai une tête de charcutier ? Va te faire mettre espèce de sale pute.

Gentleman : C'est pas forcé qu'il se passe quelque chose, je sais me tenir avec les femmes.

Fionarose@Napoleon04 : Non, pas de charcutier, de porc, tu as une tête de porc, c'est sans doute pour ça que j'ai fait l'association. J'ai beaucoup d'estime pour les charcutiers.

Playmobil677 : Quel est votre métier ?

Napoleon04 : Grosse conne. Si je te chope.

Fionarose@Playmobil677 : Infirmière.

Gentleman : Faut pas croire.

Fionarose@Napoleon04 : J'espère t'avoir fait perdre du temps. J'espère qu'aucune femme n'aura été assez idiote, ce soir, pour tomber dans tes filets, j'imagine tellement ton comportement dans un lit, ça doit être atroce. Occupe-toi bien de ton rôti, bouffe-le toi-même si t'es assez souple, connard.

Playmobil677 : C'est un beau métier. Moi je suis broc. Ça n'a rien à voir, je suis dans les objets, pas dans l'humain.

Fionarose@Gentleman : Si on ne se plaît pas, il faudra qu'on trouve quelque chose à faire. Vous avez un Scrabble ?

Fionarose@Playmobil677 : Je vous ai menti. Je ne suis pas infirmière. En fait je suis prof. Agrégée de lettres. Pardonnez-moi. Je ne vous mentirai plus, c'est promis.

Lecalin_a_629 consulte votre profil.

Gentleman : On discutera. Ça n'empêche pas. Tu aurais une photo ?

Napoleon04 : Je te jure, si je te chope, t'imagines pas le sale quart d'heure que tu vas passer.

Lecalin_a_629 vient de flasher sur vous !

Playmobil677 : Je comprends qu'on veuille maquiller son identité. Je suppose que Fiona n'est pas non plus votre vrai prénom.

Fionarose@Gentleman : Ne vous inquiétez pas pour mon physique, je saurai vous plaire.

Playmobil677 : Attention, je ne vous demande pas votre prénom. Fiona me convient parfaitement. Si vous avez choisi ce pseudo, c'est qu'il vous ressemble.

Gentleman : Ah bon, mais quels arguments tu peux mettre en avant pour être si sûre de me plaire ?

Fionarose@Gentleman : Je ne suis pas une beauté mais j'ai la peau douce, je m'applique, je veux donner du bonheur. Je suis timide mais quand je suis en confiance je sais m'occuper des hommes, je suis généreuse. Parfois il vaut mieux avoir dans son lit une femme normale qui veut bien faire plutôt qu'une bombe blasée qui attend tout de l'homme, vous ne pensez pas ?

Fionarose@Playmobil677 : En effet, ce n'est pas mon vrai prénom. Mais c'est la première fois que je me rends sur ce site et vous êtes le seul à m'avoir demandé comment je m'appelais, alors admettons que Fiona vous soit spécifiquement destiné, un peu comme un cadeau. Vous jugerez par vous-même, quand nous nous rencontrerons, si je mérite les charmes de ce prénom. Où résidez-vous ?

Gentleman : L'important c'est le désir. Tu es brune, petite, menue, infirmière, on est en plein dans mes fantasmes ! :-) Si tu es généreuse avec les hommes, c'est encore mieux… Si en plus tu viens avec une blouse et des claquettes, je ne réponds plus de rien !

Playmobil677 : À quelques kilomètres de Strasbourg. Une belle maison ancienne dans une forêt. C'est là aussi que je travaille, j'ai un grand bâtiment où j'entrepose mes meubles, je suis revendeur, je n'ai pas de boutique.

Fionarose@Playmobil677 : J'adore les forêts. J'ai toujours aimé les forêts. C'est magique une maison dans une forêt. Comme dans les contes de fées.

Gentleman : Ah, les infirmières… Je sens que je vais être

à l'agonie le jour où on se verra. Tu vas me remettre sur pied en deux temps trois mouvements ;-)

Playmobil677 : Je ne suis pas vraiment dans la forêt, plutôt en lisière, mais elle commence au fond du jardin, elle encercle à moitié ma maison. Il y a aussi un grand étang. Vous verrez, quand vous viendrez.

Gentleman : Nue sous ta blouse d'infirmière...

Fionarose@Playmobil677 : J'ai hâte. Je suis certaine que je vais aimer.

Playmobil677 : On fera du tir à l'arc, si vous voulez.

Fionarose@Playmobil677 : Du tir à l'arc ? Vous faites du tir à l'arc ?

Gentleman : J'ai la bite dure rien que d'y penser. Tu mouilles, toi, Fionarose, à l'idée de venir chez moi nue sous ta blouse ? On commencera par discuter tranquillement...

Playmobil677 : Depuis l'enfance. J'en ai toute une collection. Je vous apprendrai si vous voulez.

Fionarose@Playmobil677 : Oh oui, j'aimerais beaucoup. J'ai toujours trouvé ça beau la position du tireur à l'arc, quand il tend la corde et qu'il est concentré, qu'il ne bouge plus, pendant quelques secondes. Le moment où la flèche part est très beau également, parce qu'on a l'impression que c'est exactement le même que celui où la flèche se plante dans la cible. Ce qui distingue ces deux moments ce n'est pas la flèche mais le regard du tireur, qui évalue la réussite de son tir. La flèche, en cet instant, on a l'impression qu'elle est dans les deux endroits à la fois, sur la corde et sur la cible. Pardon, je divague !!!

Gentleman : Tu as disparu ? Hou hou ! Allô, ici la Terre !

Playmobil677 : Vous en parlez drôlement bien. Vous allez être très douée, je le sens !

Fionarose@Playmobil677 : On peut se voir quand ?

Playmobil677 : Quand vous voulez. Je peux être chez moi quand je veux.

Fionarose@Playmobil677 : Jeudi prochain ?

Playmobil677 : Jeudi là, dans trois jours ?

Gentleman : Fionarose, tu es fâchée ?

Fionarose@Playmobil677 : Si vous êtes libre.

Playmobil677 : Je suis libre.

Fionarose@Playmobil677 : Alors c'est parfait. Je suis très heureuse.

Playmobil677 : Moi aussi. Je vous envoie un mail via Meetic avec mon numéro de téléphone et un plan pour venir jusque chez moi. C'est relativement simple. Vous habitez dans Strasbourg même ?

Fionarose@Playmobil677 : Ne vous inquiétez pas, je saurai trouver la route. J'arriverai en fin de matinée et repartirai dans l'après-midi, si c'est possible pour vous.

Playmobil677 : C'est parfait. Vous pouvez même arriver plus tôt.

Fionarose@Playmobil677 : C'est un miracle notre rencontre, je n'en reviens pas. Je me suis inscrite sur ce site sous le coup de la colère, sans savoir ce que je venais y chercher. Maintenant, je le sais, c'était vous.

Playmobil677 : J'ai hâte d'être à jeudi. Bonne nuit à vous, je vous embrasse affectueusement.

Fionarose@Playmobil677 : Moi aussi…

Bénédicte Ombredanne se déconnecta avec précipitation puis plaqua ses mains sur son visage, les yeux fermés.

Elle s'aperçut qu'elle respirait très vite, stupéfaite de ce qu'elle avait osé faire. Elle était devenue une autre pendant deux heures, entreprenante et intrépide, comme embarquée dans un long rêve ponctué d'imprévus — et elle ramenait de ce périple un butin mémorable, un butin qu'en temps normal elle aurait considéré comme n'étant qu'une chimère réservée aux autres femmes : un homme qui lui plaisait, un homme auquel, en plus, selon toute apparence, elle plaisait également, tombé du ciel en l'espace de deux heures.

Peut-être, pendant ces deux heures-là, était-elle tout simplement devenue elle-même, la femme qu'elle aurait été si sa vie avait suivi une autre voie ?

Elle n'arrivait pas à y croire, elle se disait que tout cela était trop beau pour ne pas se dissiper le lendemain au réveil. Le visage enfermé dans l'odeur de métal de ses mains, l'étroit quartier de lune de son sourire jetant une vague clarté dans cet obscur confessionnal, Bénédicte Ombredanne ne se disait pas qu'elle était heureuse, c'est sa pensée assourdissante de joie qui le hurlait dans tout son corps, assourdissante comme une alarme enrayée, stridente, en particulier dans son ventre, dans sa cage thoracique. Des crampes, une chaleur irradiante, le début d'une vive et lancinante excitation firent que son visage fut bientôt dépourvu de l'un de ses vantaux : les doigts de sa main droite vinrent épouser la courbe étroite de l'entrejambe, à même la laine du pantalon, où elle effectua une douce et langoureuse pression, pour redoubler le rayonnement de son plaisir.

Normalement, ce qu'on acquiert dans ses rêves, on le perd au réveil, malgré tous les efforts que l'on peut faire pour conserver dans ses mains le profit de ses pérégrinations oniriques. Combien de fois avait-elle vécu cette situation, petite fille, en voulant ramener dans sa chambre une poupée trouvée dans son sommeil ! Mais ce soir-là Bénédicte Ombredanne avait tout lieu de supposer que cette rencontre inopinée ne s'était pas évanouie au moment où elle était revenue à elle-même en éteignant son ordinateur : n'avait-elle pas un rendez-vous avec cet homme, jeudi prochain, aux environs de Strasbourg, dans une maison en lisière de forêt, pour s'essayer au tir à l'arc ?

Comme prise d'un doute et d'une soudaine panique, elle se précipita sur son ordinateur pour vérifier que cet homme-là qu'elle croyait avoir ramené dans sa vie n'avait pas subi le même sort que ses poupées de petite fille, se volatilisant au contact de la réalité. Mais pas du tout. Elle trouva un message de Christian qui lui donnait son numéro de téléphone, son adresse mail et un plan pour venir jusque chez lui, accompagné de quelques phrases d'une grande tendresse, l'ensemble expédié une quinzaine de minutes après qu'elle se fut déconnectée.

Quel bonheur insensé !

Bénédicte Ombredanne commença à se caresser mais décida de conserver irrésolue l'excitation quasi sacrée qui régnait dans son sexe — l'envie de jouir s'y déployait comme des grandes orgues dans la lumière encombrée d'ombres d'une cathédrale. Peut-être, si la présence de cet autre homme restait logée intacte à l'intérieur de son ventre sous la forme de ce désir magique et impérieux, se sentirait-elle protégée des outrages qu'elle allait devoir subir en remontant dans sa chambre ? Son mari allait vouloir lui parler, se plaindre, pleurer, l'interroger, elle le savait. Bénédicte Ombredanne éteignit son ordinateur, sortit de son bureau et gravit l'escalier en silence, avant d'aller embrasser ses enfants qui dormaient.

3

Le jeudi, comme Bénédicte Ombredanne n'avait cours que de huit à dix heures, elle profitait de ce qu'elle était de nouveau dehors dès dix heures dix pour aller faire ses courses à Carrefour : c'était une habitude qu'elle avait prise en tout début d'année et à laquelle elle n'avait dérogé qu'en cas de force majeure, enfant fiévreux, formation pédagogique, abondantes chutes de neige, ce type de contretemps. La veille, s'interrogeant sur la manière dont elle allait s'organiser, elle s'était dit qu'avilir sa féminité dans les travées d'un hypermarché n'était pas un prélude idéal pour une première rencontre : il n'était pas nécessaire d'être d'une grande clair-voyance pour deviner que l'amoureuse qu'elle s'apprêtait à devenir devait se démarquer le plus possible de la mère de famille (un pot de Nutella aperçu dans son caddie pourrait agir sur sa conscience comme un électrochoc de honte, lui imposant *in extremis* de renoncer à son projet), c'est pourquoi Bénédicte Ombredanne avait décidé de faire le noir complet sur sa vie familiale, ne laissant illuminés, comme au théâtre, sur la scène de son mental, que son strident désir de femme, ses pensées fascinées, la nudité troublante de son excitation, le temps que durerait son échappée. Dans la pénombre le réfrigérateur, dans la pénombre son mari et ses enfants, dans la pénombre les copies à corriger, l'aspirateur, le repassage et l'administratif — elle irait faire ses courses une fois qu'elle-même aurait rallumé la réalité, au retour, à seize heures au plus tard, Bénédicte Ombredanne ne pouvant pas imaginer que sa rencontre avec cet homme allât jusqu'à durer autant de temps. Elle serait à Metz à quinze heures à tout casser, elle en était certaine, peut-être même déciderait-elle de rebrousser chemin à peine arrivée, elle se contenterait d'une tasse de café et expliquerait à Christian qu'elle s'était surestimée. En laissant cette gentille certitude pénétrer ses pensées, et s'installer, tel un chat ronronnant, tout près du radiateur de son désir, Bénédicte Ombredanne voulait se protéger de toute mauvaise conscience : cette virée strasbourgeoise ne l'engageait à rien puisqu'elle pouvait se retirer du jeu à tout moment. Elle allait voir, c'est tout, juste voir, comme ça, par curiosité, pour se sentir libre, pour qu'un mouvement dont elle serait l'instigatrice et l'interprète s'introduise par effraction dans l'immuable nature morte de son existence — elle verrait bien si les conditions étaient réunies pour qu'il se passe quelque chose de plus compromettant qu'une séance de tir à l'arc, mais elle n'y croyait pas. Franchement j'en doute, se disait-elle tout en se regardant dans la glace de l'armoire de sa chambre, franchement ça m'étonnerait que je sois capable de franchir le pas, ou alors il faudrait vraiment qu'il me plaise ce Christian, continuait-elle de se dire tandis qu'elle essayait d'apercevoir ses fesses, de dos, le visage basculé vers l'arrière, d'ailleurs je me demande pourquoi je fais le déplacement, cette virée est absurde, j'y vais quand même parce qu'il n'est pas correct de se décommander à la dernière minute, mais je lui expliquerai que je me suis trompée, que c'est au-dessus de mes forces, alors il m'apprendra le tir à l'arc, juste ça, le tir à l'arc. Cette clôture des perspectives que Bénédicte Ombredanne s'imposait n'était pas seulement une protection, elle résultait d'un scepticisme qui lui était naturel et duquel découlait la croyance qu'à sa personne pourtant si méritante rien d'extraordinaire ne pourrait jamais arriver — son existence l'avait habituée à se sentir plus souvent déçue qu'exaucée, depuis déjà un trop grand nombre d'années. Elle se trouva jolie, néanmoins, dans la glace de son armoire normande, c'était déjà un acquis colossal pour elle qui dénigrait souvent son apparence, elle ne cessait de reculer puis d'avancer pour voir l'effet que produisait son reflet quand il venait à sa rencontre. Deux femmes se faisaient face : la première, anxieuse et défaitiste, indécise, la pupille avide d'éloges, évoluait devant l'armoire les jambes tremblantes en se demandant si elle serait assez intrépide pour entreprendre cette expérience insensée (oser se présenter devant cet homme en ayant la prétention de vouloir lui plaire, au point qu'il ait envie de sexe avec elle), tandis que la seconde, déployée de pied en cap à la surface du grand miroir, gracieuse et élégante, trépignait de se mettre en route — la première essayait de dissiper dans la contemplation de la seconde un reste de culpabilité. Généralement, quand elles se rejoignaient, les deux jeunes femmes s'adressaient un sourire, elle finit même, Bénédicte Ombredanne, bluffée par l'assurance de sa comparse, par déposer sur l'eau glacée qui se dressait devant ses yeux, lèvres contre lèvres, un long baiser, un baiser comme un pacte. Si cet homme te plaît, Bénédicte, tes lèvres sont douces, embrasse-le, n'aie pas peur, promets-le-moi — tu me le promets ? Elle effaça avec sa manche la buée qui s'était formée : les lèvres, à la surface du miroir, se mirent à lui sourire. Vraiment ? Tu ne vas pas te dégonfler à la dernière minute, si ce Christian te plaît ?

Bénédicte Ombredanne regarda la jeune femme qui se trouvait devant elle, tu me promets que pour une fois, Bénédicte, tu auras un peu confiance en toi ? Je te le promets, lui répondirent les lèvres dans le miroir, je te promets que nous irons jusqu'au bout, si tu en as envie. Cette solennelle affirmation se traduisit par un regard de connivence, les deux jeunes femmes ne firent plus qu'une, Bénédicte Ombredanne enfin réunifiée s'absorba dans l'examen de son portrait : le maquillage était parfait et elle avait bonne mine, sa peau blanche était éclatante. À la suite de quoi elle tourna le dos au miroir, s'en éloigna, pivota brusquement pour estimer l'impact que sa silhouette pourrait avoir sur Christian à l'instant où il la verrait, de loin, par une fenêtre de son salon, sortir de sa voiture, puis elle marcha vers son futur amant avec le plus de naturel possible, dans l'herbe, devant chez lui, un sourire sur les lèvres. Était-elle habillée comme il convenait ? Elle avait choisi de mettre sa plus belle robe, une robe toute simple, en drap de laine marron foncé, d'excellente fabrication, achetée dans une boutique de Metz qu'elle adorait, de luxe, sous les arcades de la rue Gambetta, entre la gare et le bureau de son mari, en solde. Elle avait chaussé ses plus jolies bottines, brunes, à petits talons, un peu montantes, érotiquement lacées jusqu'au milieu du mollet, avec des bas Dim Up de couleur noire qu'elle réservait d'ordinaire à certains samedis épicés, conjugaux bien entendu. Elle avait enfilé l'une de ses vestes de velours, la grenat, et sur son col arrondi avait épinglé un camée qu'elle aimait bien, acheté au marché aux puces d'Amsterdam quand elle était étudiante. En regardant le bijou dans la glace, elle pensa qu'il était de circonstance, à tout le moins, en ce jour particulier, de porter sa bague fétiche, ne serait-ce que pour comparer les deux yeux : l'œil libertin qu'avait connu, coquine, l'une de ses lointaines ancêtres, et l'œil de ce Christian tireur à l'arc vers qui elle était prête à s'envoler — il serait du meilleur présage que ces deux yeux aient quelque parenté ! Elle alla chercher la bague dans le tiroir de sa table de nuit, elle l'enfila, elle regarda sa montre : merde, déjà onze heures, je suis en retard. Elle descendit l'escalier pensivement, un peu plus calme que devant l'armoire, requise par le désir de ne commettre aucune négligence. Ne sachant pas à quelle heure elle rentrerait, et ses enfants arrivant de l'école un peu avant dix-sept heures, Bénédicte Ombredanne, envahie par la pire des paniques, celle qui s'écoule avec lenteur, lourde et visqueuse, en ressemblant à un mauvais pressentiment, laissa une feuille griffonnée sur la table de la cuisine : *Mes amours, maman est partie faire les courses, goûtez bien, faites vos devoirs, à tout de suite, je vous aime.* Elle ajouta un cœur qu'elle traça en pensant à Christian, comme quand adolescente elle en couvrait des pages entières dans l'espoir que le garçon qu'elle adorait serait informé de ses sentiments par l'effet d'une sorte d'écho atmosphérique, à la façon des Indiens qui martèlent les trois mêmes notes sur leur tam-tam pendant des heures, au plus haut d'une colline.

Comme par un fait exprès, au moment où elle allait sortir de sa maison, le téléphone sonna. Elle hésita à aller décrocher, c'était sûrement son mari, mais dans cette hypothèse il valait mieux qu'elle sache ce qu'il voulait : le pire serait qu'il passe la journée à essayer de la joindre. Elle décrocha, c'était effectivement son mari, il l'appelait pour s'excuser du comportement qu'il avait eu à son égard le matin même, avant qu'elle ne parte au lycée. Pardonne-moi, je me suis laissé emporter, mes paroles ont dépassé mes pensées. Si tu veux, on peut déjeuner. Je t'invite à déjeuner.

Au motif que sa plus belle chemise, une Christian Lacroix turquoise à fines rayures, n'avait pas été repassée, alors qu'une réunion devait avoir lieu dans la matinée en présence du directeur régional, il s'était déchaîné sur sa femme avec une violence verbale qu'il avait rarement atteinte jusqu'alors. Hors de lui, il avait envoyé sur son visage des postillons de haine, pratiquement des crachats.

Debout dans l'entrée, son manteau cloche déjà enfilé, Bénédicte Ombredanne écoutait son mari lui expliquer combien la réunion avec le directeur régional l'avait angoissé, c'était pour ça qu'il s'était mis dans cet état, il le regrettait, la réunion s'était, il le pensait, très bien passée, il était rassuré. Je crois que j'ai marqué des points, lui dit-il. Tu m'en veux ? Allez, Bénédicte, s'il te plaît, pardonne-moi, j'étais tendu, les temps sont durs en ce moment, tout le monde flippe, au bureau. Je te demande pardon. Je me prosterne à tes pieds. Alors, tu es d'accord ? Tu veux bien qu'on déjeune ensemble ?

En temps normal, dépourvue d'échappatoires, exercée à affronter avec résignation tous les états corrélatifs de son mari, Bénédicte Ombredanne aurait feint d'être étonnée par l'ampleur qu'il donnait lui-même aux événements, elle lui aurait répondu qu'il n'avait pas à s'excuser, que ce n'était pas grave, qu'elle avait déjà tout oublié. Mais ce jour-là, sous l'éclairage de l'expérience qu'elle s'apprêtait à vivre, les jérémiades de son mari lui apparurent comme puissamment répugnantes, et sa vie conjugale tout entière comme intolérablement sordide. C'est toute l'horreur de son existence que cet appel téléphonique lui lança au visage comme un seau d'eau sale.

Sa révolte en fut aggravée, et sa résolution de se rendre à Strasbourg définitivement renforcée.

Elle ne fut ni glaciale, ni rancunière, ni conciliante : seulement lointaine, insaisissable, déjà indifférente.

Je ne suis pas libre, lui répondit-elle. Ah bon, mais comment ça se fait ? Le jeudi, tu es libre normalement ! Je retourne au lycée, on a prévu de déjeuner à la cantine toutes les trois avec Clémentine et Amélie. Ben annule, lui dit-il. Annule, quoi, sois sympa, tu les verras demain! Bénédicte Ombredanne, en ciselant des phrases concises qui ne manquèrent pas — elle le sentit — de surprendre son mari, lui expliqua qu'il était question d'un week-end à Paris avec les premières L, elles devaient absolument se voir pour en parler. De toute manière c'était trop tard, Amélie revenait spécialement au lycée elle aussi, elle devait être déjà en route. Demain, si tu veux, lui dit-elle. Demain, demain, demain, se lamenta son mari. Tu exagères, tout de même! Je t'invite gentiment à déjeuner et toi tu dis non, tu dis non! Je suis vraiment désolée, lui dit-elle. Après quoi elle raccrocha un peu abruptement, elle n'avait aucune envie de se laisser entraîner dans un échange téléphonique interminable.

L'autoroute lui permit de se purifier : elle oublia cette pénible conversation.

Elle n'eut aucun mal à trouver sa route, les indications de Christian étaient très claires, elle arriva vers une heure moins le quart.

Ils avaient beaucoup de chance, il faisait un temps magnifique, le monde visible semblait se dilater, on n'était que le 9 mars mais en raison du paysage qui rayonnait Bénédicte Ombredanne eut l'impression que le printemps tout entier se tenait autour d'elle : tandis qu'elle avançait, sur un chemin de pierres, vers la maison de son tireur à l'arc, elle se sentit environnée par un espace de temps considérable. Il y a comme ça des jours où ce n'est pas seulement le présent qui semble se consumer, mais une période beaucoup plus vaste, un important morceau d'imaginaire et de promesses, comme si ce jour particulier était à la tête d'une armée de jours pareils et d'événements radieux, dont la prémonition fait advenir autour de soi un avenir d'une grande douceur, un palais temporel somptueux.

D'où lui venait cette sensation, en dehors du fait que la lumière était sublime ? La rencontre qu'elle s'apprêtait à faire allait-elle donner lieu à une relation qui durerait longtemps ?

Elle respira à fond et regarda les arbres qui entouraient la maison, elle avait beau ne pas tellement apprécier, d'habitude, cette saison aigre, humide, par principe décevante, qu'est le printemps (elle préférait l'automne, qu'elle vénérait), ce matin-là elle ne fut pas insensible à la joie dont s'accompagne chez le plus grand nombre l'imminente éclosion des bourgeons. Peut-être parce que ce rendez-vous était une expérience nouvelle et ingénue, inaugurale, une tentative de renaissance ? Si seulement cet homme pouvait lui plaire et elle ne pas le dégoûter, mais le séduire, lui paraître à son goût ! Si seulement elle pouvait vivre quelque chose de fort, de beau ! Elle éprouva à cette pensée un bonheur incommensurable — un bonheur qui surpassait, par son intensité, malgré sa brièveté, n'importe laquelle de toutes ses émotions des derniers mois, pour ne pas dire des dernières années. Immobile devant la porte, n'osant pas appuyer sur la sonnette, elle se demanda si ce bonheur qui la vrillait n'était pas comparable à celui qu'elle avait éprouvé pendant ses deux grossesses (elle les avait passées à se laisser traverser par la pensée qu'elle allait bientôt être mère, une pensée belle et doucement terrassante) et la réponse fut positive. En cet instant elle comprit qu'elle attendait de cette rencontre bien davantage que ce qu'elle avait osé s'avouer — et ce message de sa conscience l'alarma.

Des hortensias étaient plantés le long du mur, des roses trémières, une aubépine grimpante. Un peu plus loin, délimité par une bordure de planches, un joli jardin d'herbes : thym, romarin, ciboulette, persil, sauge, menthe, entretenu avec un soin méticuleux, sans aucune mauvaise herbe, contrairement à chez elle. Une vieille vigne courait le long de la maison, en hauteur, vénérable, accrochée à la façade au moyen d'un fil de fer rouillé, horizontalement, semblable à la structure d'une phrase complexe que l'hiver aurait dépouillée de ses mots, de sa saveur originelle : un message qui retrouverait son sens durant l'été, quand toutes les feuilles seraient réapparues, quand chaque incise, chaque incidente, chaque parenthèse d'écorce de cette structure grammaticale ferait éclore la réjouissance d'une lourde grappe. Elle imagina qu'alors se laisserait lire, contrairement à aujourd'hui, un magnifique message de bienvenue.

Bénédicte Ombredanne appuya son doigt sur la sonnette. Sa stridence retentit à l'intérieur de toute son existence, réveillant la sensation qu'elle avait été enfant et qu'un jour elle serait vieille — c'est pourquoi elle avait bien raison de profiter de l'existence, même si son père l'avait punie plusieurs fois, petite fille, se souvint-elle en cet instant, pour ses imprudences, des imprudences de la nature de celle qu'elle commettait en cet instant, d'ailleurs, pensa-t-elle en souriant, comme ce jour où elle s'était aventurée près d'un étang sans prévenir ses parents, pour y capturer un crapaud. Un crapaud ! Qu'elle avait nommé Théodule ! Elle attendit que Christian vienne lui ouvrir, se répétant qu'il n'allait pas lui plaire, il n'était même sans doute pas là, ce qui serait logique et mérité. C'est alors qu'une voix grave retentit derrière elle, elle se retourna et vit un homme de taille moyenne, plutôt massif mais rassurant, brun et les cheveux courts, venir à sa rencontre. Il portait des gants de jardinage et tenait un sécateur qu'il déposa dans l'herbe, avant de s'approcher. Son visage n'avait pas grand-chose à voir avec celui de la photographie et il lui plut bien davantage, ah ça oui, il lui plut, un sourire apparu sur ses lèvres souleva son ventre d'aventurière intimidée avec une brusquerie étourdissante, exactement comme quand on passe à toute vitesse, en voiture, sur les rails d'un passage à niveau, un sourire rayonnant. Vous avez fait bonne route ? À présent ils se trouvaient l'un devant l'autre, elle n'en menait pas large, aucun des deux ne sut comment se saluer, ils plaisantèrent de leur timidité et décidèrent de s'embrasser sur les joues. Son sourire était vraiment renversant, ce qu'il communiquait semblait passé en contrebande entre les parenthèses de deux fossettes profondes et arrondies, faisant des apartés de joie au fil de la conversation. Quelle douceur ! Ce qui frappait Bénédicte Ombredanne, c'est que cet homme ne témoignait envers son physique aucune curiosité apparente, il fut d'emblée cordial et enjoué, il regardait son invitée comme s'il la connaissait depuis longtemps et qu'il appréciait son visage, son corps, sa compagnie et ses manières, sans donner l'impression qu'il essayait d'évaluer son potentiel érotique, à la dérobée, par des regards inquisiteurs. Alors qu'elle, à l'inverse, elle le savait, elle n'arrêtait pas de reculer en elle-même pour mieux l'examiner, sonder ses impressions, contrôler des détails corporels (ongles, doigts, dents, poignets, peau, sourcils, oreilles, cheveux, système pileux, entre autres choses), et elle aboutissait incessamment à la même conclusion fracassante : il lui plaisait terriblement.

Si elle l'avait rencontré en ville, dans un café de Metz, et qu'elle l'avait observé, elle eût cherché autour de lui de l'espace, du ciel et de la solitude.

Ils venaient de pénétrer dans le salon.

Une tasse de café ? Asseyez-vous plutôt dans celui-ci, il est plus confortable.

Elle se posa au bord d'un fauteuil club en cuir dont un félin acharné avait écorché les accoudoirs, lui conférant l'aura d'un meuble intime et rituel. Christian parti dans sa cuisine préparer du café, elle se leva pour se promener dans la pièce et regarder les meubles de près. La décoration répondait au principe du cabinet de curiosités, avec partout des animaux empaillés, des insectes, des coquillages et des squelettes de mammifères dans des vitrines, mais aussi des gravures scientifiques, des planches de botanique, un galion espagnol assez volumineux, d'une minutie fascinante, trônant sur une console. Un globe terrestre qui devait dater de plusieurs siècles, un peu plus loin un python très épais qui s'enroulait autour d'un tronc, la langue sortie, fourchue. Une méridienne qui s'écaillait, écrue, avec un revêtement de soie rosé, un peu usé, sur laquelle elle eut envie d'allonger son corps ardent, pour en calmer l'émeute interne, recrudescente. Des tapis sur les tomettes, de lourdes tentures de velours rouge, des boiseries qui devaient provenir d'une maison moins rurale que ne l'était celle de Christian, visiblement une ancienne ferme, elle espérait qu'elle pourrait voir la chambre. Émeute interne : mal au ventre. Mal au ventre : peur de ne pas lui plaire, maintenant qu'il l'avait vue, lui qu'elle trouvait si séduisant. Pas beau, non, pas vraiment : séduisant, attirant. Théodule ! Elle l'avait oublié celui-là ! Elle s'approcha d'une bibliothèque emplie de vieux volumes alignés derrière un fin grillage distendu par le temps, elle caressa le marbre d'une statue féminine de taille humaine, voluptueuse, érodée par les intempéries, à laquelle répondait, de l'autre côté du salon, elle s'en apercevrait plus tard, son pendant masculin, un souple éphèbe à la troublante sensualité, qu'elle embrasserait sur les lèvres en murmurant pense bien à moi. Une cheminée monumentale, en pierre de taille, probablement importée elle aussi, avec, au fond du foyer, une plaque de fonte majestueuse, armoriée, encadrée de deux chenets massifs qui reposaient sur des griffes de lion.

L'atmosphère était dense, sombre, labyrinthique, même, pensa-t-elle, tant les objets et les meubles accumulés dans cet espace semblaient tisser entre eux de complexes correspondances : elle estima que cette maison avait été conçue pour réfléchir, descendre en soi, lire des livres, aimer, converser, évoluer, être heureux, faire la cuisine et faire l'amour, être heureuse, faire l'amour. Christian revint avec un plateau qui supportait deux tasses en porcelaine, une cafetière fumante et une assiette de gâteaux secs. Bénédicte Ombredanne le complimenta sur la décoration, il lui répondit que c'était son métier, il adorait les objets, il arrivait qu'il conserve pour son propre usage des pièces qu'il avait achetées pour les revendre. Il disposait d'un réseau étendu grâce auquel il vidait des maisons à l'occasion de successions, à la suite de quoi il écoulait ce qu'il avait acquis auprès d'antiquaires, de décorateurs et de directeurs artistiques de grands magasins, à Paris comme à Londres, Tokyo, New York. Du sucre ? Elle lui fit non de la tête en portant la tasse à ses lèvres, la semaine passée un type avait acheté l'équivalent d'un container afin d'aménager une boutique de mode à New York, sur la Cinquième Avenue : du mobilier industriel provenant d'une vieille fabrique qu'il avait démontée, dans l'Oise, en début d'année. Bénédicte Ombredanne le regarda en lui souriant, elle réchauffait ses mains aux parois de sa tasse de café, il faisait un peu frais, elle avait envie de faire l'amour. Lui aussi la regarda, une parenthèse fut ouverte par ses fossettes dans le silence de ce long vis-à-vis, un silence entendu, un sourire au contenu explicite.

Mais vous n'êtes pas venue pour m'entendre parler d'antiquités, je suppose, finit-il par lui dire. Alors, vous voulez qu'on essaie le tir à l'arc ?

Christian sortit son arc et le remit à Bénédicte Ombredanne, c'était un arc traditionnel, en bois, tout simple, de deux mètres d'envergure, qu'il avait fait gainer d'une peau de python par un ami à lui, sellier, qui travaillait pour Hermès, un artisan hors pair. C'est magnifique, lui dit-elle. C'est ce qu'on appelle un arc longbow, c'est une arme redoutable, ce sont les Anglais qui l'ont inventé, à cause de lui on s'est fait littéralement décimer pendant la guerre de Cent Ans. Il a l'air doux, pourtant, cet arc, lui fit remarquer Bénédicte Ombredanne, moi je trouve qu'il ressemble à celui qu'utilisent les anges pour transmettre le coup de foudre : aucun rapport avec ces encombrantes catapultes portatives qu'on peut voir aux Jeux olympiques, et qui sont atroces, pas poétiques du tout. Oui, les arcs à poulies, vous avez raison, lui répondit Christian avec un soupçon d'amusement. Mais il faut croire que les anges ne la tendent pas tout à fait, la corde, quand ils envoient leurs flèches, car avec un arc comme celui-ci, dont la pression s'élève à trente-trois livres, la flèche est propulsée avec une telle puissance qu'elle vous dégomme une vache ou un sanglier à cent mètres de distance. Hein, ah bon, une vache, un sanglier, avec cette chose si frêle ? Il n'est pas si romantique, votre arc, alors ! Christian éclata de rire en voyant Bénédicte Ombredanne manifester une telle ingénuité, ce qui permit à cette dernière de le trouver attirant y compris dans ces circonstances — sa bouche était décidément un lieu aimable, à la faveur de cette hilarité elle s'était encore agrandie et les parenthèses de ses fossettes, devenues monumentales, s'accompagnaient maintenant de tout un tas d'autres sillons charmants, rieurs, tous symétriques, apparus un peu partout sur son visage. Ses dents étaient belles, blanches, carrées, bien rangées, Bénédicte Ombredanne les regardait émerveillée tandis qu'il riait, qu'il riait, qu'il riait — elle pouvait voir s'y refléter toute la force de son désir, comme dans de belles et grandes vitrines. Mais je vous rassure, Bénédicte, reprit Christian après qu'il se fut un peu calmé, non seulement je ne chasse pas la vache, ni même le sanglier, soyez tranquille, mais cet arc n'est pas une arme sournoise ou déloyale : c'est une arme instinctive qui met l'homme à égalité avec l'animal. Bénédicte Ombredanne avait dû laisser échapper une expression de scepticisme en entendant cette phrase ésotérique car il se sentit tenu d'en expliciter la teneur, après un bref moment de réflexion. Je veux dire par là que dans un même mouvement délié et instinctif, le chasseur voit la cible, lève l'arme, tend la corde et tire sa flèche, sans prendre le temps de réfléchir : dès que la corde a été amenée là (Christian banda un arc imaginaire, le véritable étant toujours entre les bras de Bénédicte Ombredanne, et déposa deux ongles de sa main droite, ras, précisément taillés, au creux de sa fossette), dès que la corde a été amenée là, près des lèvres, vous la lâchez, et la flèche part. Après avoir sorti les ongles de la fossette, Christian reproduisit le son d'une flèche au contact de l'air : *flouchhhhhh*, comme le font les garçonnets quand ils jouent aux cow-boys et aux Indiens dans la cour de récréation. Vous comprenez ? L'arc longbow, vous le bandez puis vous tirez immédiatement, à l'instinct, *flouchhhhh*, et vous savez si la flèche est bonne avant même qu'elle n'arrive sur sa cible, *jdonnnng*, comme vous l'avez écrit si justement, l'autre soir, dans l'un de vos messages. La flèche, c'est la continuité de votre bras, de votre mental. Vous devez faire corps avec l'arme mais également avec le monde visible, avec l'instant que vous vivez. Comme si la flèche n'était rien d'autre que l'une de vos pensées : la pensée doit être juste si elle veut atteindre sa cible et révéler la vérité des choses, eh bien là c'est pareil, vous devez accéder à une certaine justesse intérieure, dans votre rapport au réel, si vous voulez que la flèche atteigne son but. Le tir réalise votre intention, il est votre pensée qui s'accomplit, il n'y a rien d'autre que la cible, votre attitude intérieure et la flèche qui fait le lien entre les deux. C'est une présence au monde particulière, une présence que je recherche en permanence, même sans cet arc entre les mains. Alors qu'avec un arc à poulies, avec la catapulte dont vous parliez tout à l'heure, ajouta-t-il avec un drôle de ricanement moqueur, la corde se bloque, vous la bloquez, vous visez longuement avant de déclencher. Ça n'a rien d'instinctif, c'est un calcul balistique, c'est de la précision, c'est de la discipline, de l'acharnement, de la torture, de l'orgueil, du sport. Je vois, je comprends, vous en parlez très bien, répondit Bénédicte Ombredanne. Elles sont jolies, ces flèches, lui dit-elle en désignant des empennes colorées dépassant d'un carquois. Je les fais faire par un ami, en bois, avec de véritables plumes d'oie, je n'aime pas trop les flèches qu'on trouve dans le commerce, genre Decathlon, c'est mon côté antiquaire. Bénédicte Ombredanne passa le doigt sur la pointe en métal : ouh là là, c'est coupant ! Oui, très, le chasseur s'engage à aiguiser ses flèches avant de partir à la chasse, c'est le règlement. Si vous vous faites contrôler, la flèche doit pouvoir raser les poils de l'avant-bras, sinon vous vous prenez une prune. Vous chassez ? Non, je n'ai plus le temps, mais j'ai pas mal chassé quand j'étais plus jeune — il y a encore deux ou trois ans, j'allais dans ma forêt, au bout du jardin, une fois de temps en temps, pour tirer quelques flèches. Mais pourquoi faut-il qu'elles soient si aiguisées ? Pour ne pas risquer de blesser un animal sans le tuer, lui répondit Christian. Alors que si la flèche est aiguisée, la vitesse la rend tellement incisive que l'animal éprouve une sensation de chaud à un endroit de son corps, il se demande ce qui lui arrive, il s'interroge sur la nature de cette étrange brûlure mais il est déjà mort — il est mort mais il ne le sait pas encore. (Moi je suis morte amoureuse — mais je le sais déjà.) Bénédicte Ombredanne désigna quelque chose du doigt : et ça, c'est quoi ? Ça, c'est différent, c'est une flèche pour tirer les oiseaux. Les oiseaux ? Oui, avec un assommoir. Regardez, au bout de la flèche, ce n'est pas une pointe, c'est un embout métallique, ça assomme les oiseaux. Bénédicte Ombredanne caressa avec son pouce l'extrémité bombée et veloutée du projectile. Elle demanda pourquoi il fallait assommer les oiseaux plutôt que de les transpercer. Parce qu'il est interdit de tirer à hauteur d'homme, ou vers le haut : une flèche comme celle de tout à l'heure, acérée, elle est tuante à plus de cent mètres. En retombant du ciel, avec la lame de rasoir qui est au bout, elle pourrait blesser, voire tuer. Les plumes sont implantées différemment, demanda Bénédicte Ombredanne, pour quelle raison ? (Qu'est-ce que ses lèvres sont attirantes !) Bien observé, répondit-il. Cette empenne permet d'avoir une pleine puissance pendant trente mètres, et d'un seul coup la flèche se met en parapluie, pour redescendre à la verticale : comme ça, vous ne la perdez pas, elle ne part pas n'importe où. Astucieux, vraiment très astucieux, murmura-t-elle en détaillant le visage de Christian du coin de l'œil — il était en train de gratter une saleté sur le cuir de son carquois. Le baiser qu'elle avait envie de lui donner la dévorait de l'intérieur en progressant lentement vers ses lèvres, si bien que ces dernières, bientôt, elle le sentait, allaient bondir vers son tireur à l'arc comme un tigre affamé sur une paisible antilope — et il releva la tête au moment où le regard de Bénédicte Ombredanne atteignait son degré d'incandescence le plus élevé, ce qui permit à Christian de la surprendre en flagrant délit de délectation, puis de brutale repentance. Vous avez déjà assommé des oiseaux ? se reprit-elle à toute vitesse, embarrassée et rouge de honte. Pour la détendre, Christian lui adressa un sourire inédit : de sa bouche restée fermée, seul le bord supérieur droit se souleva légèrement, comme si sa lèvre s'était prise un instant pour un sourcil spirituel, ouvrant une parenthèse d'un seul côté du visage, pleine de sous-entendus qui s'enfuyaient le long de la déclivité, dans lesquels Bénédicte Ombredanne identifia des réponses à son désir, des réponses qui lui plurent. Non, jamais, je ne suis pas assez doué, je n'y suis jamais arrivé. En revanche, j'ai un ami, il assomme des faisans en vol avec ce genre de flèche. Christian fouillait dans son carquois à la recherche de quelque chose, Bénédicte Ombredanne le regardait avec de plus en plus d'attendrissement, elle crut en cet instant qu'elle ne repartirait plus. Elle s'en foutait, pourtant, du tir à l'arc, de toutes ces flèches spécialisées, mais alors complètement ! Il n'empêche, elle aurait pu l'écouter pendant des heures, le regarder manipuler cet attirail de garçonnet pendant des heures, elle aurait voulu qu'il l'encorde à une colonne antique et qu'il lui plante les flèches de son carquois partout sur son corps nu, une à une, jusqu'à la toute dernière, avec douceur, sans trop bander son arme, avec assez de force pour que la flèche tienne dans ses chairs mais sans lui faire non plus le moindre mal, preuves de son amour, preuves de sa mesure et de son savoir-faire, preuves de l'immense confiance qu'elle était prête à lui donner — elle savait que les flèches de Christian ne la transperceraient pas, ni ne tomberaient par terre, décevantes, après avoir piqué sa peau telle une épingle, n'était-ce pas ça, l'amour ? Je vous choisis une petite flèche, voilà, comme celle-ci, pas trop longue : vous n'avez pas la même allonge que moi. Dehors, dans mon atelier, j'ai un arc pour adolescent, c'est celui-là que vous utiliserez : le mien, le grand longbow, vous n'aurez pas assez de force pour le bander. C'est ce que vous croyez ! J'ai du muscle, moi, s'emporta Bénédicte Ombredanne, regardez ! Elle lui présenta son bras à angle droit, que Christian palpa

92

quelques instants, pas mal, pas mal, mais je ne pense pas que ça soit suffisant. Au préalable, avant qu'on y aille, vous allez mettre ceci autour de votre poignet, votre poignet gauche, tenez, je vais vous aider. Qu'est-ce que c'est, à quoi ça sert ? C'est drôlement joli, en tout cas, ajouta Bénédicte Ombredanne, presque érotique, osa-t-elle préciser. Christian approuva d'un sourire sa saillie audacieuse puis disposa autour de son poignet une carapace en cuir d'une grande rigidité, grumeleuse, grise, équipée d'un laçage comparable à celui d'une bottine — Christian, le délicat poignet de Bénédicte Ombredanne entre les mains, était occupé à y ajuster la manchette, manipulant les lacets du bout des doigts. Quels frissons les pianotements méthodiques de Christian sur son avant-bras lui communiquaient ! La corde peut vous couper les veines, si l'arc n'est pas bien orienté : ça m'est arrivé plusieurs fois. C'est mon ami sellier qui me l'a fabriquée, il l'a taillée dans une oreille d'éléphant. Vous êtes vraiment un esthète : avec vous tout est toujours parfait, lui répondit Bénédicte Ombredanne. Il la regarda avec tendresse, avant de lui sourire. Vous êtes prête ? On y va ?

Ils allèrent dans le jardin, où la température avait encore augmenté, devenant presque douce. Ils s'installèrent derrière la grange, Christian disposa contre un arbre une cible réalisée par son fils quelques années plus tôt : cinq couloirs circulaires, concentriques, dûment numérotés, peints chacun au pinceau dans une couleur spécifique, du jaune au noir, sur un panneau rectangulaire d'assez grandes dimensions, en aggloméré. Des oiseaux chantaient dans l'arbre, l'herbe était grasse, d'un vert éclatant, les bottines de Bénédicte Ombredanne s'y enfonçaient souplement, la terre aussi était tendre. Ils s'éloignèrent de quelques mètres, déposant par terre leur matériel. Derrière l'arbre et sa cible, en arrière-plan, on pouvait voir la masse obscure de la forêt, dont la lisière s'arrondissait autour du jardin comme la mer autour d'un promontoire.

Les pieds en équerre, pour être bien stable. Le pied gauche vers la cible, le droit à l'équerre, voilà, comme ça. Vous devez vous sentir en appui. La flèche, j'ai fait une marque sur la corde, elle doit reposer sur cette marque. Quand vous armez, vous ne devez pas toucher l'embout avec vos doigts, jamais, faute de quoi la flèche part de travers. Votre bras : le plus tendu possible, comme ça, encore plus droit, voilà. Les deux yeux ouverts, il faut viser avec les yeux ouverts. Une fois la corde tendue, quand vous voulez tirer, vous lâchez les deux doigts, juste ça, lâchez, libérez délicatement la corde, sans impulsion, sans transmettre d'énergie. Cela suppose que la corde doit être tractée avec le bout des doigts, vraiment le bout, le plus au bout possible. Vous voulez que je vous montre ?

Christian tira plusieurs flèches sur la cible.

Il disait je vise le jaune : il atteignait le jaune.

Il disait je vise le rouge : en plein dans le rouge.

Bravo ! Vous êtes vraiment trop fort !

Bénédicte, vous la voyez, la tache d'humidité, en bas à droite ?

Christian tira une nouvelle flèche, qui se planta à quelques centimètres de la tache d'humidité.

Zut, raté. Bon, à vous maintenant !

Bénédicte Ombredanne se mit en position.

Le plus loin possible sur le bout des deux doigts. Plus loin, encore plus loin, voilà. Maintenant, amenez vos doigts jusqu'ici, indiqua-t-il en survolant d'un ongle ras la commissure de ses lèvres, troublante proximité. Attention à votre pied, il doit rester bien droit vers la cible. Elles sont jolies, à ce propos, vos bottines, je les aime beaucoup. Merci, répliqua

Bénédicte Ombredanne qui essayait de tendre la corde, mais arrêtez de me faire des compliments, sinon je vais trembler, je ne vais pas y arriver. Jusqu'à ma bouche, vous dites ? Tout à fait, allez-y, encore un peu, tirez la corde encore un peu, les deux yeux bien ouverts. Qu'est-ce que c'est dur, quelle résistance, j'aurais jamais pensé, déclara faiblement Bénédicte Ombredanne. Là, vos doigts, ils sont un peu trop loin de la flèche, il faut les rapprocher, voilà, comme ça. Sans toucher l'embout jaune de la flèche, sinon elle va partir de traviole. Ah oui, une dernière chose, bloquez votre respiration avant de libérer la flèche.

Bénédicte Ombredanne lâcha la corde tout en fermant les yeux. La flèche partit mollement dans l'herbe.

Vous voyez, qu'est-ce que je vous avais dit, vous avez touché l'embout avec vos doigts ! Elle protesta en riant : c'est surtout que je suis nulle ! On recommence, voilà la flèche : allez, je suis certain que vous êtes très douée, un peu d'application, on y va. Bénédicte Ombredanne disposa la flèche sur la corde, se remit en position, commença à la tracter vers le demi-sourire de ravissement qu'elle arborait. C'est alors que Christian manipula directement ses doigts, afin que ladite corde soit vraiment tout au bout : même avec le gant qu'elle portait, cette intervention la fit frissonner au plus profond d'elle-même. Bien dans le bout, encore, encore, encore, plus au bout, comme ça, parfait, disait-il. Le pied, plus vers la cible : Christian donna deux ou trois coups, petits, secs, contre la bottine de Bénédicte Ombredanne, pour en modifier l'orientation — et ce fut comme autant de véritables secousses sismiques à travers tout son corps. Visez bien les yeux ouverts, tout à l'heure vous les avez fermés : je vous rappelle, Bénédicte, qu'avec un arc et des flèches vous n'entendrez aucune détonation, il n'est donc pas nécessaire de contracter les paupières au moment du tir. Arrêtez de me faire rire,

Christian, soyez gentil, ou je risque de tuer un animal innocent, si je rate le panneau. Allez-y, lui dit-il. Vos voisins les plus proches n'ont pas de vache, j'espère, ajouta-t-elle. Bénédicte Ombredanne se concentra quelques secondes, tira la corde encore un peu vers son demi-sourire, puis la lâcha : la flèche échoua de nouveau dans l'herbe, au pied du panneau, comme une feuille de laitue tombée d'un saladier.

Bénédicte, vous êtes à un quart de la puissance. Essayez de le bander davantage, votre arc. Je sais, je sais, répondit-elle, confuse. Vous savez, vous savez, mais vous avez tiré quand même, vous avez tiré quand même ! Allez, on recommence. Je vais essayer, je vous promets, répondit-elle, amusée par le sérieux avec lequel Christian conduisait son apprentissage. Le muscle endolori, le bout des doigts mordu par la corde, elle approcha de nouveau celle-ci, avec difficulté, de son sourire, avant de la lâcher : la flèche alla se ficher dans la tache d'humidité, en bas à droite.

Bravo ! Bien ! C'est beaucoup mieux !

Vous avez vu ? J'ai fait comme vous, j'ai visé la tache d'humidité ! Mais moi, contrairement à vous, je l'ai touchée ! Il va falloir faire attention, je vais bientôt vous rattraper, question niveau !

Christian courut chercher la flèche et la rapporta.

Bon, on recommence. Tiens, une pie ! Où ça ? Là, devant vous, près du massif. Du massif ? Oui, de fougères. Bénédicte, là, juste devant les fougères. Ah, ça y est, je la vois, elle est belle ! C'est une pie, lui répéta Christian.

Ils observèrent la pie pendant quelques secondes, elle orienta vers eux sa petite tête curieuse et saccadée, et s'envola.

Bon, on reprend. L'idée c'est d'être dans la cible, pas en périphérie des cercles. Bénédicte, si vous voulez me convaincre de vos talents, visez-moi plutôt le rouge. Tenez, la flèche. Bénédicte Ombredanne lui prit la flèche des mains, la plaça de nouveau sur la corde et se remit en position. Imaginez que vous voulez tuer un animal. Il faut vous motiver, Bénédicte! Mettez-vous en condition, imaginez que vous voulez abattre un sanglier! Vous êtes là, comme ça, toute flottante, vous ne savez pas pourquoi vous tirez : vous n'arriverez jamais à faire une bonne flèche dans ces conditions. Je ne sais pas, dites-vous que vos enfants n'ont rien mangé depuis cinq jours! que vous devez leur rapporter de la bonne viande à la maison!

Bénédicte Ombredanne amena la corde à la hauteur de ses lèvres, pensa à ses enfants affamés, releva les doigts : flèche dans la cible.

Pas mal, c'est mieux, on recommence. Imaginez quelque chose d'encore plus vital pour vous. Bénédicte Ombredanne fut secouée par le sourire que Christian lui adressa tandis qu'elle lui prenait la flèche des mains, elle se remit en position, regarda un instant, l'esprit bloqué, la pointe de ses bottines, l'herbe émeraude autour du cuir marron, les brins, les brins d'herbe, les centaines de brins d'herbe identiques, coupés ras. La même question avait beau tirailler son esprit une centaine de fois par minute et par centimètre carré de tissu cérébral depuis maintenant deux heures, elle ne savait toujours pas ce qu'elle allait faire : décider de faire l'amour avec cet homme, ou bien s'enfuir de chez lui une fois la dernière flèche tirée, avant qu'il ne soit trop tard. Jusqu'au moment où elle l'avait vu apparaître devant sa maison, elle avait cru qu'il suffirait, pour retrouver l'éclat de son mental, de savourer, comme au col d'un flacon de parfum, avec ses seules narines, rêveusement, les fragrances de l'attrait sexuel — et voilà qu'elle se trouvait confrontée à une épreuve inattendue : elle avait envie de cet homme en dehors de toute autre considération, pour lui-même, par gourmandise, comme d'un gâteau auquel elle ne voulait pas résister. Bénédicte Ombredanne se concentra, elle sentait Christian derrière elle qui attendait patiemment, elle se dit que si cette flèche ne se plantait pas dans le rouge elle ramasserait ses affaires et rentrerait chez elle immédiatement. Cette virée était en vérité une pure folie, une folie d'autant plus périlleuse que cet homme lui plaisait, elle allait prendre un risque énorme, si elle restait une heure de plus, elle le savait pertinemment. D'ailleurs, comment était-il possible d'être tombée par hasard, mais vraiment par hasard, lors de sa première connexion, sur un homme si conforme à ses goûts ? N'était-ce pas parce que le destin s'en était mêlé ? Sa vie n'était-elle pas en train de basculer, guidée depuis le début par des forces qui la dépassaient ? Rouge, tu restes, sinon, tu t'en vas. On est d'accord ? Ainsi, tu n'auras pas à te poser de question, c'est la flèche qui décidera pour toi. On fait comme ça ? Tu me le promets ? Je te le promets, se répondit mentalement Bénédicte Ombredanne. Je te promets que je vais mettre cette flèche dans le rouge et que je vais rester. Elle respira à fond en regardant la cible, leva son arc, tira la corde vers son visage exempt de tout sourire, elle ne cessait de perforer des yeux un point précis environné de rouge, elle fit un dernier effort pour amener l'embout jaune devant ses lèvres, elle bloqua sa respiration sur l'espoir d'un baiser baigné de rouge et ses deux doigts lâchèrent la corde. En cet instant précis, elle fut saisie par le pressentiment qu'elle avait manqué son tir.

À peine la flèche avait-elle fusé vers la cible que des exclamations d'enthousiasme retentirent derrière elle.

Bénédicte ! C'est fantastique ! En plein dans le mille ! Mais quelle prouesse ! Comment vous avez fait ! En plein cœur ! À votre quatrième flèche ! C'est pas possible, *comment vous avez fait ?*

La flèche de Bénédicte Ombredanne, ratée, s'était plantée à une vingtaine de centimètres du point qu'elle visait, mais

au cœur de la cible, sublime, profonde, parfaitement perpen-
diculaire.

Elle-même fut bouleversée d'avoir produit ce résultat sur-
naturel, comme si soudain sa présence au monde s'était élu-
cidée, quand bien même les conséquences de cette prouesse
seraient cuisantes. Une sensation de profondeur l'engloutit
tout entière, comme les eaux d'un naufrage un navire avarié
qui coule à pic.

Christian, de joie, prit Bénédicte Ombredanne dans ses
bras, il exultait, c'était la première fois qu'il voyait une débu-
tante mettre sa flèche en plein dans le mille après si peu de
tentatives, quelle apprentie vous faites, Bénédicte, quelle
apprentie exceptionnelle vous faites, je n'en reviens pas ! Il la
serrait très fort contre lui en imprimant à leur étreinte un
mouvement de rotation de plus en plus cadencé, je vous avais
prévenu, pourtant, que j'allais bientôt vous dépasser, lui
assena Bénédicte Ombredanne en riant, n'allez pas faire votre
étonné ! Tout de même, lui répondit Christian en la pressant
contre son torse, je ne pensais pas que vos progrès iraient si
vite ! Pour être tout à fait honnête avec vous, l'interrompit
Bénédicte Ombredanne en se sortant de leur fusion, ce n'était
pas exactement cette zone que je visais, j'étais un peu moins
ambitieuse, j'ai eu de la chance sur ce coup, il faut bien le
reconnaître — ou plutôt de la malchance. De la malchance ?
Je m'étais fait le serment d'atteindre le rouge, lui répondit
Bénédicte Ombredanne. Ils se parlaient maintenant en se
regardant dans les yeux, leur étreinte comme un nœud légèrement desserré. Il n'y a pas de hasard, Bénédicte, au tir à l'arc,
ni de malchance, ni de serment qui tiennent. Vous avez mis
dans le mille, un point c'est tout. Qu'en savez-vous si votre
inconscient ne visait pas le cœur de la cible, comme tout le
monde, même si vous, en surface, vous pensiez vouloir
atteindre le rouge ? Vous ne visiez pas le rouge, au fond de

vous-même, j'en suis certain, mais l'absolu, l'ultime beauté. Cela veut dire que notre rencontre est juste, qu'elle est portée par la grâce, qu'elle obéit à une profonde nécessité, que vous le vouliez ou non. Cette flèche indique que quelque chose de miraculeux est en train de se produire entre nous, et vous le savez aussi bien que moi.

Subjuguée par ces paroles, Bénédicte Ombredanne lui sourit.

Je crois que vous avez raison, Christian, lui dit-elle. Je le sais bien, que j'ai raison, lui répondit-il en souriant également.

Il l'embrassa.

Leur baiser dura longtemps.

Tant d'évidence dans l'entente instinctive de leurs bouches étonna Bénédicte Ombredanne, elle qu'aucun homme n'avait plus embrassée depuis de très nombreuses années (son mari n'utilisait jamais ses lèvres pour enchanter les siennes, exception faite des smacks qu'ils échangeaient quotidiennement, matin et soir, de pure routine, comme une carte magnétique qu'on passe sur une cellule optique pour entrer et sortir d'un bâtiment). Un chant d'oiseau lui parvenait, un peu de vent caressait son visage. Leur baiser fut vorace, tendre, lascif, sérieux, mélancolique et ambitieux — à l'égal d'une pensée en mouvement, une pensée qui s'accomplit brillamment jusqu'à sa conclusion victorieuse.

C'est Bénédicte Ombredanne, après qu'elle eut entendu tout ce que ce baiser avait à lui apprendre, qui finit par l'interrompre, pour adresser à Christian une douceur visuelle : le plan fixe d'un sourire lumineux, contemplatif, que son visage imposait à ses lèvres sans qu'elle pût le contrôler, dans l'euphorie de son bonheur. Elle ne maîtrisait plus rien : ni ses pensées, ni ses expressions, ni son imagination en cavale — ni même les réactions de grande ampleur de tout son corps, sécrétions, vertiges, crampes, palpitations, ralentis d'explosions dans les fibres de ses muscles.

— Vous voulez qu'on rentre à la maison, ou bien qu'on aille dans la forêt ?

— Je ne sais pas. Quelle heure est-il ?

— Quinze heures dix, lui répondit Christian en consultant sa montre.

— Allons dans la forêt.

À un moment de leur promenade, un chevreuil apparut entre les troncs, il les examina quelques instants avant de s'éloigner en bonds désordonnés, dépourvus d'axe, comme s'ils visaient les cases d'une longue et sinueuse marelle. Christian et Bénédicte Ombredanne se tenaient par la taille, ils se parlaient et s'arrêtaient souvent pour s'embrasser. Leurs mains parfois se mettaient l'une dans l'autre, mais Bénédicte Ombredanne n'arrivait pas à accepter ce geste intime, comme si ses doigts, en se laissant toucher, accordaient à Christian des espérances qu'elle n'était pas habilitée à lui offrir. Quand elle sentait dans la sienne la main de cet autre homme, elle se mettait à penser à la femme qu'elle était dans la réalité, mariée et mère de deux enfants, et cette femme-là, en elle, s'offusquait électriquement de ce geste hérétique, à la connotation matrimoniale, tandis que leurs baisers, y compris les plus radicaux, la lui faisaient oublier complètement — on découvre de drôles de vérités, quand on commence à sortir des sentiers battus, se dit-elle. Vous n'aimez pas que je vous prenne la main, Bénédicte, je le sens, pour quelle raison ? Je préfère qu'on se tienne par la taille, si vous n'y voyez pas d'inconvénient, lui répondit-elle. C'est ainsi qu'il la conduisit sous son arbre préféré, un chêne d'une envergure monumentale, nanti de branches aussi longues que des appartements, au pied duquel avaient percé une multitude de fleurs bleues. Christian venait souvent ici pour méditer, il pensait même y installer un banc, un banc où il pourrait, l'été, romantique, lire de bons livres et écrire des poèmes, à l'ombre des frondaisons séculaires, ajouta-t-il sur le ton de la plaisanterie.

Playmobil677 confirmait sa capacité à l'autodérision, comme s'il se condamnait lui-même au paiement d'une surtaxe prohibitive toutes les fois qu'il constatait dans ses propos un excédent de gravité. Je vous les enverrai, mes poèmes, Bénédicte, vous en serez l'héroïne !

Ils s'embrassèrent. Elle caressait sa nuque. Elle aimait son odeur. Le goût de sa salive. Elle ouvrait parfois les yeux sur un morceau de ciel. Ils entendaient craquer des brindilles sous le poids de leur étreinte. Sa langue de mâle était un animal entreprenant. Christian aventura ses mains sous la robe de Bénédicte Ombredanne, mais elle se dégagea.

— Excusez-moi, lui dit-il. J'avais cru.

— Ce n'est rien. C'est moi. Pardon.

— Mais non, pas du tout, je comprends.

Bénédicte Ombredanne, la tête baissée, regardait fixement la poitrine de Christian, qu'elle caressait de sa main droite, pensive. La gauche, refermée en poing doux, reposait sur son sternum, tambourinant de temps à autre comme à la porte d'une auberge.

— Je ne vais pas y arriver. Je suis vraiment confuse.

— Ce n'est pas grave.

— Mais si, c'est grave. Vous vouliez une aventure, vous devez être déçu. Je suis sotte, j'aurais dû m'en douter, ça m'aurait évité de vous faire perdre votre temps.

— Vous avez peur ?

Elle leva la tête vers le visage de Christian, et lui sourit de confusion, espérant se faire pardonner sa réponse.

— Je meurs de trouille.

— Il ne faut pas.

— Pour quelle raison ?

— Rien ne nous oblige à aller plus loin. Si vous voulez qu'on se limite à des baisers dans la forêt, eh bien, c'est simple, on s'embrassera dans la forêt, c'est tout. Vous êtes maîtresse de mon comportement, comme on disait dans les romans du XVIIIᵉ !

— Ça alors, vous aimez les romans du XVIIIᵉ ?

— Les liaisons dangereuses. La vie de Marianne. La nuit et le moment. Manon Lescaut. Point de lendemain. Le sopha. Quoi d'autre.

Bénédicte Ombredanne le considéra avec incrédulité, émerveillement.

— Les choses modernes ne me touchent pas. Pour être ému, j'ai besoin que ça soit ancien, avec un imaginaire d'un autre siècle, de préférence assez lointain. Pareil pour les gens : je les préfère quand ils ont l'air de s'être évadés d'une autre époque, les gens que je rencontre. À ce propos, votre bague, elle vient d'où ? Elle est sublime. C'est une pièce exceptionnelle, je suppose que vous le savez.

— De ma grand-mère, qui la tenait elle-même de la sienne, je ne sais pas ce qu'elle faisait dans ma famille.

— Si cette bague a appartenu à l'une de vos aïeules, enchaîna Christian sur un ton malicieux, dites-vous bien que vous n'êtes pas la première de votre lignée…

— Oui, je sais, l'interrompit Bénédicte Ombredanne. Le seul problème c'est que j'ignore si cette bague a été achetée chez un antiquaire par mon arrière-arrière-grand-mère, ou si elle-même la tenait de sa grand-mère, et ainsi de suite jusqu'à l'époque de Marivaux, et jusqu'à la fautive. Moi aussi j'adore La vie de Marianne. Moi aussi je suis sensible au recul des siècles. Ce que je préfère, en moi, c'est ce qui me relie au passé. Si j'avais pu, j'aurais choisi de faire votre connaissance en 1883.

— En 1883 ?

— C'est l'année où Villiers de l'Isle-Adam a publié le livre sur lequel j'ai fait mon mémoire de maîtrise. Mais il s'est passé cette année-là tout un tas d'autres choses qui me plaisent. Vous avez déjà lu Villiers de l'Isle-Adam ?

— Son nom ne me dit rien.

— Il n'est pas très connu. Il appartenait au mouvement symboliste, il était l'ami intime de Mallarmé, il fréquentait Huysmans. Avant de les écrire, il éprouvait l'impact de ses récits en les disant dans les cafés, en public, et il éblouissait par son charisme, son ironie, la puissance visionnaire de son verbe. C'était un rêveur, c'était un idéaliste. Il accordait la plus grande importance à l'expérience sensitive, en ceci qu'elle peut nous révéler la vérité du monde. Il était convaincu que l'au-delà est inscrit dans notre réalité et que l'on peut y accéder à la faveur de nos expériences quotidiennes, pour peu qu'on en ait le désir, qu'on sache voir ce qui se passe autour de nous et qu'on soit pleinement réceptif. Notre monde est habité, il possède un sens et un arrière-plan que l'on peut découvrir à travers la fulgurance de nos sensations, par intermittence, comme un flash de lumière peut éclairer un paysage nocturne. Toutes ses histoires sont façonnées par la recherche de l'Absolu, par ce désir inépuisable d'atteindre à l'Idéal, à *l'autre bord*, à la Beauté suprême révélatrice d'un ordre supérieur de la réalité, par-delà notre pitoyable réalité ensevelie sous l'époque.

— Qu'est-ce qu'il a écrit ?

— J'ai connu un certain nombre d'hommes qui ne vivaient qu'aux cimes de la pensée, je n'en ai pas rencontré qui m'aient donné aussi nettement, aussi irrévocablement l'impression du génie. C'est ce que disait de lui Maeterlinck.

— Ça donne envie.

— Je suis sûre que ses livres vous plairaient. Par exemple

les Contes cruels. N'y voyez aucun message, ajouta-t-elle en souriant.

— C'est la première fois ?

— Je vous les offrirai.

— C'est la première fois ?

— De quoi ?

— Que vous trompez votre mari.

— Je n'aime pas tellement ce mot, le mot tromper. Je le trouve atroce.

— Bon, est-ce que c'est la première fois que vous allez chez un autre homme, sans trop savoir pourquoi, mais avec l'intention, tout de même, le cas échéant, si les circonstances s'y prêtent...

— C'est la première fois, l'interrompit Bénédicte Ombredanne.

— Qu'est-ce qui s'est passé ? Pourquoi, soudain, vouloir faire ça ?

— Je n'ai pas tellement envie d'en parler.

— Comme vous voudrez, excusez-moi.

— J'avais besoin de me prouver que je pouvais me dégager de son emprise, prendre des initiatives qui ne concernent que ma personne, secrètement, comme une femme libre. Je n'ai pas capitulé. Je suis toujours vivante. Je suis seule à diriger ma vie, contrairement aux apparences. La beauté, je sais très bien où aller la cueillir, rien ni personne ne pourra plus m'empêcher d'exercer ce droit, à commencer par mon mari, voire mes enfants, ou le lycée, ou les convenances. Si j'ai envie de faire quelque chose, je le fais. Voilà, vous êtes content ?

— Il ne vous traite pas bien ?

— Pourquoi vous me demandez ça ?

— Je ne sais pas, une intuition.

— Disons qu'il n'est pas facile.

105

— Il vous frappe ?

— Non.

— Vous en êtes sûre ?

Bénédicte Ombredanne hésita à répondre.

— Vous en êtes sûre ?

— Pas à proprement parler.

— C'est une drôle de réponse.

— Christian, s'il vous plaît, on ne va pas parler de ça, si ? Vous voulez vraiment qu'on parle de ça ?

— Je m'intéresse à vous. Vous êtes ici pour ça, d'une certaine façon, non ?

Bénédicte Ombredanne lui sourit. Son sourire lui disait : bien joué.

— Il lui arrive de me bousculer, alors parfois je tombe, car je suis frêle, et alors je me fais mal. Je n'ai qu'à mieux me tenir sur mes jambes, comme dans l'autobus. Il ne me frappe pas. Sauf quand un geste un peu brusque surgit de sa personne vers la mienne, parce que c'est plus fort que lui, mais ce ne sont pas des coups, non, ce ne sont pas des coups, pas à proprement parler.

— Hein ? Parce que c'est plus fort que lui ?

— Christian, s'il vous plaît, c'est une mauvaise idée qu'on parle de ça, je vous assure.

— Si je vous comprends bien, il y aurait les hommes qui frappent les femmes par goût, par habitude, en connaissance de cause, et ceux qui les frapperaient sans les frapper vraiment, à regret, sans l'avoir voulu, quasiment par inadvertance, parce qu'une gifle leur aurait échappé, ou une bousculade, et ces hommes-là seraient pardonnés d'avance, on devrait les excuser, parce qu'ils seraient, je ne sais pas, faibles ? esclaves de leurs pulsions ? pitoyables ? de leur propre aveu ? Alors leur comportement devrait être minimisé ? Je ne suis pas d'accord.

106

— Vous ne pouvez pas vous mettre à ma place. C'est trop facile de porter des jugements d'aussi loin.

— Je ne vous juge pas, Bénédicte. Ni d'ailleurs votre mari. Mais peut-être qu'en parler, juste ça, en parler, nous deux, aujourd'hui, je ne sais pas...

— Vous n'avez pas tort. Être deux, pour une fois, à regarder ma situation, et en parler un peu, plutôt que d'être toute seule, oui, ça fait du bien, ça réconforte un peu, je ne pensais pas, vous avez raison, merci.

— Pourquoi vous ne le quittez pas, votre mari ?

— Il le refuserait. Mais alors catégoriquement. Je pense aussi aux enfants. Je le ferai quand ils auront grandi. Peut-être. Si les choses ne s'arrangent pas. Pour le moment, c'est impensable.

— C'est ce que vous croyez.

— Je suis une sorte de prisonnière. Il me reste, mon fils va avoir cinq ans en octobre, treize ans à tirer.

— On ne peut pas raisonner comme ça, c'est absurde.

— Rien ne dit que les choses ne vont pas s'arranger. Cet amour est épuisant, il me met à rude épreuve, mais c'est, je crois, un vrai amour, une histoire authentique.

— Si vous le dites. Mais c'est peut-être un piège de voir les choses sous cet angle.

— Vous ne pouvez pas vous mettre à ma place, je vous le répète.

— Votre idée, c'était quoi, prendre un amant ? Vous dédommager de ce quasi-sacrifice...

Christian laissa sa phrase en suspens. Bénédicte Ombredanne l'examina longuement, elle essayait de trouver sur son visage, dans les promesses que ce visage pourrait lui faire, la réponse, en principe un peu risquée, à cette question qui ne l'était pas moins, et qu'il venait de lui poser, malin, l'œil lumineux, en tâtonnant.

— Je ne sais pas. Je ne pense pas. Encore que vous, l'idée de vous avoir pour amant attitré…

— C'est quand vous voulez, Bénédicte! Si vous voulez que je sois votre amant attitré, dites-le, c'est comme si c'était fait!

Ce cri du cœur bouleversa Bénédicte Ombredanne.

Qu'elles lui faisaient du bien, oui, *du bien*, sa gentillesse! sa générosité! cette belle et grande simplicité! dans ce monde où tout est calculé, où chaque parole est pesée, où les relations humaines sont rectifiées en permanence par les huissiers de la méfiance et de la peur, de l'envie, de l'aigreur, et de la jalousie! Qu'il détonnerait, cet homme anachronique, dans la salle des profs de son lycée, épicentre de la médiocrité contemporaine! Mais comment est-il possible de se sentir aussi bien, et dans une telle harmonie des sensibilités, avec quelqu'un qu'on vient tout juste de rencontrer?

— Vous habitez un peu loin de chez moi, pour devenir mon amant attitré. Nos vies s'en trouveraient vite compliquées.

— Comment ça loin de chez vous? Je ne comprends pas.

— J'habite à Metz.

— Ah bon? À Metz? Mais vous m'aviez dit. Comment ça se fait?

— Comment ça se fait que quoi? Que je n'aie pas cherché à rencontrer un homme à Metz, mais à Strasbourg, loin de chez moi?

Il la regarda quelques instants.

— Je pourrai me déplacer, la prochaine fois, si vous voulez.

Bénédicte Ombredanne se contenta d'un sourire, avant de baisser la tête.

— Vous êtes toujours aussi souriante?

— Ah bon? Moi? Souriante? Vous trouvez?

— J'ai rarement vu une femme sourire autant, vous avez l'air d'être en apesanteur, votre sourire est lumineux, il ne quitte pas vos lèvres. Même quand on parle de choses graves, votre sourire n'est jamais loin : il suffit qu'on se regarde pour qu'il réapparaisse. Votre visage est comme le temps d'aujourd'hui : douceur et grand soleil.

Bénédicte Ombredanne, comme pour lui donner raison, mais c'était par gêne et par pudeur, transforma son sourire en éclat de rire.

— Si vous saviez ! Non, je ne suis pas une femme particulièrement souriante.

Elle sentait qu'elle avait rougi.

— Ça ne se voit pas.

— C'est qu'aujourd'hui je suis heureuse, indescriptiblement, si vous voulez savoir. Notre rencontre, dans ma vie bien rangée, c'est un peu comme une révolution : ces sourires sont des débordements populaires, c'est la liesse, je ne peux pas les empêcher d'éclater, ils sont comme des clameurs, j'adore cette sensation. Ces sourires ne m'appartiennent pas, la magie de ce moment ne m'appartient pas non plus, je le sais, je le sens. Cette journée est miraculeuse, elle ne reviendra pas, c'est certainement la dernière journée heureuse de toute ma vie. Je suis en train de flamber intégralement : en même temps que cette journée irréelle se déroule, je me consume de bonheur tout entière, mais vraiment tout entière, de l'intérieur, vous comprenez ? Je suis en train de brûler de joie, de l'intérieur, intégralement. Quand je partirai d'ici, il ne restera plus rien de ma personne qu'un petit tas de cendres.

— Mais qu'est-ce que vous racontez, Bénédicte ! *Comment pouvez-vous dire que c'est la dernière journée heureuse de votre vie !* Mais enfin !

— Parce que je le sais.

— Arrêtez donc de dire des bêtises ! Il y en aura d'autres, des journées heureuses ! *Bien sûr que oui !*

— Il est quelle heure ?

— Seize heures cinq.

— Allons chez vous, il va finir par être trop tard.

Ils firent l'amour à deux reprises.

La chambre de Christian, spacieuse, était décorée avec le même raffinement que le salon.

Elle se laissa dévêtir sans avoir peur de lui paraître disgracieuse, peut-être parce qu'elle avait entrepris de le déshabiller en même temps, avec fougue, emmenée par la puissance de son désir, impatiente de découvrir son corps.

Ces quelques heures les virent rire, gémir, manger, haleter, se murmurer des mots définitifs, éminemment sincères, dont le souvenir allait obséder Bénédicte Ombredanne pendant des mois, fatale blessure faite à son âme.

Il la fit jouir avec sa langue, en lui laissant du temps et de l'espace, afin qu'elle puisse reprendre confiance en elle, lentement, en toute quiétude, sans astreinte d'aucune sorte.

Un grand portrait d'ecclésiastique, à l'huile, dense et sombre, datant du XVIIe siècle, surplombait, disposés sur une commode, un nu en bronze, des flacons de parfum, une pendule dont les aiguilles lui rappelaient les flèches qu'elle avait tirées, conclues chacune par un accent circonflexe acéré.

Elle passa sa langue sur les dents blanches de Christian, une à une, en le regardant dans les yeux avec de vives lueurs de joie, ce qui le fit sourire.

Il est déjà si tard ?

Pas encore, ne t'inquiète pas, elle ne marche plus, lui répondit Christian en la renversant de nouveau sur les draps.

L'ecclésiastique était ridé, sa peau était cireuse, l'œil minuscule qu'il opposait au monde était intimidant, c'était du haut d'un piédestal de désapprobation qu'il envisageait les humains qui croisaient son regard rectiligne, immensément pensif et réticent, sans indulgence.

Christian fut désolé d'avoir joui sur son ventre, abondamment, quatre ou cinq salves venues frapper sa peau marbrée, au terme de leur premier coït. Il s'excusa platement, il n'avait pas osé venir en elle, ne sachant pas si elle avait un moyen de contraception. Tu aurais pu, Christian, lui dit-elle. La prochaine fois, je voudrais que tu jouisses en moi.

Dans l'axe du lit, un miroir incliné, retenu au mur par une antique cordelette, permettait à Bénédicte Ombredanne de voir leurs corps d'un peu loin, en plan large. La cordelette lui plaisait, elle donnait du recul aux visions que la glace saisissait, le recul du passé.

Elle osa, au démarrage de leur second rapport, prendre le sexe de Christian dans sa bouche, ce qu'elle n'avait jamais pratiqué avec son mari, celui-ci lui ayant dit, peu après leur rencontre, qu'il n'aimait pas spécialement ça, qu'il préférait avec la main, de loin.

Il arrivait à Bénédicte Ombredanne de croiser le regard du prélat, ce qui avait pour effet de lui faire sentir à quel point elle était heureuse. La grande beauté de ce moment d'intimité, moment délictueux, méritait bien l'intervention d'un cardinal.

Le sexe de son mari, pointu, avait l'allure d'un animal sournois qui se faufile partout, fouine ou souris, rat, renard. À l'opposé, circoncis et gland massif, le sexe de son amant était franc, attendrissant et sympathique : il lui fit penser à un moine dans une chasuble informe, doté d'une tête énorme, portant la tonsure.

Elle entendait, provenant des arbres qui entouraient la maison, des oiseaux qui chantaient, c'était un poudroiement sonore continuel autour du lit et de leurs corps enchevêtrés.

Une odeur de bon petit plat montait jusqu'à la chambre,

discrète, irréfutable, dont Bénédicte Ombredanne ne pouvait s'expliquer la provenance, n'ayant pas vu son amant aux fourneaux.

Après s'être excusé d'avoir souillé son ventre, Christian alla chercher dans la salle de bains attenante à la chambre un gant de toilette mouillé d'eau tiède et une serviette-éponge de couleur parme, parfumée, qu'il passa sur sa peau avec douceur, la nettoyant délicatement.

Au contact de sa langue, surprise, le gland charnu se révéla divinement excitant, elle le sentait qui emplissait sa bouche comme un morceau de nourriture un peu trop gros. Christian poussait des soufflements spectaculaires, rauques, dont il semblait ne pas pouvoir maîtriser l'amplification à mesure que croissait son plaisir.

La pendule marquait six heures dix depuis qu'elle en avait remarqué les deux aiguilles en forme de flèche. À partir de cette après-midi, la plus belle de toute son existence, chaque jour à dix-huit heures dix elle s'efforcerait de regarder les aiguilles de sa montre, une pensée pour Christian, pour le sévère ecclésiastique, pour leurs corps nus éloignés dans le miroir.

Il lui enfonça un doigt dans l'anus, elle frissonna. La pupille du prélat ne manifesta aucune réaction, constante et résignée.

Elle sentait que la semence de Christian allait fuser sur ses gencives, alors elle vint s'asseoir sur lui et enduisit son sexe avec les ruissellements du sien, en cadence, appliquée, l'embrassant sur les lèvres tandis qu'il lui pinçait les seins avec une cruauté qui décupla son plaisir. Oui, comme ça, c'est bon, tu apprends vite ! Je t'aime, je t'aime, je t'aime, lui disait-elle à voix basse, à voix très basse, à travers ses baisers.

Un peu plus tard, à l'initiative de Bénédicte Ombredanne dont c'était la position préférée, ils déplacèrent leurs corps pour faire l'amour l'un devant l'autre, en appui sur leurs mains, sans se quitter des yeux. Ils se souriaient, c'était beau de se sourire comme ça tout en faisant l'amour en vis-à-vis, mais tout à coup une résurgence simultanée de leur plaisir vint effacer des deux visages tout témoignage de plénitude, les attirant chacun, les paupières closes, dans sa forêt vertigineuse.

Une cordelette datant de 1883 : deux corps anciens, collés l'un contre l'autre, entraperçus dans un reflet du passé.

Christian lui dit qu'elle devait avoir faim, elle était arrivée à treize heures et n'avait rien mangé depuis. Une daube était en train de mijoter sur sa cuisinière à bois, il se proposait de lui servir un délicieux repas, là, dans la chambre, sur le lit, accompagné d'une excellente bouteille de graves et de bon pain, qu'en pensait-elle ? Il se leva d'un bond et Bénédicte Ombredanne ramena le drap sur son corps nu.

À un moment, Christian sauta sur Bénédicte Ombredanne et la renversa en arrière, la plaquant sur le matelas, saisi par une pulsion de possession totale. Il semblait enragé, il allait l'assassiner, Bénédicte Ombredanne poussait des hurlements, Christian, non, s'il te plaît, arrête — elle empoignait ses fesses afin qu'il aille plus vite, plus loin, plus brutalement, elle avait peur de perdre tous ses moyens au moment où culminerait sa jouissance, Christian, non, je t'en supplie, arrête, je vais jouir, arrête, c'est trop fort, non, Christian, je t'aime, je vais mourir ! Elle lacéra comme une furie le dos et les épaules de son amant, la jouissance se déchaîna dans son corps tandis qu'un éclair venu du ciel foudroyait Christian à son tour, elle le sentit se déverser par à-coups, il se cabrait à chaque salve qu'il expulsait, il avait l'air de réagir à de profondes morsures, le plaisir qu'elle éprouvait continuait de rayonner, elle en pleurait, c'était d'une telle violence ce qui brûlait son ventre, il tressaillit pendant quelques secondes

avant de retomber sur elle avec lourdeur, anéanti, en souf-
flant bruyamment.

Rigoureusement superposée, concomitante, la progression
de leur plaisir avait été aussi exacte et fulgurante que la tra-
jectoire de la flèche, à cette différence près qu'il avait duré un
quart d'heure au lieu d'une fraction de seconde — jusqu'au
prodige de son impact sur la cible, au centre de tous les
cercles, explosion de jouissance corporelle.

Ils s'enlacèrent, ils retrouvèrent leur calme, ils respiraient
paisiblement, les yeux fermés, se caressant d'un doigt rêveur.

Tu m'as tuée, souffla-t-elle avec douceur dans son
oreille, tu m'as tuée mon tendre amour.

Elle n'osait pas demander l'heure, elle ne voulait pas penser à son départ, elle essayait de se protéger des recomman-
dations de sa raison, laquelle, pourtant, comme par la grille
d'un soupirail, indiscrète et rabat-joie, lui enjoignait de se
hâter, et de rentrer chez elle.

Au bout de quelques minutes de silence, Bénédicte Ombredanne reprit la parole avec une voix enrouée. Elle avait tellement hurlé que ses cordes vocales en étaient enflammées.

— Il y a une sensation que j'éprouve depuis longtemps,
elle est un peu curieuse, je ne sais pas si elle est communément répandue.

— Décris-la-moi, je te dirai si je la connais.

— Je vais essayer, ce n'est pas facile.

— Je t'écoute.

— Eh bien voilà, je ne sais pas par où commencer. Disons
que j'essaie de profiter le plus possible du présent : l'idée que
le temps file à mon insu m'est insupportable. Idéalement,
j'aurais voulu qu'il soit possible de qualifier chaque jour de
mon existence, d'en garder trace, de m'en souvenir. Bien
entendu, comme tu peux facilement le concevoir, la mémoire
ne peut pas fonctionner à si petite échelle, et puis, dans leur

enchaînement, les journées se ressemblent trop, il serait absurde de vouloir toutes les distinguer.

— Je suis d'accord avec toi.

— Alors, au minimum, j'essaie que chaque année conserve dans ma mémoire une saveur spécifique, il arrive même que certaines années se laissent subdiviser en différentes périodes, dont j'enregistre alors les atmosphères, comme une collectionneuse d'essences rares. Si tu me dis printemps 2002, c'est comme si tu plaquais des accords sur un harmonium, immédiatement je retrouve les sensations que le printemps 2002 a laissées dans ma mémoire. Ces sensations sont aussi caractérisées qu'une mélodie, ou qu'un parfum. De cette manière, je n'ai pas l'impression que la vie me file entre les doigts, et qu'elle me file entre les doigts parce que j'aurais été passive, ou n'aurais pas accordé à son contenu toute l'attention qu'il aurait fallu. Car c'est ça ma grande terreur, c'est que ma vie s'écoule inutilement comme de l'eau d'un robinet qu'on a oublié de fermer, ou d'un robinet qui fuit, quelque chose comme ça, tu vois.

— Je vois.

— À la fin tu reçois la facture, et celle-ci est disproportionnée par rapport à ta consommation réelle, ou par rapport à ta consommation consciente, c'est-à-dire que les années passent, l'eau coule, les années passent, l'eau coule, et au moment où tu réalises que ces années ont passé tu t'aperçois que tu n'as rien vécu, ou peu, ou pas suffisamment, et tu t'en veux : tu te dis merde, j'aurais dû faire un peu attention, la facture est de dix années mais j'ai vécu trois trucs marquants, le reste, eh bien, relève de la fuite d'eau, du robinet laissé ouvert. Alors j'essaie, j'y pense chaque jour, d'être attentive au temps qui passe (c'est pour ça qu'elle me fait rire, ta pendule), même si mon existence, je le déplore, est assez terne, relativement répétitive — mais au moins ce n'est

115

pas faute d'avoir beaucoup attendu de la réalité, ce n'est pas parce que j'ai été négligente ou que j'ai laissé le temps tout seul avec lui-même pendant que j'avais le dos tourné, occupée à autre chose. Pourtant, le temps, tu vois, j'ai beau faire attention — il continue de s'écouler comme si de rien n'était. Alors, si une personne me montre une photo de moi à l'âge de vingt-six ans, je me dis mince, c'était il y a dix ans, que le temps passe vite, je ne l'ai pas assez ralenti, je ne l'ai pas assez scruté, je ne l'ai pas suffisamment immobilisé par ma pensée, tenu en joue par mes attentes et mon regard, par mon désir de vivre et par mes exigences, c'est ma faute si le temps a passé aussi vite, j'ai été négligente, j'ai été beaucoup plus velléitaire que je ne l'avais pensé, et je me dis les pauvres, mes amis, la personne qui me montre cette photo, c'est par ma faute qu'elle a vieilli comme ça, si j'avais fait plus attention nous ne serions pas si vieux à l'heure actuelle, nous aurions tous vingt-huit ans au maximum et pas trente-six. Oui, je me dis ça : si, à l'époque, je m'étais plus concentrée sur le présent, aujourd'hui nous en serions moins éloignés, nous serions même encore là-bas, peut-être, ou pas très loin. Tu comprends ? C'est comme si je prenais sur moi la responsabilité du temps qui passe. Comme si chaque individu avait la capacité, par son mental, de ralentir l'écoulement du temps, et de le ralentir pas seulement dans l'impression qu'il pourrait en avoir lui-même, mais pour de vrai, pour tout le monde.

— Je vois ce que tu veux dire, mais je n'ai jamais éprouvé cette sensation. Je ne pense pas non plus qu'elle soit communément répandue. Elle est très belle, elle fait de toi une personne rare. Je te trouve merveilleuse. Je voudrais que tu deviennes ma femme.

— Tu es bête.

— Je suis sérieux.

— Je suis déjà mariée. J'en ai encore pour treize ans. Rendez-vous dans treize ans, si tu veux !

— Elle est ridicule ton histoire d'incarcération. Tu es libre, les murs de ta prison n'existent pas, tu peux décider de quitter ton mari du jour au lendemain, si tu en as envie.

— Il faut croire que je l'aime, si je reste.

— Tu veux un verre de vin ?

— Un petit, ou je ne vais pas pouvoir conduire.

Christian se leva et leur servit un verre de graves. Bénédicte Ombredanne était appuyée aux oreillers en plume, seins nus, le drap ramené sur les hanches, Christian assis en tailleur devant elle, vêtu d'un peignoir blanc.

— Je n'ai pas envie de rentrer. Je n'ai pas le souvenir d'avoir jamais été aussi heureuse, ou alors il y a longtemps, dans une autre vie.

Elle regarda les aiguilles de la pendule et lui demanda si par hasard le moment n'était pas venu qu'il soit vraiment dix-huit heures dix.

— À quelle heure tu dois être chez toi ?

— Je suis censée y être depuis longtemps. Le jeudi, je n'ai cours que de huit à dix heures. Ce jour-là mes enfants ont l'habitude que je sois à la maison quand ils rentrent de l'école, et que le frigo soit plein. Aujourd'hui leur mère sera absente, et le frigo sera vide. Il est quelle heure ?

— Tu n'as pas de montre ?

— Elle est dans mon sac. Je l'ai enlevée pour pouvoir mettre ton oreille d'éléphant.

— Ah oui, c'est vrai.

— Alors ?

— Dix-huit heures dix.

— Vraiment ?

— Je t'assure.

— C'est une catastrophe.

117

— N'exagère pas.

— Je ne sais pas comment je vais faire pour me sortir de ce mauvais pas. Le plus étrange c'est que maintenant, là, devant toi, sur ce lit, ce grave problème ne me préoccupe absolument pas, je suis anesthésiée, c'est comme un sortilège, je pourrais même, je crois, si je m'écoutais, faire une énorme connerie.

— Qui serait ?

— Vivre à fond le bonheur de cette situation, ne me poser aucune question, écouter seulement mon bien-être, et rentrer vraiment tard.

— Tu n'as pas peur que tes enfants s'inquiètent ?

— Les enfants... Il n'y a rien de plus égoïste qu'un enfant, non ? Tu ne partages pas cet avis ? Eh bien, tu as de la chance. Je les adore, là n'est pas la question, mais leur éventuelle inquiétude, je dis bien *éventuelle,* elle se résorbera en cinq secondes quand ils sauront que tout va bien, que j'ai été seulement retardée. Même, je sentirai dans leur soulagement comme une pointe de déception, j'en suis certaine.

Christian la regarda sans comprendre : il se passa la main sur le bas du visage, comme s'il voulait contrôler la longueur de sa barbe, pourtant rasée du matin.

— Mes chéris, vous n'allez pas me croire, mais figurez-vous qu'en sortant du supermarché, devinez sur qui je suis tombée, je vous le donne en mille !

Christian sourit et secoua le pied de Bénédicte Ombredanne à travers le drap, pour la féliciter de son imitation.

— Alors que là je vais leur dire que j'ai passé la journée à la campagne, parce que j'avais besoin de réfléchir. Je leur dirai que je suis tombée en panne d'essence. Ils seront rassurés, certes, si tant est qu'ils aient été inquiets, mais ils seront surtout déçus, ou irrités par les désagréments causés par cette bizarre escapade, en premier lieu le frigo vide et le fait qu'aucun repas n'aura été préparé. Ils auront faim, terriblement faim, tous autant qu'ils sont, le père comme les enfants, bien entendu, comme par hasard. La satisfaction de mes envies, de mes besoins, ils s'en tapent, tu ne peux pas savoir à quel point. Mon équilibre ou mon bien-être, exactement pareil, indifférence totale. Personne ne se demande, chez moi, jamais, si je vais bien, ou pas, si je suis heureuse, ou pas, s'il me manque quelque chose, ou pas, absolument jamais. C'est terrible, non ? Tu vois, je suis en pleine crise ! Je m'insurge ! Mon absence du foyer est insurrectionnelle !

Bénédicte Ombredanne éclata de rire.

— Appelle-les, alors.

— Tu crois que c'est fréquent que des mères de famille désertent leur maison du jour au lendemain sans donner d'explication, par lassitude de la profonde indifférence dans laquelle elles se sentent tenues par leurs proches, ou ça n'arrive jamais, c'est impossible ?

— Je n'en sais rien. Je n'ai lu aucune étude sur le sujet.

— Les appeler ? Je n'ai pas de téléphone portable.

Christian la regarda interloqué : Bénédicte Ombredanne lui sourit.

— C'est à cause de mon mari. Il aurait peur que j'en profite pour avoir une vie sociale extravagante, des amis, des amants. Alors qu'avec le fixe, comme il exige de pouvoir me joindre, je suis censée rentrer chez moi après les cours : il a mon emploi du temps, il sait à quelle heure il peut m'appeler. Naturellement, si j'ai besoin de sortir pour aller faire une course, eh bien je sors, il me laisse libre de mes mouvements. Je ne suis pas captive, il ne faut pas exagérer. Mais il me suit à la trace, il sait en permanence où je suis. Ce matin, j'ai pris mes responsabilités en décidant de disparaître des écrans radar pendant plusieurs heures. Maintenant, il va falloir que j'en assume les conséquences, j'espère seulement qu'elles seront supportables, et limitées dans le temps.

119

— Supportables ?

— Ne t'inquiète pas. Elles seront supportables.

— Bénédicte, tu es certaine que tu peux rentrer chez toi sans danger ?

— Oui, certaine, ne t'inquiète pas. Il va hurler, je vais devoir le rassurer, il va réclamer des explications, il va vouloir des preuves, j'entrerai en pénitence, ça va durer trois jours, basta.

— Appelle-moi, surtout, s'il y a un souci. C'est promis ?

— Qu'est-ce que tu es gentil. Je n'ai pas l'habitude d'avoir en face de moi quelqu'un d'aussi attentionné. À la maison, c'est moi qui dois fournir les prestations de protection, de réconfort, de pilotage, d'intendance, de logistique, d'expertise, de conseil, de tendresse, d'entretien, de sécurisation. Quoi d'autre encore. Je suis soumise à un devoir d'abnégation constante et inconditionnelle, pour tous les membres de la famille. En retour, je n'ai droit qu'à de l'indifférence. C'est normal, après tout, que la maman s'occupe de tout, non ? Pourquoi, alors, lui dire merci, lui faire sentir qu'on est contents de ce qu'elle fait ? Je suis un peu comme une serveuse de restaurant : la serveuse de restaurant, on réalise qu'elle est un être humain au moment où il manque la moutarde sur la table et qu'elle tarde à réapparaître, c'est-à-dire au moment où on commence à avoir envie de la frapper parce que le plat va refroidir et qu'on va devoir le manger sans condiment. En dehors de ces circonstances où ses manquements d'être humain provoquent la haine, elle est complètement transparente, on ne la voit pas, on lui donne des ordres en ayant l'habitude qu'ils soient exécutés comme par une machine, ou par une entité abstraite.

— C'est ce qui se passe chez toi ?

Bénédicte Ombredanne regarda Christian sans lui répondre, avant de lui sourire.

— Je peux te dire une chose, une chose dont je suis sûre : la journée que nous avons passée l'un avec l'autre justifie que j'en assume les conséquences, de quelque ampleur qu'elles soient. Je ne renierai jamais la décision que j'ai prise de venir te voir, ni ce que j'ai fait avec toi cette après-midi. Je le sais. C'est gravé ici, ici, ici, encore ici et jusque-là, à tout jamais, quoi qu'il advienne de nous, dit-elle à Christian en pointant son index, successivement, sur sa tempe, sur ses lèvres, sur son cœur, sur son ventre, sur son sexe puis enfin sur ses orteils (là, amusée par cette petite cérémonie improvisée, elle céda à l'irruption d'un grand sourire), orteils que son amant tenait entre ses doigts à travers le drap.

— Il y en aura d'autres, des journées passées ensemble, lui répondit Christian en lui prenant la main.

Ils s'embrassèrent longuement, avant que Bénédicte Ombredanne ne se replonge dans le moelleux des oreillers.

— Je ne sais pas si j'en aurai la force. Je suis venue ici dans l'idée d'une seule fois.

— On dit ça, on dit ça...

— On verra bien. (Elle fut un peu sèche.) Je ne sais même pas à quel genre de situation je vais être confrontée en rentrant chez moi tout à l'heure.

Christian l'examinait avec une expression soucieuse, ses mains croisées sur le ballon de graves, comme s'il priait.

Bénédicte Ombredanne, à l'opposé, tenait le sien par l'assise circulaire du pied, du bout des doigts. Son verre vide oscillait dans les airs comme un ivrogne qui n'arrive pas à avancer, vertical et en déséquilibre.

— Quand, dans dix ans, on évoquera devant moi le printemps 2006, ce ne sera pas comme des accords plaqués sur un harmonium, mais plutôt comme les grandes orgues de Notre-Dame. Le 9 mars 2006, entre treize heures et dix-neuf heures, l'apothéose de ma jeunesse !

121

Elle se leva, ils se douchèrent sous les mêmes eaux en se savonnant mutuellement, puis elle se rhabilla devant le grand miroir.

Ils s'embrassèrent tout près de la statue de femme, dans le salon, elle déjà dans son manteau cloche, lui torse nu, seulement vêtu d'un pantalon.

Elle lui demanda de la laisser sortir seule, elle n'aimait pas les adieux, il lui fit la promesse de ne pas la regarder par la fenêtre.

Elle referma elle-même la porte d'entrée tandis qu'il s'éloignait vers la cuisine, qui se trouvait de l'autre côté de la maison.

En empruntant le petit sentier de pierres, Bénédicte Ombredanne ne put empêcher que des larmes se déversent de ses yeux, abondantes, suivies de lourds sanglots. Elle avait beau se répéter qu'elle avait passé une après-midi inouïe, qu'elle pourrait revenir ici toutes les fois que son état nécessiterait l'urgence d'un réconfort, sa tristesse l'emportait sur les trésors qu'elle avait emmagasinés, soyeux, inoubliables.

Elle quitta la maison de Christian à dix-neuf heures. Elle s'arrêta dans une station-service, au bord de l'autoroute, pour faire le plein et téléphoner. C'est son mari qui répondit, elle se contenta d'articuler, comme morte, qu'elle était partie en balade dans les Vosges, elle était tombée en panne d'essence, elle lui expliquerait tout, il ne fallait pas qu'ils s'inquiètent, elle serait à Metz dans deux heures au plus tard. Elle raccrocha dès qu'il se mit à hurler, elle n'avait pas envie de se justifier par téléphone, son intention avait été de rassurer sa famille, voilà tout. Malgré la brièveté de leur échange, elle acquit la certitude que son retour allait être atroce.

Maintenant qu'elle avait tranquillisé ses proches, elle n'était plus tellement pressée de rentrer. Elle roula à vitesse modérée, sur la file de droite, s'attardant derrière d'effrayants semi-remorques immatriculés en Allemagne, qu'elle finissait par dépasser, angoissée par leurs entrailles, le clignotant enclenché, avant de se rabattre.

Elle comprit pendant ce trajet que le monde se divisait en deux catégories antinomiques. Ce fut pour elle une illumination : une découverte. Non pas les riches et les pauvres, les dominants et les dominés, ceux qui ont le pouvoir et ceux qui ne l'ont pas. Ça, ce sont des catégories secondaires, bien visibles, non essentielles, quasiment anecdotiques, dont la première des raisons d'être est d'occulter la véritable partition de la réalité. Non, le monde se divise entre ceux qui vivent l'urgence et la beauté suffocante d'une folle passion — et ceux qui ne vivent pas l'urgence et la beauté suffocante, étourdissante, obsessionnelle, d'une folle passion. Elle ne pensait pas à l'amour, pas à l'amour à proprement parler, mais à ce sentiment brûlant qui vous saisit en vous imposant de vous laisser entraîner par son empire jusqu'à faire n'importe quoi, prendre tous les risques, enfreindre tous vos principes — surtout si cette passion est clandestine, et périlleuse. Elle était fière, ce soir-là, les mains sur le volant, ailée et palpitante, de connaître enfin ce sentiment, d'apercevoir soudain la vraie fracture qui ordonnait le monde, et de se dire qu'elle figurait, chanceuse, parmi ceux, invisibles à l'œil nu, qui connaissent les vertiges d'une passion. Elle n'aurait troqué les délices de cette aristocratique appartenance contre aucune assurance de sécurité.

Elle aimait ça, conduire la nuit, surtout sur autoroute. Mais elle aurait préféré que ce soit pour s'éloigner, partir, rêver, plutôt que pour salir et répudier la femme lumière qu'elle avait été pendant les six dernières heures, la clore. C'est ce qu'elle allait devoir faire, elle le savait, à moins de tout avouer dès son arrivée.

Allait-elle tout avouer dès son arrivée, pour pouvoir repartir immédiatement chez Christian et prendre son sexe entre ses lèvres, et le sentir s'enfoncer en elle ?

C'était la première fois qu'elle roulait sur le segment sud de l'autoroute A4, entre Strasbourg et Metz. Sur le tronçon nord, qu'en revanche elle empruntait régulièrement pour aller voir ses parents en Champagne, des panneaux se succédaient qui attestaient que l'histoire de cette région n'avait été qu'une suite de traumatismes et de péripéties blessantes ou décisives : VERDUN, L'OSSUAIRE DE DOUAUMONT, LA VOIE SACRÉE, LA BATAILLE DE VALMY, LES TAXIS DE LA MARNE, LA FUITE À VARENNES, GRAVELOTTE 1870, de sorte que l'automobiliste, au fil des kilomètres et des pancartes, finissait par se demander si l'existence de tout un chacun ne serait pas de la même façon une suite de traumatismes et de conflits, d'attaques, d'injustices, de spoliations, d'hostilités sanglantes et destructrices, mais dans une impassible continuité paysagère, une résistance aux faits, une forme d'indifférence aux souvenirs de la douleur, avec même, parfois, certains jours, de grands et réjouissants ciels bleus, des oiseaux mouvementés. On a beau devoir faire face aux événements les plus pénibles, on avance, les arbres repoussent, le temps passe, on peut renaître, il y a de lentes postures de ruminants aux endroits où s'amoncelaient les cadavres, les jours s'écoulent et continuent leur incessant décompte. Ce trajet nous enseigne que notre vie est bel et bien le ciel des événements désagréables qu'on est amené à affronter, qui n'en sont que le sol, la terre, et les cailloux : les champs de bataille.

Pour cette raison, elle aurait bien aimé apercevoir, Bénédicte Ombredanne, ce soir-là, en bordure de l'autoroute A4, l'écriteau d'une bataille meurtrière, sauvage et apocalyptique : elle y aurait puisé un réconfort de la nature de ceux que Playmobil677 se procurait quand il devait affronter des périodes difficiles, prélevant dans ses réserves d'autodérision. Ainsi, elle aurait souri de voir se refléter le péril de sa situation dans les horreurs d'un panneau commémoratif, et elle aurait pensé à lui, un peu moins seule, reconnaissante.

Ironie du sort, entre Strasbourg et Metz, aucun inventaire de carnages, aucun catalogue de cicatrices, aucune placide annotation historique placardée dans les marges de l'autoroute, alors que ce soir-là, en regagnant son domicile, Bénédicte Ombredanne se donnait l'impression d'être un soldat allant au front, emporté par le flot de l'Histoire, incapable d'infléchir son destin, et de se protéger. La seule chose qu'elle pouvait espérer, tel le soldat envoyé à la boucherie, c'était que le pire n'arrive pas, qu'elle s'en sorte sans trop de blessures. Le front se situait au cœur de Metz, dans le quartier du Sablon, rue Saint-Pierre, où enfin elle se gara, un peu tremblante, aux alentours de vingt heures quarante-cinq, éteignant les phares de sa voiture avec la même glaciale appréhension que si son existence allait devoir se priver désormais de toute visibilité, comme en période de guerre.

4

C'est parce qu'ils avaient supplié leur père, vers dix-neuf heures trente, affamés, de leur servir un repas, qu'il avait finalement consenti à leur décongeler une pizza — mais comme il ne cessait d'arpenter la maison en émettant de longues imprécations, il l'avait laissée sur la grille du four quelques minutes de trop et le dessous avait brûlé. Arthur et Lola n'avaient pas osé lui en faire la remarque, ils avaient consommé en silence, résignés, à la petite cuillère, la garniture de sauce tomate et de gruyère fondu, après quoi ils en avaient dévoré la croustillante périphérie, abandonnant sur la table, à la fin du dîner, un drôle de 33 tours — le verso en était aussi noir qu'un vinyle et l'un des deux enfants avait percé un petit trou en son centre, comme Bénédicte Ombredanne pourrait le constater le lendemain matin quand elle jetterait ces restes surréalistes à la poubelle. Ensuite, comme les courses n'avaient pas été faites et que le réfrigérateur était quasiment vide, Lola avait dû se sacrifier en laissant son égoïste de frère se délecter du seul dessert au caramel qui restait, elle-même se rabattant, dégoûtée, sur la dernière banane, dont une moitié ressemblait à un œil au beurre noir. Elle était brune, elle était violette, elle était molle et tuméfiée, lui dit Lola sans se rendre compte de la brutalité de cette observation, mais peut-être n'était-elle pas si innocente que ça cette métaphore de l'hématome au visage, peut-être était-ce un avertissement prudemment prodigué par sa fille — mais Bénédicte Ombredanne ne pensait pas que la situation pourrait aller jusque-là. En franchissant le seuil de sa maison, elle avait prié son mari de bien vouloir différer de quelques minutes l'accablant déferlement de ses questions, de ses reproches et de ses hurlements (il faut d'abord que je m'occupe des enfants, nos histoires ne les regardent pas, après on parlera autant que tu veux), de sorte qu'elles deux pouvaient l'entendre frapper les murs, articuler entre ses dents de menaçantes lamentations, hurler de claires insultes parfois suivies d'une chute d'objet, tandis qu'elles se parlaient, réfugiées dans la salle à manger. Il avait concédé le quart d'heure réclamé, mais dans l'attente du déclenchement des hostilités il faisait mugir sa colère à distance selon un inlassable cheminement concentrique, comme s'il tournait autour d'elle en suivant ses propres traces de lion encagé, passant de pièce en pièce. Lola continuait de raconter la soirée à sa mère, celle-ci réagissait aux bruits les plus glaçants par un sourire blasé qui se voulait rassurant, du genre il fait son cinéma, ne t'inquiète pas, ça va bientôt lui passer, mais aucune d'elles ne parvenait à croire que la violence de son comportement était artificielle, anecdotique. Après avoir dîné, si on peut appeler ça dîner, son frère et elle s'étaient installés au salon devant un film — en fait leur père n'arrêtait pas, chaque fois qu'il les croisait, de leur demander ce qu'ils avaient à le regarder comme ça, alors elle comprit qu'il valait mieux rester tranquille plutôt que d'essayer d'intervenir et de le consoler, même si, à un moment, elle était allée lui donner un baiser, qu'il avait accepté, lui raconta Lola. Un bruit se produisit dans la cuisine qui interrompit la phrase qu'elle était en train de prononcer. Elles se turent un instant. Bénédicte Ombredanne demanda à Lola où était son frère et pourquoi il n'était pas avec elle, Lola lui répondit qu'il était toujours devant la télévision, lui par contre il s'en était foutu de cette agitation, pour qu'il se tienne tranquille elle lui avait proposé de choisir le film qu'il voulait voir, bien entendu il avait réclamé les aventures de Gégé, c'est pourquoi elle s'était précipitée à sa rencontre dès qu'elle avait entendu la porte d'entrée se refermer : elle commençait sérieusement à se faire chier. S'ennuyer, rectifia Bénédicte Ombredanne avec sévérité, tu commençais sérieusement à *t'ennuyer*, remarque qui déclencha un immédiat haussement d'épaules. À ce propos, tu en es où, de ta rédaction ? Tu l'as finie, tu t'en es bien sortie ? Un nouveau bruit survint, en provenance du couloir cette fois-ci, comme s'il avait envoyé voler avec son pied la console du téléphone. Elles étaient assises à l'un des angles de la grande table, leurs mains étaient posées sur la nappe grise en quatre couches alternées de tendresse maternelle et de perplexité adolescente, tête-bêche, les doigts de l'une vers le poignet de l'autre, la main droite de Bénédicte Ombredanne se trouvant par-dessus, comme un couvercle de douces caresses. Par moments, pour dérider Lola, ses ongles vernis de noir lui gratouillaient la peau, mais ces espiègleries ne provoquaient aucun sourire, restaient inefficaces.

— Tiens, tu as mis ta bague avec l'œil, comment ça se fait ? Tu la mets jamais, normalement, pour aller au lycée.

— Comme ça, une envie.

— Pourquoi t'as pas prévenu que tu partais pour la journée ? Dans les Vosges un jeudi, toutes seules, c'est quoi cette drôle d'idée ? Maman, j'ai peur.

— Ne crains rien, mon amour. Je te raconterai un autre jour. Tout va bien se passer avec papa, je vais lui expliquer ce que j'ai fait, il comprendra, tout rentrera dans l'ordre.

— Mais t'as vu dans quel état il est ? C'est quoi cette semaine pourrie ? Qu'est-ce que vous avez tous les deux ? Vous allez vous séparer ?

— Bien sûr que non ! Mais enfin ! Lola ! Qu'est-ce qui t'arrive d'imaginer des choses pareilles ! Comment peux-tu penser un seul instant, papa et moi, qu'on puisse, mais enfin !

— Je veux que vous restiez ensemble. Je veux qu'il arrête de crier. J'en ai assez de cette ambiance de merde. J'ai peur. Il me fait peur. Fais en sorte qu'il se calme, qu'on redevienne heureux.

Bénédicte Ombredanne serra la main de sa fille avec un long sourire navré, lèvres closes, ses yeux dans les siens.

— J'ai peur qu'il te fasse mal. Il n'arrête pas de dire des choses atroces.

— Il ne m'a jamais fait mal, ce n'est pas aujourd'hui qu'il va commencer.

— Mais pourquoi t'es allée dans les Vosges sans prévenir personne ? Mets-toi à sa place ! Tu en connais beaucoup des femmes qui partent comme ça dans les Vosges un jeudi, toutes seules, soi-disant pour se promener, sous prétexte qu'il fait beau ? Même moi j'y crois pas à ton histoire de promenade. C'est dire !

Bénédicte Ombredanne regarda sa fille sans répliquer, elle tapotait doucement sa main avec la sienne, abasourdie par l'aplomb avec lequel elle avait exprimé cette opinion.

— Tu ne m'as pas répondu, tout à l'heure. Tu l'as finie, ta rédaction ?

— T'as mis ta bague des jours de fête. Tu portes ta plus belle robe et tes bottines préférées. C'est pas logique. Qu'est-ce que t'as fait, aujourd'hui, maman, dis-moi la vérité.

— Ça concerne ma vie de femme, tu es trop jeune pour comprendre. On peut avoir besoin de réfléchir, une fois de temps en temps. Ce n'est pas interdit et surtout ce n'est pas aux enfants de l'interdire à leurs parents. Allez, au lit, il est l'heure, je vais aller voir ce que fait ton frère.

— Ta vie de femme ! Je te rappelle que t'es aussi une mère ! Et que là, *sorry*, t'as semblé l'oublier !

— Je ne pense pas avoir jamais manqué à mon devoir de mère. Dépêche-toi s'il te plaît, ajouta-t-elle en tapotant sa main avec insistance.

— Eh ben pas aujourd'hui.

— Pardon ?

— Je dis : que t'as jamais manqué à ton devoir de mère, c'est ce que tu crois. La preuve : aujourd'hui, *once again*.

Il s'en fallut de peu que Bénédicte Ombredanne ne giflât sa fille. Ce qui retint sa main fut que cette gifle eût été d'une violence disproportionnée, lourde de douze ans d'abnégation, d'absolu dévouement.

Encore ce matin, Lola aurait été incapable de tenir de tels propos, elle en était certaine. Est-il possible que l'existence se modifie si rapidement ? Elle venait à peine de les vivre qu'elle devait déjà payer au prix fort, cash, ses six heures de félicité ? On aurait dit que Lola et son père avaient assisté à tout ce qu'elle avait fait durant l'après-midi avec Christian, absolument tout, dans les moindres détails, comme à travers une fente.

Son ventre était comme le tambour d'une machine à laver, aussi chargé, aussi dense, aussi sinistrement cadencé. Des sentiments divers s'y mélangeaient, changeaient de place, faisaient contraster leurs tessitures, Bénédicte Ombredanne prenait conscience de cette complexité par le hublot de ce présent ô combien terrifiant, nouveau pour elle, auquel les circonstances la confrontaient, elle qui n'avait jamais trompé

son mari. Dans cette ronde incessante et compacte, culpabilité, douleur, euphorie, révolte, remords, joie, peur, bonheur,
désir, excitation, indécision et amertume étaient le linge
humide et lourd qui tournoyait dans ses entrailles. Tout se
mêlait. Elle avait mal.

— Il peut arriver qu'on ait envie de refaire à trente-six ans
ce qu'on a pu faire à vingt-six. Retrouver de sa fraîcheur, se
faire comme un cadeau. C'est moins cher, et un peu plus
substantiel, poétiquement parlant, de partir marcher dans la
nature, que de s'acheter une robe. Souvent, les femmes, moi
la première, pour décompresser, elles vont s'acheter une
robe ou des chaussures, nous on n'a plus les moyens depuis
que papa s'est mis à temps partiel. Alors, ce matin, j'ai
décidé, pour décompresser, au lieu d'aller rue Gambetta, de
partir me promener. Comme je savais qu'il serait contre...

— Ça c'est certain, l'interrompit sa fille avec une pointe
de sarcasme dans la voix : *ça c'est sûr qu'il t'aurait dit non.*

— Eh bien j'ai décidé de le faire sans en parler à personne.
Comme une femme libre.

— Comme une folle tu veux dire.

Le tambour rotatif de son ventre ne fut plus rempli que
d'un seul sentiment : une colère irrépressible, quasiment de la
haine. Mais cet accès ne dura pas, elle détacha ses mains de
celles de sa fille et retrouva toute l'angoissante complexité
tourbillonnante de son état, d'une grande lenteur, amertume,
douleur, excitation, révolte, culpabilité, joie, peur, bonheur,
indécision, désir, remords et euphorie, qui continuaient de
s'enrouler les uns dans les autres avec une inédite ambiguïté
de ressenti.

— Comme une femme libre, répéta-t-elle. Ne sois pas si
conventionnelle. C'est agréable de se sentir libre de ses mouvements, cette promenade n'aurait pas eu la même saveur si

j'avais prévenu tout le monde. Ce n'est pas une infraction bien grande, tu sais.

— Mais enfin t'as vu le résultat ? La même saveur ! J'espère qu'elle était bien, au moins, ta promenade, vu les conséquences ! *J'espère que ça valait le coup !*

Bénédicte Ombredanne regardait sa fille dans les yeux. Celle-ci finit par détourner le regard.

— Oui, ça valait le coup, je suis heureuse d'avoir fait ce que j'ai fait. J'en avais besoin, je suis heureuse de l'avoir compris et d'être passée à l'acte. J'en assumerai les conséquences. Il ne t'arrivera rien, et il n'arrivera rien non plus à Arthur.

— T'exagères, quand même. Ton truc d'être contente de rien dire à personne, *please*, tu nous l'as fait une fois, *c'est cool*, mais stop, tu le refais plus. Tu te comportes plus comme si t'étais toute seule sur terre.

— Parce que tu as le sentiment que je me comporte habituellement comme si j'étais toute seule sur terre ? C'est réellement, Lola, ce que tu penses ? Oui ?

Elles se regardèrent.

Il était incontestable que sa fille s'apprêtait à étayer sa réprimande.

Mais elle garda pour elle la phrase qu'elle allait dire, baissa les yeux dans un sourire, avant de les relever. Son visage était contrit, un peu confus, et apaisé. Elle avait l'air de se remettre d'un mauvais rêve.

— Ma petite Lola. Je comprends ce que tu ressens. Mais ça va s'arranger. Ça va s'arranger, tu verras, j'en suis certaine, on en reparlera demain si tu veux. Allez, au lit maintenant.

Bénédicte Ombredanne se leva, serra sa fille contre elle, l'embrassa sur le front avec tendresse avant de lui souhaiter bonne nuit.

Au salon, elle eut le plus grand mal à envoyer Arthur dans

sa chambre. Il avait très bien compris quel profit il pourrait retirer de cette soirée tumultueuse, il avait dû se dire que ses parents allaient l'oublier devant son film et c'est pourquoi il s'était débrouillé pour ne pas attirer l'attention. Elle éleva la voix, elle s'empara de la télécommande et éteignit l'écran. Arthur se mit à pleurer, elle lui dit que ce n'était pas le moment de faire un caprice, il hurla, son mari survint dans la pièce pour savoir ce qui se passait, elle lui répondit qu'Arthur faisait un caprice et qu'il ne voulait pas aller se coucher, pourtant il était tard, il avait école le lendemain, il fallait qu'il l'aide à le faire obéir. S'il n'avait pas sous les yeux l'exemple de sa mère, qui fait n'importe quoi, qui n'hésite pas, elle, sans en parler à personne, déclara-t-il, à s'accorder les caprices les plus inadmissibles, il serait sans doute un peu plus enclin à bien se comporter. Seulement voilà, sa mère fait n'importe quoi, elle se comporte comme une traînée (toutes ces paroles pendant qu'Arthur hurlait, s'accrochait à l'accoudoir du canapé avec des crispations de désespoir, alors que cet enfant n'avait jamais été ni coléreux, ni incivil, ni désobéissant, il avait donc fallu que la situation leur semble à tous particulièrement scandaleuse, ou qu'elle les ait vraiment heurtés, pour que chacun ait adopté ce soir à son égard un comportement à ce point réfractaire), pour quelle raison voudrais-tu qu'il décide, lui, d'obéir aux règles ? Bénédicte Ombredanne interrompit son mari en lui disant qu'ils n'avaient pas à avoir ce genre de conversations devant leurs enfants, il ferait mieux de l'aider à mettre Arthur au lit si l'impatience de l'insulter le taraudait tellement, comme ça, dans quelques minutes, il pourrait s'en donner à cœur joie, lui dit-elle avec une ironie qui l'étonna elle-même. Son mari demanda à Arthur de se calmer, celui-ci lâcha le canapé et se laissa emporter dans sa chambre, où son père le coucha. Quand il fut disposé à dormir, Bénédicte

Ombredanne alla l'embrasser mais elle dut le faire à travers la couette, Arthur s'y étant fait disparaître dès qu'il l'avait entendue pénétrer dans sa chambre. Bonne nuit mon bel Arthur, maman t'aime, à demain. Mais ses paroles furent accueillies par un silence que son fils, malgré ses cinq ans, savait cruel : c'était la punition qu'il avait imaginé de lui administrer.

Lorsqu'elle fut redescendue, Bénédicte Ombredanne trouva son mari au milieu du salon, les bras et les jambes légèrement écartés, aussi figé et dissuasif qu'une sentinelle armée. En le rejoignant, elle ne soupçonna pas qu'elle pénétrait dans un espace qui allait l'incarcérer pendant quatre mois.

Où est-ce que tu étais ? Ne raconte pas d'histoire. Une promenade dans les Vosges ! À qui tu penses pouvoir faire croire une chose pareille ? Vas-y, je t'écoute, j'ai tout mon temps. Je veux la vérité, j'exige des explications, on n'ira pas se coucher avant. Pourquoi t'es habillée comme ça, pourquoi t'as mis la bague de ton ancêtre, pourquoi t'as mis tes bas Dim Up ? Tu mets tes bas Dim Up pour aller au lycée, toi, maintenant, pour aller te promener dans les Vosges ? Dans les Vosges ! Madame part se promener dans la campagne sans prévenir personne, madame veut nous faire croire, madame est assez naïve pour penser qu'elle va nous faire croire ! Le printemps lui a donné envie d'aller dans la nature, en bottines, avec des bas Dim Up, avec au doigt la bague de sa salope d'ancêtre ! C'est de famille ! Elles ont le feu au cul depuis des siècles, les femmes, dans ta famille, c'est ça ! Tu me prends pour un con ? J'ai téléphoné à Amélie, il n'y avait pas de déjeuner prévu à la cantine, tu as menti, où étais-tu ? Tu m'as menti, Amélie m'en a fourni la preuve, tu continues de me mentir, je finirai par savoir ce qui s'est passé. Je veux la vérité. Je veux la vérité et je l'aurai. Je veux la vérité et je l'aurai, dussé-je t'interroger pour le restant de nos jours. Où il habite, ton amant ? C'est qui ? Où tu l'as rencontré ? Comment il s'appelle ? Depuis quand vous couchez ensemble ? Vous avez l'habitude, le jeudi, de coucher ensemble, c'est ça ? Et aujourd'hui c'était tellement bon que tu t'es laissé emporter par les événements, tu as oublié l'heure, tu ne pouvais plus te détacher de son beau corps musclé, c'est ça ? Il te baise bien, il a une grosse queue ? Le jeudi, c'est jour de baise, c'est ça ? Il n'est pas nécessaire d'être un grand devin pour comprendre ce qui s'est passé, tu es allée te faire sauter toute l'après-midi, c'est pour ça que tu rentres à neuf heures du soir sans avoir prévenu personne. Même Lola l'a compris, du haut de ses douze ans : elle me regarde avec un air apitoyé, elle sait très bien que cette histoire est louche ! En panne d'essence ! *Tu appelles à dix-neuf heures pour raconter que tu es tombée en panne d'essence !* À qui tu penses faire croire une chose aussi invraisemblable ? À moi ? *À moi ?* Regarde-moi dans les yeux au lieu d'interroger la moquette, on croirait une demeurée. Ce n'est pas en adoptant cette attitude de contrition que tu vas t'en sortir, hypocrite, salope. Je n'y crois pas un seul instant à ton histoire de promenade dans les Vosges, je n'y crois pas une seule seconde à ton histoire de panne d'essence, à ton histoire de soleil à savourer, à ton prétexte de faire le point. *J'avais besoin de réfléchir ! J'avais besoin de faire le point, de prendre de la distance, de la hauteur !* Madame, pour réfléchir, elle a besoin de hisser ses infimes capacités intellectuelles au sommet du col de la Schlucht, sinon elle ne voit rien, elle n'a aucune visibilité sur son existence ! Faire le point ! On aura tout vu ! Parce que tu as besoin de réfléchir, de faire le point ? Ta triste vie t'impose de réfléchir, de faire le point ? Madame n'est pas heureuse ? C'est son mari, c'est ça ? Son mari ne lui convient plus ? Il ne peut plus satisfaire ses besoins ? Ses besoins sexuels, ses besoins littéraires, ses besoins métaphysiques, ses besoins de vie radieuse et féerique, pour employer des adjectifs que madame affectionne ? Tu as besoin, comme dans les films américains, *comme ces débiles d'Américains dans ces conneries de films américains,* de partir sur les routes au hasard, pour réfléchir, pour faire le point ? Toi qui détestes la nature ? Toi qui prétends toujours préférer, *toujours,* aux promenades dans la nature, les promenades dans les villes ? Résultat, le jour où madame a besoin de réfléchir, le jour où madame a besoin de faire le point, le jour où madame doit se livrer à une profonde méditation sur sa vie conjugale, elle ne choisit pas de prendre le train pour aller à Paris, non ! elle ne décide pas de partir se promener dans Metz, aucunement ! elle ne décide pas non plus d'aller passer la journée à Strasbourg, pas du tout ! elle va dans les Vosges ! *Elle va dans les Vosges !* Dans quel coin, dans les Vosges ? Tu es capable de me donner le nom des villages par lesquels tu es passée ? Si je te sors une carte, tu peux me montrer le trajet que tu as emprunté, mais alors exactement, route après route ? Tu peux me décrire les paysages ? Tu peux me dire à quel endroit tu as mangé ? Tu peux me dire à quel endroit tu es tombée en panne d'essence ? Tu es capable de me donner le nom du garagiste qui t'a dépannée ? Tu peux ? Tu veux ? Je vais chercher la carte dans ma voiture ? Tu ne préfères pas avouer tout de suite ? Tu ne penses pas que tu devrais cracher le morceau maintenant, sans t'humilier à te soumettre à un interrogatoire qui forcément va te confondre en trois minutes ? Espèce de pute, tu es allée te faire baiser toute l'après-midi, tu vas me le payer cher.

Cette mélopée devint le quotidien de Bénédicte Ombredanne.

C'était un peu comme une forêt profonde et angoissante,

inextricable, constituée par les phrases que son mari lui adressait continuellement, qui toutes semblaient se reproduire à l'infini comme des centaines de troncs, jour après jour, serrées les unes contre les autres, sans issue perceptible, absolument jamais, en aucun point de ces ténèbres où Bénédicte Ombredanne se trouvait prisonnière, soumise à la fureur inquisitrice de son mari. Il lui téléphonait plusieurs fois par jour. Il était de plus en plus fréquent qu'il la réveille la nuit pour lui parler. Il se jetait sur elle le matin dès qu'elle ouvrait un œil, après deux ou trois heures d'un sommeil imparfait, avec l'espoir qu'elle se trahisse, piégée par une astuce tactique que la nuit lui aurait inspirée. Elle était sous la douche et soudain la cabine s'entrouvrait, le visage de Jean-François apparaissait et il l'entreprenait. Toutes les fois qu'elle était en sa présence et que leurs enfants n'étaient pas là, la machine à accuser, la machine à questionner, la machine à calomnier, la machine à recouper, la machine à enquêter qu'il incarnait déversait sur Bénédicte Ombredanne sa production plaintive et acharnée, inflationniste, infatigable, pendant des heures, pendant des heures, pendant des heures, comme s'il voulait asphyxier son cerveau, le priver de toute lumière, l'amener à expulser la perle de son secret, par épuisement.

C'est qui, ce type ? Où est-ce que tu l'as rencontré ? Où il habite ? Ce n'est pas la peine de te remettre à pleurer, c'est trop commode les larmes et les sanglots, il aurait fallu y penser avant aux conséquences de ta trahison, enlève cet oreiller, montre-moi ton visage, mieux, encore, redresse la tête, arrête ces simagrées immédiatement. Reprenons. D'après ce que tu as fini par me lâcher l'autre jour, ta première intention était d'aller te promener à Strasbourg, et c'est en cours de route que le désir t'est venu, voyant que le beau temps se confirmait, d'aller dans la nature, et c'est pour ça que tu t'étais habillée comme ça, avec ta plus belle robe, tes bottines, la bague de ton ancêtre, parce que au début, n'est-ce pas, ton intention était de passer la journée à Strasbourg, de faire du lèche-vitrine, de déjeuner dans une brasserie, de lire un livre, de réfléchir tranquillement, c'est ça ? Oui, non ? Pardon, qu'est-ce que tu dis, j'entends rien, articule. Tu dis oui ? Admettons. Repartons de cette version, d'accord. Mettons-la bien à plat pour voir ce qu'elle nous dit, cette version-là. Déjà, j'attends toujours que tu m'expliques en quoi la perspective d'une journée littéraire à Strasbourg nécessitait que tu t'habilles comme pour aller te faire baiser. Tu me réponds que ces derniers temps tu te sentais en déficit d'estime de soi et de confiance, que tu avais envie de redonner un peu de lustre, et de valeur, à ta personne, à ton mental. Tu me dis que c'est agréable d'être remarquée, de se sentir exister dans le regard des autres, une fois de temps en temps. Tu me dis qu'on peut avoir envie, sans raison apparente, une fois de temps en temps, de se faire jolie, pour se sentir rayonner. *Why not.* Je peux comprendre. Mais pour soi seul ? Vraiment, pour soi seul ? Regarde-moi Bénédicte au lieu de détourner sans cesse les yeux. Les gens, je veux dire les gens *normaux*, tu penses qu'ils mettent leurs plus jolis vêtements quand ils savent qu'ils ne vont voir personne de toute la journée ? Bénédicte ! Les gens *normaux* ils mettent leurs plus jolis vête-ments quand ils savent qu'ils vont voir des amis, de la famille, des officiels, leur hiérarchie, lors d'un événement qui le justi-fie ! Ou bien quand ils vont voir leur amant, ou leur maî-tresse ! Alors tu me réponds qu'on peut avoir envie d'être remarquée dans la rue par des inconnus, y compris par des femmes, *y compris et surtout par des femmes*, d'ailleurs, précises-tu avec une malice que je trouve parfaitement dépla-cée dans ta situation. Tu me réponds que c'est agréable, quand on est fatigué, ou un peu triste, de croiser des regards louangeurs, y compris et surtout des regards de femmes. J'adore le *y compris et surtout*. J'adore l'adjectif *louangeur*. Il est vraiment joli cet adjectif, je ne l'avais pratiquement jamais entendu, on a tort de ne pas l'utiliser plus fréquemment. L'adjectif *louangeur*, il est vraiment très bien. Bénédicte, sérieusement, tu penses vraiment pouvoir t'en tirer par la coquetterie de ton vocabulaire ? Tu insistes tellement sur l'importance que peut avoir pour toi le regard des autres femmes sur ta personne que ça cache quelque chose : cela fait treize ans que je partage ta vie et je n'avais jamais observé que tu étais sensible aux regards que les autres femmes pouvaient porter sur toi, dans la rue ou ailleurs, louangeurs ou pas. Y compris et surtout le regard des autres femmes, ça c'est vraiment savoureux, il faudra que je le note dans un carnet pour m'en souvenir. Tu es donc allée à Strasbourg, tu avais l'intention, au départ, d'aller à Strasbourg, dans le but d'attirer sur ta personne des regards louangeurs d'autres femmes, dans le but de te faire remarquer par des femmes qui te trouveraient jolie, qui se diraient à elles-mêmes, en te croisant dans la rue, alors elle, ça alors, qu'est-ce qu'elle est bien habillée, quelle jolie robe, quelles ravissantes petites bottines ! Mon Dieu, quelle jolie robe ! Qu'elle est jolie, ça fait plaisir à voir une femme comme ça, si rayonnante, avec de si jolies bottines ! Qu'est-ce que j'aimerais lui ressembler ! C'est ça ? Oui ? Bénédicte, redresse la tête, réveille-toi, regarde-moi, réponds ! Tu t'es encore rendormie, réveille-toi, réponds ! C'est donc pour ça que tu es allée à Strasbourg et que tu es rentrée à neuf heures du soir ? C'est ça ? Je n'ai pas entendu, articule mieux, je n'entends rien, tu marmonnes dans ta moustache de laide. Quoi ? *C'est ça, parfaitement* ? Tu oses me faire cette réponse : *c'est ça, parfaitement* ? Mon cul oui ! Tu te fous de ma gueule ! Tu me prends pour un abruti ou quoi ! Bénédicte ! C'est pour te sentir valorisée par le regard des autres femmes que tu as mis tes bas Dim Up ? Tu espérais que ces femmes, elles devineraient que tu portais des bas Dim Up sous ta plus jolie robe ? Tu m'as donné, depuis quinze jours qu'on parle de cette fameuse journée, et Dieu sait qu'on y consacre du temps, des explications plus ou moins convaincantes sur un tas de points précis, mais là, sur les bas Dim Up, tu es muette, ton imagination est sèche, ce que je peux comprendre. La raison en est relativement simple : on met ce genre de bas pour baiser. Tu n'as jamais porté ce genre de bas que le samedi soir, avec l'évidente intention de m'émoustiller, ça a toujours été plus ou moins implicite, chez toi, que le port des bas Dim Up impliquait le sexe, la séduction. Je ne t'ai jamais vue enfiler des bas Dim Up un autre jour que le samedi, et encore, le samedi soir. Je ne t'ai jamais vue enfiler des bas Dim Up un jour de semaine. Je ne t'ai jamais vue enfiler des bas Dim Up le jour où normalement tu fais les courses à Carrefour pour remplir le frigo. Comme par hasard, le seul jeudi où tu enfiles des bas Dim Up le frigo reste vide, cherchez l'erreur, il n'y aurait pas, *selon toi*, comme une anomalie ? Ce qui veut dire qu'en plus tu as failli à ton devoir de mère le plus élémentaire, ton cynisme est tel que pour pouvoir baiser le plus longtemps possible tu as choisi le jour où d'habitude tu te préoccupes de nourrir tes enfants. Même les animaux ils nourrissent leurs petits. On n'a jamais vu un animal, même le pire d'entre eux, même le plus sauvage, même le plus indigne et répugnant, oublier, négliger de nourrir ses petits. Se faire baiser le jour où normalement on fait les courses pour nourrir ses enfants, se faire tellement baiser, y prendre tellement de plaisir qu'on décide de remettre à un autre jour son devoir maternel le plus élémentaire, tu admettras que sur le plan du symbole, c'est fort, bravo, je te félicite. (Chaque fois qu'il prononçait cette phrase, Jean-François se mettait à applaudir sa femme du

bout des doigts, mais sans produire le moindre bruit.) Il baise
si bien que ça, ton amant ? Qu'est-ce qu'il a de plus que moi,
ce type, une grosse queue ? Bénédicte, je t'écoute, tu as la
parole, je me tais quelques minutes. Raconte-moi comment il
t'a baisée, pour que tu en oublies l'existence de tes enfants.
Tu l'as sucé ? Quand je pense que tu n'as même pas appelé
tes enfants après l'école pour les prévenir que tu rentrerais
tard ! Arthur, quand il est arrivé, la porte était fermée ! Il a
sonné, aucune réponse ! La porte était verrouillée ! Un jeudi !
Le jour où normalement tu ne travailles pas ! Tu t'étais dit
quoi, dans ta tête ? *Qu'Arthur il attendrait sur le perron pen-*
dant des heures ? À cinq ans ? Que sa sœur viendrait le délivrer
de son attente ? Tu te rends compte de ce que tu as fait,
Bénédicte, ou pas ? Oui, ou pas ? Heureusement que la baby-
sitter de son copain a pris l'initiative de l'emmener avec elle,
ils m'ont appelé au bureau quand ils sont arrivés chez Jean-
Baptiste, inutile de te dire ma surprise ! Tu réalises, ou pas ?
J'ai dit à Arthur qu'il fallait qu'il reste chez son copain jusqu'au moment où Lola rentrerait du collège ! Heureusement
qu'elle a les clés, elle a vu le mot sur la table de la cuisine, elle
m'a appelé pour me demander si j'étais au courant, je lui ai
demandé d'aller chercher son frère chez Jean-Baptiste et ils se
sont mis à attendre que tu rentres des courses ! Ça te paraît
normal, tout ça, ou pas ? Tu t'imagines l'inquiétude ! On a
tous cru que tu avais eu un accident de voiture ! *Mais qu'est-*
ce que tu foutais ! Qu'est-ce que tu foutais, Bénédicte ! Je ne te
crois pas une seule seconde ! Je commence à perdre patience !
J'en ai assez de te poser toujours les mêmes questions, de me
heurter chaque jour à ce même air buté, à ces sempiternelles
dénégations, à ces pleurs, à ces larmes ! Si tu avais été dans
les Vosges, tu aurais téléphoné à dix-sept heures ! Tu aurais
appelé à la maison pour dire ne vous inquiétez pas ! Elle ne
tient pas debout une seule seconde ton explication que tu

étais sur un sentier de montagne à philosopher, à prendre de la hauteur ! C'est parce que tu étais en train de baiser et que tu n'avais pas du tout envie de t'arrêter, oui, voilà la vérité ! Avec qui ? Depuis quand ? Depuis quand, Bénédicte, me trompes-tu, et avec qui, j'exige son nom ! *DEPUIS QUAND, BÉNÉDICTE, JE RÉPÈTE MA QUESTION, ME TROMPES-TU, ET AVEC QUI, J'EXIGE SON NOM ! JE VAIS FINIR PAR M'ÉNERVER POUR DE BON !*

Parfois, face à ces hurlements, elle avait peur que la présence de son mari dressée devant ses yeux de toute la terrifiante hauteur de sa détresse ne se transforme soudain en force physique et que ce soit ses poings plutôt que sa syntaxe qui s'abattent sur son visage pour en défaire le silence — alors il arrivait que Bénédicte Ombredanne se dissimule le visage derrière ses mains, mais cette mesure de protection qu'elle adoptait précipitait son tortionnaire dans des colères plus effrayantes encore. Qu'est-ce que tu fais, pourquoi tu mets tes mains sur ton visage, tu as peur que je te frappe ? Oui, c'est ça ? *Tu t'imagines que je suis assez primaire pour te frapper au visage ?* Tu te protèges parce que tu penses que là je vais te mettre des coups ? Oui, c'est ça ? Ton opinion sur ma personne est descendue tellement bas que maintenant, quand je te parle, tu mets ton visage à l'abri, au cas où, on ne sait jamais, oui ? Oui, tu en es là ? *Mais putain de putain de putain de bordel de merde !* T'es vraiment qu'une traînée tout juste bonne à aller te faire baiser, enlève tes mains, montre-moi ton visage, retire tes mains immédiatement ! Bénédicte, je te jure, c'est une insulte insupportable, comment oses-tu m'infliger ça ? *Je compte jusqu'à trois, regarde-moi dans les yeux, enlève tes mains, est-ce que je t'ai jamais frappée au visage ?*

Bénédicte Ombredanne découvrait son visage et regardait son mari droit dans les yeux.

Je t'en supplie, par pitié, laisse-moi dormir, arrête de me parler, j'ai besoin de dormir, je vais mourir d'épuisement si tu continues, murmurait-elle, au bord de l'écroulement.

Son mari lui demandait si par hasard elle avait eu pitié de lui le jour où elle avait décidé d'aller se faire baiser toute la journée par son amant. Pourquoi aurait-il pitié d'elle, lui, en retour, elle pouvait le lui dire ? Oui ? Elle pouvait le lui dire ?

Je n'ai pas d'amant, je n'ai jamais eu d'amant, je n'aurai jamais d'amant, combien de fois faudra-t-il te le répéter ? Je ne vais tout de même pas m'inventer un amant juste pour te faire plaisir, si ? C'est ça que tu veux ?

Elle éclatait en sanglots. Elle se recroquevillait sur le sol de leur chambre, appuyée contre un mur. Elle avait mal au ventre, elle suffoquait d'angoisse, elle se sentait à la limite de la rupture. Mais rien, en elle, ne se brisait, ni ne rompait, malheureusement : cette résistance la condamnait à endurer, à vif, chaque nuit, sans pouvoir s'y soustraire, les interrogatoires interminables de son mari.

C'est ça que tu veux ? Que je m'invente un adultère et que je te raconte comment on baise ? C'est ça ?

Il lui répondait qu'il n'y croyait pas qu'elle n'était pas partie rejoindre un homme. C'était comme ça, il n'arrivait pas à y croire. Qu'est-ce qu'il pouvait y faire, lui !

Eh bien non, je ne suis pas allée voir un homme, voilà, j'en suis navrée pour toi.

Elle pleurait de plus belle, anéantie par la fatigue, et par le désespoir.

Son mari lui disait, debout à côté d'elle, lui donnant de petits coups sur les côtes du bout de son soulier, comme s'il voulait déloger de son corps toute présence importune de sommeil : apporte-moi la preuve que ce jour-là tu n'as pas passé la journée avec un homme, et j'arrêterai de t'embêter.

Elle lui disait qu'elle n'était pas en mesure de lui fournir la moindre preuve, mais que ça n'impliquait pas sa culpabilité, comme elle le lui avait déjà dit des centaines de fois.

Pourtant, tu disposes d'un moyen radical pour te disculper : ce serait qu'on rende visite ensemble à ton fameux garagiste, et qu'il confirme qu'effectivement tu es tombée en panne d'essence, et qu'il t'a secourue.

Je ne m'en souviens plus, je ne sais plus où c'est, je ne retrouverai jamais l'endroit.

Tu me dis que ce fameux garagiste ne prenait pas la carte bleue et que c'est pour cette raison que tu l'as payé en liquide, juste quelques litres, avant de faire le plein sur l'autoroute, à la sortie de Strasbourg, comme en témoigne ton relevé bancaire. Tu t'obstines à maintenir cette version des faits ? Tu penses que c'est crédible, en 2006, un garagiste qui ne prend pas la carte bleue, même dans un village des Vosges ?

Elle enfermait sa tête dans ses bras repliés en arceaux et descendait la réfugier entre ses genoux, arrondissant le dos, comme le bras d'une pelleteuse descend lentement vers la surface qu'il va creuser.

Alors je vais continuer de t'interroger, je vais continuer jusqu'au moment où tu prendras la décision de me dire la vérité. Je le vois bien, à ton regard, que tu mens : je n'ai pas passé toutes ces années avec toi pour ne pas être capable de reconnaître quand tu mens, et quand tu dis la vérité.

Le lendemain du jour où elle était allée chez lui, Christian avait écrit à Bénédicte Ombredanne pour savoir si tout allait bien, il espérait que son mari ne s'était pas montré trop agressif quand elle était rentrée chez elle. Depuis qu'elle avait quitté sa maison, il n'avait rien fait d'autre que penser à elle, tu ne peux pas savoir à quel point c'est agréable de se rappeler ces heures sublimes que nous avons vécues l'un avec l'autre, lui avait-il écrit. Bénédicte, il faut absolument qu'on se revoie. Penses-tu que deux personnes qui vont si bien ensemble ont le droit de prendre la décision de se priver l'une de l'autre à tout jamais, froidement, cruellement, pour une question de principe ? Ce serait une lourde erreur et une immense souffrance. Certes, je n'ai pas oublié que tu es mariée et mère de deux enfants, mais si j'en crois certaines des confidences que tu m'as faites cette situation ne doit pas m'empêcher de te faire don de mon amour, ni de rêver que tu finisses par l'accepter, et par m'aimer toi aussi avec la même intensité. Je te l'ai dit, j'ai deux enfants qui viennent me voir un week-end sur deux et la moitié des vacances, j'ai toujours adoré les enfants, je me sens capable d'entourer les tiens d'un amour tendre et sincère. Qu'on serait bien, tous ensemble ! Tu dois penser que je vais trop vite en besogne mais à quoi bon tergiverser ? Nous ne sommes plus à des âges où le temps de la réflexion permet des avancées décisives, j'ai acquis une sûreté de jugement grâce à laquelle je peux savoir dans l'instant si les choses ont ou non de la valeur, et quel comportement il convient d'adopter à l'égard de telle ou telle situation, y compris les moins anodines : c'est utile dans mon métier, bien sûr, comme tu peux l'imaginer, mais également dans les relations humaines ! Bénédicte, mon tendre amour, je ne te mets pas sur le même plan qu'une soupière du XVIIIᵉ mais tout de même, c'est important de savoir reconnaître au premier coup d'œil la beauté et la valeur des choses, et d'avoir une idée juste du prix qu'il faut y mettre. Plus sérieusement, j'ai, dans ma jeunesse, commis des erreurs, mais j'ai appris à me connaître, si bien que mon instinct, depuis quelques années, ne me trompe plus, je pourrais le dire comme ça. C'est une évidence qu'on s'entend à merveille et tu le sais aussi bien que moi : nul besoin de quelques heures de plus pour donner à ce ressenti le nom de certitude. Bénédicte, tu ne m'as pas seulement tapé dans l'œil, comme on dit vulgairement : à ton contact, j'ai senti qu'il se passait en moi quelque chose de fondamental, et ce quelque chose de fondamental continue de remuer dans mon corps bien que tu ne sois plus là pour en alimenter les soubresauts. Je pourrais dire que ton apparition, hier, a fait naître un animal dans mon ventre, cet animal grandit d'heure en heure avec ses poils, ses muscles, son museau, ses fines moustaches qui me chatouillent, ses dents pointues et ses belles griffes qui me grattent et m'écorchent, cet animal se nourrit de mes rêves, il lèche mes organes, il se sustente de mes entrailles pour ne pas mourir de faim et ces repas répétés qu'il effectue me procurent un plaisir infini, c'est un peu comme un orgasme intérieur continu, en sourdine, au violon, féminin pourrait-on dire, qui s'amplifie en même temps que la belette prend du volume... Bénédicte : cet animal que ta beauté a fait naître me dévore de l'intérieur et c'est sensationnel, je n'avais pas éprouvé ça, un tel plaisir de vivre, physique, mental et organique, depuis tellement d'années... et tu voudrais que j'y renonce ? Je suis redevenu un vrai jeune homme, grâce à toi, en l'espace de six heures ! Bénédicte, dis-moi la vérité, tu veux vraiment que je la tue cette pauvre petite belette, que je la noie impitoyablement ? Que je la fasse disparaître dans l'éther du renoncement, de la résignation ? Je comprendrais que tu demandes du temps : brusquer les choses peut effrayer. Mais on pourrait se voir à Metz une fois de temps à autre, pour déjeuner et bavarder, se promener dans la campagne, aller peut-être dans un hôtel discret, si le cœur nous en dit ? J'en connais un qui est très bien, on pourrait, si on le voulait, y avoir nos habitudes. Bénédicte, j'ai envie de t'embrasser, de faire l'amour avec toi encore et encore. Je m'aperçois que je n'ai pas ton numéro de téléphone, est-ce que tu peux me le donner ? Je n'en use-rai qu'en cas de force majeure, en fait c'est surtout pour me rassurer et savoir que tu n'as pas disparu dans la nature. J'espère que tu consultes souvent tes mails et que l'adresse dont je dispose n'était pas une adresse factice créée pour l'occasion et désormais supprimée. Je pense à toi et t'embrasse du fond du cœur, avec toute mon affection et déjà mon amour,

Christian.

Bénédicte Ombredanne n'avait jamais reçu de lettre aussi belle. Sa première lettre d'amour, à trente-six ans ! Qu'elle était heureuse de lire ces lignes, de découvrir que leur journée avait laissé en lui des sensations aussi précieuses ! Elle était entièrement de son avis : ils n'avaient pas besoin de se fré-quenter davantage pour savoir qu'ils étaient faits l'un pour l'autre, elle en avait elle-même la conviction, ce sont des choses que l'on sent, que l'on sait. Bénédicte Ombredanne avait relu cette lettre des dizaines de fois pour se délecter de sa substance mais surtout pour en apprendre par cœur de larges extraits — avant de l'effacer, inconsolable. Par la suite, elle regretterait d'avoir détruit ce texte, ou encore de ne pas l'avoir recopié à la main sur une feuille de papier qu'elle aurait pu glisser entre les pages d'un livre, mais elle craignait que son mari ne se mette à fouiller partout dans son bureau à la recherche de preuves ou d'éléments compromettants, ce qu'il avait fini par faire, d'ailleurs, quelques semaines plus tard, saccageant tout, mais grâce à ces mesures de prudence il n'avait rien trouvé, Dieu merci, ni dans ses livres, ni dans ses tiroirs, ni dans son ordinateur. Le jour où elle l'avait reçue, Bénédicte Ombredanne s'était résolue à rédiger la seule réponse qu'il était concevable qu'elle oppose à cette lettre et ce faisant elle avait eu l'intime conviction d'agir contre elle-même avec violence, de dépouiller sa propre vie de potentialités merveilleuses, impitoyablement.

Elle le remerciait pour les belles phrases qu'il lui avait écrites, ces phrases l'avaient profondément touchée. Elle n'était pas loin de pouvoir affirmer que cette journée avait été l'une des plus belles de toute son existence, et assurément la plus belle dans la catégorie à laquelle elle appartenait : celle du bonheur d'aimer. Cependant elle savait que leur relation n'avait aucun avenir, pour un tas de raisons assez faciles à deviner et sur lesquelles elle n'avait pas envie d'entendre son opinion, lui avait-elle écrit. Elle le priait de ne plus la contacter, afin de ne pas ruiner le souvenir qu'elle gardait de cette journée magique, auquel elle tenait, dont les saveurs allaient l'accompagner pendant de longues années, il devait en être certain, lui avait-elle écrit. À cette journée aux beautés indicibles tu as adjoint une lettre absolument sublime, la plus émouvante qu'on m'ait jamais écrite, pareille à un fermoir serti de pierres précieuses : avec ces phrases tu as bouclé la boucle, cette journée du 9 mars est un cercle enchanté, nous resterons tous deux à l'intérieur, intacts, inaltérables, idéalisés par le fait même qu'on ne se sera vus qu'une seule fois, un peu comme deux personnages d'un tableau de Fragonard accroché au mur d'un musée, lui avait-elle écrit : éternellement dans la vitesse de leur désir, dans la beauté de leur élan vers le bonheur. Repensons à cette journée comme on regarderait un tableau au musée : elle n'est pas près de nous lasser, cette journée, c'est moi qui te le dis, car nous nous y verrons pour toujours miraculeux et ingénus, beaux et timides, instantanés, inespérés, exactement comme dans un grand chef-d'œuvre immortel, ce qu'a été notre après-midi… Je ne veux pas rouvrir ce cercle : nous ne ferions que détruire ce qui se trouve à l'intérieur, nous ne ferions que nous détériorer aux yeux l'un de l'autre, et je perdrais ce que j'ai de plus précieux

aujourd'hui, au lendemain de cette journée : l'estime que j'ai sentie dans tes yeux à l'égard de ma personne. N'essaie plus d'entrer en contact avec moi, jamais plus, je t'en conjure. Si tu m'aimes un peu, tu m'obéiras. Va ! je suis celle qui ne t'oubliera pas ! Je t'embrasse tendrement, et pour la dernière fois,
    Bénédicte.

Deux heures plus tard, elle avait reçu un nouveau mail de Christian, il insistait pour qu'elle revienne sur la décision qu'elle avait prise. Il la suppliait de ne pas être aussi définitive, il était d'accord pour laisser passer du temps, il pourrait lui écrire dans deux mois, ou dans six mois, ou dans un an, c'est elle qui décidait mais elle ne pouvait pas fermer la porte comme ça à tout jamais, irrévocablement : elle devait lui laisser une lueur d'espoir.

Bénédicte Ombredanne avait été dévastée par ces quelques lignes : elle en avait pleuré pendant des heures, disant à ses enfants qu'elle devait à une allergie au pollen ses yeux rougis et ses constants reniflements. Elle avait eu la sensation de se trancher elle-même un doigt, ou même plusieurs, à vif, avec la lame d'un long couteau, dans une atroce douleur de tout son être, quand elle avait répondu, sèchement, sans même signer son message :
    S'il te plaît.

Amélie était la seule de ses collègues à lui avoir demandé ce qui se passait pour qu'elle aille aussi mal. Les autres se contentaient de lui faire remarquer qu'elle semblait fatiguée et on posait sur son visage, de plus en plus fréquemment, des regards pleins d'inquiétude, mais sans oser l'interroger. Ses élèves, certains matins, l'observaient d'un air méfiant et indécis, tous, absolument tous, comme s'ils cherchaient à comprendre d'où pouvait lui venir une telle tête — et c'étaient les expressions de ces adolescents qui lui mentaient le moins, pendant quelques instants elle voyait se refléter dans leurs yeux qu'elle était un être humain en danger, au bord d'un précipice. D'un tempérament réservé, Bénédicte Ombredanne répondait à Amélie qu'elle était en carence de sommeil, elle n'arrivait plus à dormir mais sans savoir pourquoi, son généraliste lui avait prescrit une cure d'homéopathie qui normalement devrait permettre que se résorbent ses insomnies, elle verrait bien, lui disait-elle. Mais la vraie raison de sa discrétion était qu'elle ne pouvait évoquer le traitement qu'elle subissait de la part de son mari sans révéler du même coup ce qu'était son existence depuis de nombreuses années : un désastre. Or, non seulement elle n'en avait jamais parlé à personne, mais elle s'efforçait de faire croire à tout le monde que leur couple fonctionnait à merveille, qu'ils étaient parvenus, Jean-François et elle, contrairement à la majorité des gens, à perpétuer l'émotion initiale, l'attirance sexuelle, le désir d'être ensemble. Les ambitions qu'elle attachait au devenir de son couple avaient toujours été tellement élevées qu'elle n'avait jamais pu se résoudre à ne pas afficher, au regard de l'extérieur, même quand les choses avaient commencé à ne plus très bien marcher, les apparences d'une réussite incontestable, par orgueil certainement, ou par manque de courage, mais aussi parce qu'elle n'avait jamais désespéré qu'un beau jour la situation finisse par s'arranger, par pur idéalisme adolescent. En simulant que tout allait bien, mieux encore : en propageant l'exemple d'une plénitude conjugale à ce point rayonnante qu'elle humiliait, rendait envieux et rancuniers tous ceux qui en étaient les spectateurs, Bénédicte Ombredanne se vengeait sans doute sauvagement, aussi, il arrivait qu'elle se l'avoue, de ses espoirs trahis — elle éprouvait une sorte de joie malsaine à attiser chez les autres ce dont elle-même agonisait en secret. Elle se disait en outre que cette fiction destinée au public lui ressemblait dans le fond bien davantage que l'existence défectueuse que du seul fait de son mari elle était obligée d'endurer, ce maquillage synthétisait ce qu'elle aurait aimé vivre, il détenait une part de vérité sur sa personne, il parlait bien mieux de son imaginaire que ne l'aurait fait n'importe quoi d'autre la concernant, même s'il constituait un mensonge éhonté, une comédie sociale à certains égards parfaitement répugnante, hypocrite et bourgeoise. Son intimité conjugale parvenue à ce stade de déréliction, Bénédicte Ombredanne ne s'était pas résolue pour autant à en révéler les tourments : non seulement elle continuait de vouloir faire croire à Amélie que tout allait pour le mieux, mais si celle-ci avait été assez habile pour obtenir de Bénédicte Ombredanne des confidences établissant le naufrage de son couple, cette dernière ne s'en serait pas remise, elle en aurait porté la mortification comme un fardeau trop lourd pour elle et peut-être aurait-elle été conduite par la honte à rompre toute relation avec son éternelle complice. Cela étant, tout indiquait qu'Amélie n'était pas dupe de ces fictions parfaites bâties par son amie, Bénédicte Ombredanne ne savait pas d'où lui venaient ses soupçons mais elle les combattait sans concession et du mieux qu'elle pouvait, afin qu'ils fussent anéantis. Bénédicte, tu es sûre que ça va, tu ne veux pas qu'on parle ? Qu'est-ce que c'est que cette histoire d'insomnie ? Tu m'as toujours dit que tu n'avais jamais eu le moindre problème de sommeil ! Tu as des soucis ? Dis, tu m'en parlerais, si tu avais des soucis ? Tu es tellement pudique, tu serais capable de ne pas m'en parler ! Bénédicte, regarde-moi dans les yeux : il se passe quelque chose dans ta vie, je le vois, ton visage est dévasté, dis-moi la vérité, tu ne peux pas continuer comme si de rien n'était, tu ne peux pas continuer à supporter ce que tu supportes sans t'en ouvrir à personne. Bénédicte Ombredanne, qui paradoxalement se sentait agressée par ces assauts de gentillesse, répondait à

Amélie qu'elle n'avait pas à s'inquiéter, le seul problème c'est qu'elle était confrontée, sans raison apparente, depuis plusieurs semaines, à des insomnies récurrentes, il n'y avait rien à décortiquer. Mais elle avait toujours prétendu qu'elle dormait comme un bébé! Elle s'était toujours vantée d'avoir un sommeil de plomb! lui opposait son amie. Exact. Mais elle avait été sujette à d'importantes perturbations de son sommeil durant l'adolescence, inventa Bénédicte Ombredanne: il fallait croire que le printemps avait décidé de produire sur son organisme, cette année, les mêmes effets que son adolescence! Ce jour-là, Amélie, soupçonneuse, s'obstina: à la suite d'un long silence, elle lui demanda si par hasard elle n'avait pas des problèmes avec Jean-François. Bénédicte Ombredanne regarda son amie avec hostilité, offusquée qu'elle se permette des allusions de cette nature, à tel point qu'Amélie laissa sa phrase en suspens.

— *Mais pas du tout! Qu'est-ce que Jean-François vient faire dans cette histoire! C'est humiliant de devoir subir ce genre d'insinuations!*

— Humiliant, je ne pense pas.

— Tout va très bien dans mon couple: *parlons plutôt du tien.*

— Tu sais parfaitement qu'il ne va pas fort. On peut très bien en parler mais là n'est pas le sujet.

— OK, et il est où, alors, le sujet, d'après toi?

— Je me demandais, enchaîna Amélie avec le plus de précautions possible. (Un long regard entre les deux amies.) Je me demandais si le véritable responsable n'était pas ton mari, poursuivit-elle.

— Ah bon? Et pourquoi ça?

— Mais oui, tu aimais bien, avant, répondit Amélie avec douceur, qu'on boive un verre toutes les deux après les cours, de temps en temps, ou bien qu'on aille…

152

— Je ne vois toujours pas le rapport avec Jean-François, l'interrompit Bénédicte Ombredanne, glaciale.

— Il faut bien qu'il y ait une raison : je n'en vois pas d'autre pour le moment. D'autant plus que Jean-François, comme j'ai pu le remarquer les rares fois où je vous ai vus tous les deux...

— Restons-en là, c'est préférable pour notre amitié, la coupa Bénédicte Ombredanne avec une sécheresse dont elle ignorait qu'elle était capable. Je te l'ai dit : je ne dors plus, je ne sais pas pourquoi mais je ne dors plus. Le fait est qu'après les cours je n'ai qu'une seule envie, c'est de rentrer chez moi me reposer, tu peux comprendre ça ? Maintenant, laisse-moi tranquille. Le jour où j'aurai besoin de tes conseils, ou de ton assistance, je te téléphonerai, conclut-elle en s'éloignant.

Parfois, d'épuisement, Bénédicte Ombredanne pleurait dans sa voiture, en revenant du lycée.

Parfois, en revenant du lycée, elle arrêtait sa voiture le long d'une rue résidentielle, pour dormir dix minutes.

Elle pensait à Christian à chaque instant de ses journées, elle y pensait comme à une île sublime et odorante, charnelle, sonore, dont les splendeurs s'intensifiaient à mesure que les jours s'écoulaient, et que s'amenuisait la possibilité qu'elle puisse jamais les retrouver, y retourner. Il arrivait que des souvenirs de cette après-midi surgissent dans ses pensées aux moments les plus inopportuns, par exemple pendant ses cours, et qu'elle en soit saisie d'une nostalgie cuisante, comme une crampe de tout son être, au point de devoir marquer une pause de quelques secondes, en s'appuyant d'une main à son bureau. D'autres fois, pendant que ses élèves lisaient en silence quelques pages de littérature qu'elle leur avait soumises, elle regardait pensivement par la fenêtre et elle en oubliait où elle était — et il fallait l'intervention d'une élève téméraire, *madame, ça va ?* pour la réveiller, *oui, pardon, excusez-moi, tout va bien, alors ça y est, vous avez fini de lire cet extrait ?* Elle se disait parfois, à travers la vitre, ses yeux posés sur le gymnase, qu'il émanait de leur remémoration une perfection que ces moments n'avaient jamais atteinte dans la réalité, quand elle les avait vécus. C'est que le temps accomplissait son œuvre non pas d'oubli, mais de sublimation, d'accentuation, d'amplification, de cristallisation mythologique.

N'avait-elle pas commis une grave erreur en congédiant Christian si brutalement ? Lui pardonnerait-il ? Accepterait-il de lui rouvrir sa porte, après un tel outrage ? Elle espérait qu'un jour ils pourraient se retrouver, il fallait attendre qu'il soit possible pour elle de lui écrire qu'elle était libre et qu'elle l'aimait — et cette pensée utopique était un peu comme la flamme d'une lanterne sur le pont d'un bateau, de nuit, en pleine tempête, elle réchauffait son âme et adoucissait son tourment, mais la plupart du temps la dureté de ce que son mari lui imposait soufflait la flamme de la lanterne et Bénédicte Ombredanne était plongée dans les ténèbres les plus opaques, sans visibilité ni perspectives, incapable de rien envisager d'apaisé concernant son avenir. Ses souvenirs de cette après-midi étaient alors son unique réconfort, des souvenirs dont la lumière l'amenait à pivoter, elle, dans sa vie, à cent quatre-vingts degrés, tournant le dos aux ténèbres de son avenir, tournant le dos aux ténèbres de son présent, même, pourrait-on dire, afin de pouvoir se sentir vivante, éclairée par la luminescence de son après-midi du 9 mars.

Bénédicte, vous êtes à un quart de la puissance, essayez de le bander davantage, votre arc. Je sais, je sais, répondait-elle en souriant. Vous savez, vous savez, mais vous avez tiré quand même, vous avez tiré quand même ! Allez, on recommence. Je vais essayer, répondait-elle dans un sourire de tout son corps, je vous promets que je vais faire un effort pour essayer d'atteindre cette foutue cible !

Chaque jour à dix-huit heures dix, Bénédicte Ombredanne regardait sa montre et fixait des yeux les deux aiguilles, comme si leur angle était un secret qui déclenchait la réverbération de somptueux souvenirs — mais cet angle ne durait qu'une minute, avant de se dénaturer, d'induire une autre lumière inconnue d'elle, insignifiante, sans connivence particulière. Pendant ces quelques secondes, Bénédicte Ombredanne revoyait leur nudité sous la sentence de l'imposant prélat, dont la pupille réprobatrice articulait maintenant dans sa mémoire : je vous l'avais bien dit, vous auriez dû m'écouter mon enfant, à présent le châtiment va être terrible. Parfois, emportée par sa rêverie, elle s'oubliait à regarder sa montre pendant tellement de temps que les deux aiguilles finissaient par se superposer, la grande sur la petite, le mâle sur la femelle, leurs deux têtes vers le bas, pour foncer vers la cible.

Il n'y a pas de hasard, Bénédicte, au tir à l'arc, ni de malchance, ni de serment qui tiennent. Vous avez mis dans le mille, un point c'est tout. Qu'en savez-vous si votre inconscient ne visait pas le cœur de la cible, comme tout le monde, même si vous, en surface, vous pensiez vouloir atteindre le rouge ? Cette flèche indique que quelque chose de miraculeux est en train de se produire entre nous, et vous le savez aussi bien que moi.

Amélie n'était pas la seule de son entourage avec qui Bénédicte Ombredanne, à cause de la fatigue, se montrait sans souplesse, comme au premier degré : il y avait également ses enfants, et en particulier Lola, auprès de qui cette rigidité se manifestait de plus en plus souvent, et dans des proportions qu'elle n'atteignait avec aucun autre de ses proches. Lola avait été jusqu'à présent une excellente élève (soucieuse d'avoir toujours les meilleures notes et des bulletins scolaires insurpassables, objectif qu'elle était toujours parvenue à réaliser grâce au renfort de sa mère qui chaque soir la faisait travailler), mais depuis les vacances de la Toussaint ses résultats déclinaient, ce qui, au grand désarroi de Bénédicte Ombredanne, la laissait indifférente, et même l'émoustillait. Certes, Lola n'en était pas à opposer aux exigences de sa mère une attitude ouvertement contestataire, mais à certains de ses sous-entendus on sentait bien qu'elle associait désormais aux valeurs d'excellence défendues par ses parents les pitoyables notions de conformisme, d'ordre établi et d'étroitesse d'esprit, comme si s'étaient révélés à son imaginaire, dernièrement, depuis un autre endroit qu'au sein de sa famille, des horizons beaucoup plus exaltants — des horizons que ne prenait jamais en compte, jamais, en aucune manière, même en annexes ou en périphérie des objectifs qu'il se fixait, la logique du système scolaire, autrement dit les garçons, le bonheur, le grand amour ou l'ambition de faire de sa vie une expérience resplendissante. Les profs, leur objectif, c'est de nous rendre conformes à la norme, mais moi je veux garder ma personnalité et mes défauts, qu'on n'y touche pas, qu'on n'essaie pas de me banaliser, ou de me faire entrer dans un moule — tout ce qui fait mon charme, c'est ça que le collège veut corriger, disait Lola quand elle était en verve. Chaque fois que Bénédicte Ombredanne entendait ce discours-là, elle bondissait. Ce sont des clichés, Lola, lui disait-elle, mais le problème c'est qu'à douze ans on ne sait pas que ce sont des clichés, on peut les prendre pour une substance vivante qui n'appartient qu'à soi, parce qu'on sent dans son être quelque chose de brûlant et d'intense, d'urgent, d'intime, qui peut sembler la manifestation de sa personnalité authentique. Mais ce n'est pas brûlant parce que c'est authentique, c'est brûlant parce que c'est nouveau, c'est urgent parce que c'est soi en train de naître et ça s'appelle l'extrême jeunesse :

c'est un moment magnifique, je t'envie d'être en train de le vivre, lui disait Bénédicte Ombredanne, mais les splendeurs de cette extrême jeunesse ne sont pas une fin en soi, tu dois les vivre comme la promesse d'autres états qui viendront par la suite, mille fois plus savoureux, à condition que tu saches qui tu es, afin qu'ils puissent se déployer. Bénédicte Ombredanne regardait sa fille droit dans les yeux, pour essayer de la convaincre de l'objective véracité de ses propos. Tu sais, ça prend du temps de savoir qui on est, il faut y réfléchir et dans ce but il faut apprendre à penser, oui, penser, tu m'as bien entendue, donc s'équiper des outils adéquats, acquérir une culture, exercer sa sensibilité et son intelligence. C'est à ça que ça sert, les études, figure-toi, et pas à formater les esprits, lui disait Bénédicte Ombredanne, mais ces paroles ne déclenchaient que des regards d'impatience vers la porte du salon, parfois vers le plafond, c'est-à-dire vers sa chambre, où il était flagrant qu'elle désirait se replier, pour fuir sa mère et ses sermons incessants. Alors qu'à l'inverse, vouloir se préserver dans sa pureté originelle au motif que s'y nicherait la quintessence de sa personnalité véritable — *car c'est ça que tu veux dire, Lola, non ?* Silence. Regards échangés. Non ? Oui, c'est un peu ça, si on simplifie, lui répondait sa fille de mauvaise grâce (Lola reprochait toujours à sa mère de simplifier outrageusement ses pensées, pour les disqualifier plus facilement), mais vas-y, continue, où tu veux en venir ? Bénédicte Ombredanne lui adressait un long sourire. À ceci : si tu renonces dès aujourd'hui au collège pour pouvoir garder intact cet état originel où tu crois identifier ce qui fait ta singularité, eh bien dans quelques années tu te réveilleras un matin en te découvrant prisonnière d'une situation que tu n'avais pas vue, tu découvriras un système établi là où toi tu pensais qu'il y avait un immense territoire de liberté : tu comprendras qu'à cet état de pure immédiateté correspond une place précisément répertoriée de la femme dans la société, une place immémoriale, choquante, de servitude, de soumission, tu saisiras que ce territoire de liberté est un espace d'avilissement, un moyen de t'attribuer le rôle le plus formaté qu'il soit possible de concevoir (pour le coup, Lola, on peut vraiment parler de formatage), celui de la poupée sensible et émotive, sincère et vulnérable, désarmée, obéissante. Tu m'écoutes ? Tu m'écoutes, Lola ? *Est-ce que tu pourrais arrêter d'enrouler cette mèche de cheveux autour de ton doigt pendant que je te parle, j'ai l'impression d'avoir affaire à une folle.* Lançant sa mèche de cheveux derrière son beau visage aux paupières closes, teintées d'un gris iridescent, Lola se mettait à regarder sa mère avec agressivité, fixement, l'air de lui dire *OK, c'est bon, t'as fini ton sermon féministe ultra-ringard, je peux aller dans ma chambre ?* À ce moment-là, au lieu de détourner leur échange de ce buisson d'épineux, au lieu de prendre Lola de biais pour l'orienter avec doigté vers les dispositions qu'elle voulait lui voir prendre, Bénédicte Ombredanne se raidissait, se durcissait : s'exagérant le péril où elle imaginait qu'était sa fille, voulant sauver du brasier familial ce qui pouvait encore l'être, c'est-à-dire, en premier lieu, l'avenir de ses enfants, elle mettait sur Lola une pression disproportionnée dont épuisée elle ne comprenait pas à quel point elle était pernicieuse, nocive, empoisonnée, pour chacune d'elles mais aussi pour elles deux. Je me battrai jusqu'au bout, jusqu'au bout tu m'entends, même si je dois mener contre toi une guerre impitoyable, pour t'empêcher de devenir… Je n'ai jamais dit que je voulais devenir une *quiche*, l'interrompait Lola : j'ai juste parlé de *formatage*. Le résultat est le même : je ne vois pas ce que tu pourrais devenir d'autre, quel que soit le nom qu'on puisse lui donner, quiche, tarte, dinde, cruche… C'est ça, vas-y, dénigre ! C'est agréable de s'entendre traiter de dinde par sa propre mère ! Je ne t'ai jamais traitée de dinde. Je dis seulement qu'à douze ans tu ne peux pas prendre la décision de repousser l'école, de tout miser sur le physique, la séduction, les sentiments, le fun, les sorties, les fringues, le maquillage, les trucs pas prises de tête, Facebook et compagnie… Rien que ça ! l'interrompait Lola en partant d'un long rire ironique, eh ben dis donc, quel portrait sympathique, je me demande comment tu peux encore me supporter ! Pouahhh, une fille aussi débile, putain, quelle infection ! Ma pauvre petite maman, tu n'as pas de chance ! Toi qui rêvais d'une fille qui te ressemble, qui fasse de longues études ! Toi qui rêvais que je fasse Normale sup ! *Normale sup ! Normale sup ! Normale sup !* chantonnait Lola en moulinant des bras, parodie de chorégraphie télévisuelle. Ne me parle pas sur ce ton, l'interrompait Bénédicte Ombredanne : tu deviens insolente. *Moi ?* se récriait Lola. Qu'est-ce que tu dis, *moi insolente ?* Mais c'est toi ! Tu m'attaques ! Tu me traites de poule ! Tu t'es pas entendue putain ! Alors que j'ai quinze de moyenne ! *Quinze de moyenne !* Pour le moment, l'interrompait Bénédicte Ombredanne : c'est en train de sérieusement dégringoler, ce qui n'est pas étonnant vu que tu ne fais plus rien, *mais alors ce qui s'appelle plus rien.* Ça, c'est toi qui le dis : je me suis organisée différemment, c'est tout. Je le vois bien, tu es ailleurs, tu es démotivée, tu penses à autre chose, lui répondait sèchement Bénédicte Ombredanne. Tu ne lis plus, tu te fais épiler avec ton argent de poche, on n'a plus les mêmes conversations qu'avant. *Lola, arrête de te toucher les cheveux à la fin, je n'en peux plus ! Lola, je n'en peux plus de te voir obnubilée par tes cheveux, lâche-les !* C'est humiliant ce que tu dis à mon sujet, disait Lola, blessée. On a le droit de s'intéresser à autre chose qu'au collège, non ? Lola regardait sa mère avec des yeux de dessin animé japonais : dilatés, rêveurs jusque dans la colère, aveuglants de sincérité. On a le droit, *cinq minutes par jour,* de s'intéresser à autre chose qu'à *Jean-*

Jacques Rousseau, non ? Qu'est-ce que tu as à faire pour demain ? enchaînait Bénédicte Ombredanne. Je t'ai posé une question, répétait-elle quelques instants plus tard. Bénédicte Ombredanne était devenue aussi abrupte qu'une falaise. Mais pourquoi tu t'acharnes comme ça contre moi, qu'est-ce que je t'ai fait ? lui demandait Lola, en pleurs. Tu peux pas me foutre la paix et t'occuper de tes problèmes ? *Tu penses pas que t'as suffisamment de problèmes dans ta* life *sans avoir à être sur mon dos en permanence ?* Tu compenses, c'est ça ? Pour pas avoir à réfléchir à ta vie merdique, tu préfères t'occuper de celle des autres ? C'est justement parce que ma vie est merdique, oui, effectivement, tu as raison, que je refuse de te voir gâcher la tienne pour des conneries ! lui répondait Bénédicte Ombredanne en hurlant. Eh bien excuse-moi mais franchement, *franchement, justement,* quand je vois le résultat, quand je vois la vie de merde dans laquelle tu croupis, je préfère faire à mon idée plutôt que suivre tes conseils ! disait Lola en hurlant encore plus fort que sa mère. Sur ce, elle quittait la pièce en claquant toutes les portes qui se trouvaient sur son passage, abandonnant Bénédicte Ombredanne sur le canapé du salon, tremblante, désespérée par les malentendus qu'elle laissait se déployer entre sa fille et elle — dans la froideur desquels elle devait vivre ensuite pendant des jours, asphyxiée par l'erreur qu'elle avait commise, incapable qu'elle était de les abattre, de se faire pardonner par Lola.

Pour aller au lycée, Bénédicte Ombredanne empruntait un rond-point où une sculpture abstraite avait été installée récemment, anguleuse et hurlante. Depuis qu'elle l'avait remarquée, elle l'examinait avec attention en se demandant ce qu'elle pouvait bien figurer, avant de l'oublier jusqu'à la fois suivante, le soir ou le lendemain matin. Un jour, dans un éclair, elle crut comprendre ce que représentait, crampe et migraine d'acier, cette repoussante présence urbaine : *elle était son portrait anticipé.* C'est ce dont elle eut la terrassante confirmation quelques jours plus tard, après une nouvelle nuit d'insomnie, quand elle se vit en personne au milieu du rond-point, vivante mais absorbée par la sculpture, inscrite dans son acier, prisonnière de son oxydation. C'était elle, là, oui, hideuse ! Elle en fut saisie d'effroi et détachant ses yeux de cette vision d'horreur, poussant des hurlements de refus, elle bifurqua pour sortir du rond-point et emprunter la route qui devait la conduire au lycée — et une voiture l'emboutit violemment, détruisant la portière droite de sa petite Peugeot, projetant sur son visage des éclats de verre.

Cet accident sans gravité lui fit très peur, en particulier au moment du sursaut que fit sur l'asphalte la carcasse de sa petite automobile, qui lui sembla rebondir sur le sol comme une vieille balle de hand toute dégonflée, secouant son corps agrippé au volant. Quelque chose bougea dans son mental, un déclic se produisit dont elle n'eut pas conscience immédiatement, ni dans les heures qui suivirent.

Elle pleura pendant de longues minutes, immobile, les mains crispées sur le volant, le front posé sur le plastique, sourde aux questions qu'on lui posait par la portière ouverte.

Quatre jours plus tard, dans la nuit du 6 au 7 mai, réveillée une nouvelle fois par son mari à trois heures du matin, elle craqua. Là le déclic se produisit pour de bon : de la violence de la collision surgissait à présent, et avec une puissance qui la dispensa de s'interroger sur l'opportunité de s'y plier, le soulèvement impératif de sa parole et de son corps — elle se précipita hors du lit et jeta au visage de Jean-François tout ce qui lui tombait sous la main, sans se rendre compte de sa métamorphose tant elle était éblouie de haine.

— Oui, j'avais un rendez-vous ! J'avais un rendez-vous avec un homme et il m'a plu, parfaitement, il m'a plu, on a

161

baisé comme des fous, c'était génial, je l'aime, je pense à lui sans cesse, voilà, ça y est, c'est dit, tu es content ? hurla-t-elle, debout dans la chambre, après avoir allumé la lumière. Voilà, ça y est, tu es content ? Tu as enfin ce que tu voulais ? lui dit-elle en lui jetant des vêtements, un dossier bancaire, son cartable en cuir.

— Quoi, qu'est-ce que tu dis ? *Mais qu'est-ce que tu racontes ?* lui demanda son mari en esquivant paresseusement les projectiles.

— Tu es content ? Tu as enfin ce que tu voulais ? Et ça t'avance à quoi, tu peux me le dire ?

— Mais enfin ! Mais qu'est-ce que tu racontes ? Qu'est-ce que tu fais, pourquoi tu hurles comme ça, tu as perdu la tête ou quoi ? Arrête, tu es folle ! Tu vas réveiller les enfants, arrête ! Aïe, mais tu me fais mal !

— Un inconnu ! Exactement ! Que j'ai trouvé sur Internet ! Tu vois à quoi j'en suis réduite, m'inscrire sur un site de rencontres, chercher un type qui soit d'accord pour me prendre, à l'improviste, chez lui, un jeudi après-midi ! Tout ça pour me sentir vivante ! Pour recevoir de l'affection ! Parce que j'en ai marre de foutre en l'air mes plus belles années ! Parce que j'en ai marre de cette vie sans amour, marre, marre, marre ! Tu croyais peut-être que j'allais renoncer à être heureuse, me laisser couler à pic, c'est ça ? Mais je ne suis pas un caillou, je ne suis pas un caillou ! Je vais même te dire une chose, écoute-moi bien : je ne regrette pas de l'avoir fait, mais alors : *pas du tout* ! Si je me retourne sur mon passé, ma vie est tellement triste, monotone ! ma vie est tellement dure, froide, terne, aride ! oui, *aride*, sinistre, *parfaitement*, ce n'est pas la peine de faire cette tête ! avec toi qui me salis ! avec toi qui m'humilies ! oui, qui m'humilies, *bien sûr que tu m'humilies*, tu l'as admis toi-même il y a deux mois, après cette émission à la radio ! Si je me retourne sur mon passé, c'est cette après-midi qui rayonne, une poignée d'heures avec un inconnu, c'est tout de même un comble ! Mon pauvre ami, j'ai ressenti plus de trucs forts, ce jour-là, en seulement six heures, qu'avec toi en l'espace de dix ans, c'est quand même insensé ! Parfaitement, plus de trucs forts, plus de trucs tendres, sincères, tranchants, en une seule après-midi, qu'en dix ans avec toi ! *Il faut tout de même que tu le saches, c'est une information qui vaut son pesant d'or !* hurla Bénédicte Ombredanne en arpentant la chambre. (Il lui sembla que de toute son existence elle n'avait jamais crié aussi fort : on devait l'entendre dans tout le voisinage mais elle s'en moquait, il lui était indifférent que le quartier entier fût réveillé par sa révolte.) Tu me harcèles depuis deux mois pour connaître la vérité eh bien tu vas l'avoir, tu ne vas pas être déçu du voyage ! *Je te jure, tu vas tout savoir !* Pauvre imbécile, tu me supplies depuis deux mois pour savoir comment je t'ai trompé ! pour avoir des détails ! Le con ! Eh bien d'accord, *TU VAS L'AVOIR, LA VÉRITÉ !* Allons-y, questionne-moi, je répondrai, *TU L'AURAS VOULU !*

Le mari de Bénédicte Ombredanne l'interrogea jusqu'au petit matin : elle lui raconta son après-midi dans les moindres détails, hors d'elle, avec mépris, lui infligeant des phrases aussi brutales que des crachats, précises et humiliantes.

Il lui posait ses questions calmement, anéanti, presque sans voix : elle répondait par des assauts splendides, comme si chacune de ses réponses était une brève attaque, une délicieuse vengeance, un reproche explicite, une piqûre venimeuse.

L'instant où elle avait amorcé ses aveux avait ouvert un territoire où elle s'était élancée à corps perdu avec une joyeuse sauvagerie, comme si, au bout de cette ligne droite, elle savait qu'elle accéderait à une aurore pleine d'évidence, rose et légère, qui la verrait prendre ses affaires et ses enfants, sortir de sa maison et partir rejoindre Christian, affranchie, purifiée. Quelle lame de fond, quel déploiement de force et de lumière! Bénédicte Ombredanne ne pensa pas aux conséquences que pourrait avoir sur son avenir ce qu'elle confiait à son mari de si compromettant, elle était comme en transe, transfigurée par l'énergie qui traversait sa personne, exactement comme le soir où elle s'était inscrite sur Meetic et qu'elle avait engagé la conversation avec des inconnus. Cette nuit-là, en racontant à Jean-François ce qu'elle avait vécu avec Christian, elle eut le sentiment de le vivre une seconde fois avec une force inouïe, plus amoureuse qu'elle ne l'avait jamais été.

Réveillés par les hurlements de leur mère (dont la clarté assourdissante des mots les plus atroces leur parvenait aux oreilles comme des flashes : baiser, bite, jouir, homme, gland, sucer, orgasme, anus, mouiller, gicler, tromper, branler, pénétrer, inconnu), Lola et Arthur étaient venus à différentes reprises, à tour de rôle. Une fois la porte ouverte, la pénombre leur laissait entrevoir un homme en pleurs prostré nu sur les draps, défait, semblable à un soldat blessé capturé par l'ennemi, tandis qu'au premier plan, étincelante, en furie, Bénédicte Ombredanne tournoyait dans la nuit un sabre à la main, les pieds dans la glaise, les cheveux soulevés par le vent (c'est tout du moins l'impression qu'elle devait produire sur leur imagination, se disait-elle). Alors, pivotant vers celui des deux enfants qui avait ouvert la porte en murmurant un apeuré «mais qu'est-ce qui se passe? pourquoi tu cries comme ça sur papa?», elle essayait de le réconforter par quelques phrases très brèves et un baiser humide déposé sur son front, le regard incendié, avant de refermer la porte (par deux fois, elle avait cependant raccompagné Arthur dans son lit, pour le border tendrement).

Quand elle eut transpercé Jean-François avec sa dernière phrase (il faisait déjà jour, des oiseaux gazouillaient derrière les vitres, l'aurore n'était pas rose ni accueillante mais plutôt grise, terne, sale, livide), Bénédicte Ombredanne ne prit pas la décision de s'enfuir de chez elle, comme elle aurait pu le faire et en avait d'ailleurs eu l'intention plusieurs fois durant la nuit, au plus fort de son insurrection, quand la gravité des propos qu'elle lançait contre son mari lui avait laissé penser qu'elle était en train de s'en débarrasser, de s'en débarrasser pour de bon, à tout jamais. Elle descendit dans la cuisine pour y faire du café, mettre du lait sur le feu, disposer sur la table les corn flakes et les gâteaux secs des enfants, sortir du réfrigérateur le beurre et les confitures. Elle se fit une entaille à l'index en coupant une tranche de pain puis elle se brûla le majeur mitoyen en la retirant du grille-pain, où elle était restée coincée. Elle réveilla ses enfants et aida Arthur à se préparer pour aller à l'école. Jean-François et elle n'échangèrent pas un seul regard, une seule parole, de tout le petit-déjeuner. Les enfants, pétrifiés par leur insomnie, au bord des larmes, n'osaient rien dire non plus. Ils avaient peur que ça recommence. À la suite de quoi, une fois douchée et habillée (elle s'habilla n'importe comment, en jean et en T-shirt, sans se laver la tête alors qu'elle aurait dû, c'était le jour), elle se rendit au lycée, déjeuna à la cantine, reprit ses cours puis rentra chez elle en milieu d'après-midi, comme si de rien n'était. Après la nuit qu'ils avaient traversée, une chance unique s'était offerte à Bénédicte Ombredanne de quitter son foyer, tout du moins pour un certain temps, afin de montrer à son mari qu'elle avait repris le dessus et qu'il devait la respecter. Mais elle ne se posa pas la question de savoir si elle pouvait, si elle devait la saisir : elle se remit d'elle-même dans la routine de sa vie familiale.

Pendant trois jours, ils ne se parlèrent plus.

Traumatisée par la violence qu'elle avait déployée, Bénédicte Ombredanne se sentait coupée de sa propre personne comme du monde extérieur : elle n'était plus qu'un grand vacarme, comme si les phrases hurlées cette nuit-là, atroces, irréversibles, continuaient de se répercuter dans son cerveau et dans son corps, incessamment. Jean-François, de son côté, était détruit : il regardait d'un œil éteint des sphères mobiles suspendues dans l'atmosphère comme des planètes perceptibles par lui seul, en discrètes rotations.

Le quatrième jour, une fois les enfants couchés, elle demanda à son mari ce qu'elle devait faire pour qu'il se rétablisse : elle était prête à repartir avec lui sur de nouvelles bases, mais il devait y mettre du sien et arrêter de se morfondre. Après un long silence, il répondit qu'il n'arriverait jamais à se remettre de ce qu'il avait appris l'autre nuit, il voyait mal de quelle manière il allait pouvoir incorporer cet épisode à son existence, il ne savait pas s'il pourrait de nouveau regarder Bénédicte Ombredanne sans se sentir sali et humilié. Savoir que sa femme avait fait l'amour avec un inconnu, ça l'anéantissait, purement et simplement. Savoir qu'en plus elle n'arrivait pas à oublier cet homme, que celui-ci lui avait proposé de venir vivre avec lui et qu'elle avait hésité à accepter, qu'elle regrettait, même, selon ses confidences de l'autre nuit, de n'avoir pas dit oui — tout cela faisait qu'aujourd'hui il ne voyait pas comment il allait pouvoir continuer à vivre, lui dit-il ce soir-là.

Depuis qu'il avait été pulvérisé par le verbe de Bénédicte Ombredanne, son mari s'exprimait calmement, presque sans bruit, évasif et poudreux, comme si son être reculait constamment : on eût dit qu'il s'effaçait progressivement du monde visible, qu'il s'estompait. Une fois qu'il eut lâché ces phrases définitives, et qu'il les eut lâchées avec une apparente indifférence, doux, il replongea dans un profond mutisme, le regard accroché à une nouvelle planète. Bénédicte Ombredanne essaya de le réconforter : elle lui dit que ses paroles de l'autre nuit avaient dépassé ses pensées, la pression qu'il lui mettait depuis deux mois avait fini par lui faire perdre la raison, il pouvait le comprendre, non ?

— Hein, Jean-François, tu comprends ? Tu voulais m'entendre dire que j'avais passé l'après-midi avec un homme : alors j'ai explosé, je me suis mise à parler, mais j'ai exagéré ! *J'ai exagéré !* lui déclara Bénédicte Ombredanne en s'efforçant de paraître conciliante — mais elle n'était que réticence, elle sentait bien que ses phrases sonnaient faux, comme si son âme entière était désaccordée, semblable à un piano abandonné depuis longtemps. Mais oui, voyons ! Comment peux-tu t'imaginer un seul instant ! Il ne m'a fait ni chaud ni froid, je t'assure ! C'était pour me venger que j'ai dit ça ! *C'est tout !* chuchota-t-elle avec tendresse. Pour me venger, juste ça ! *Par amour !* C'est tout, crois-moi ! *Je n'ai rien senti du tout, Jean-François, avec ce type !*

— C'est ce que tu dis pour te sortir de la merde où tu t'es mise par tes aveux, lui répondit son mari après quelques minutes de silence. Je préfère qu'on conserve ta version initiale : ne va pas atténuer ce que tu m'as avoué l'autre nuit, ou alors je ne réponds plus de rien : ne va pas recommencer à me mentir ou sinon, je te jure, je te tue, je tue tout le monde et je me flingue après. (Bénédicte Ombredanne sursauta : elle posa son regard sur le visage de Jean-François, qui tremblait.) Cette histoire est trop énorme pour que je puisse l'assimiler un jour. La seule façon pour moi d'y parvenir, c'est de considérer que tu m'as dit toute la vérité : c'est de me dire qu'il n'existe aucune zone d'ombre et qu'il n'y a plus rien à découvrir, qu'on est allés au bout et qu'on peut passer à autre chose. Tu comprends ? (Bénédicte Ombredanne lui fit oui de la tête.) Si aujourd'hui tu te mets à rouvrir la boîte de Pandore en suggérant qu'en réalité les choses ne se sont pas passées exactement de cette façon, on ne s'en sortira pas : je vais vouloir connaître la vérité, je vais t'interroger tout le temps, on va y passer dix ans, on ne s'en sortira pas. D'accord?

Bénédicte Ombredanne considéra son mari en silence avec la plus grande anxiété, avant de l'approuver d'un mouvement du menton, baissant les yeux sur ses doigts entrelacés :

— Je comprends, je suis d'accord, faisons comme ça.

— Hein? Qu'est-ce que tu dis? Articule, tu parles dans ta moustache, je n'entends rien.

Le mot *moustache*, qui réapparaissait, la fit frémir.

Ainsi, elle n'était pas parvenue à éliminer ce vocable humiliant de la langue de son mari, même après ce qu'elle avait entrepris de si radical?

— Je disais, je suis d'accord, faisons comme ça.

— C'est la seule voie possible, conclut-il en éclatant en sanglots, et il pleura une grande partie de la nuit sans qu'aucune des caresses prodiguées par sa femme ne parvienne à atténuer sa souffrance.

Cette phase maniaque dura un peu plus d'une semaine.

Il pleurait, il ne disait plus rien, il maigrissait de jour en jour.

Le soir, on le voyait fixer l'écran du téléviseur en mâchant lentement un chewing-gum. Le regard perdu dans le vide, il donnait l'impression de ne pas voir les images dans lesquelles il s'absorbait, qui projetaient sur son visage des ombres et des clartés aléatoires, mécaniques, indifférentes — mais de scruter un immense paysage intérieur, un paysage inerte et désolé, saccagé par une tornade, peut-être sa vie entière, son mental tout entier. Si Bénédicte Ombredanne lui posait une question, il ne répondait pas. Si elle venait s'asseoir à côté de lui, il se levait et changeait de pièce. Quand il était l'heure d'aller se coucher, il se glissait sous la couette, prenait un livre ou un journal, en lisait un petit nombre de pages puis tapotait son oreiller, éteignait sa lampe de chevet et se tournait de son côté sans dire un mot. Si, pour lui montrer qu'elle était dans les meilleures dispositions à son égard, et que Christian n'était plus qu'un souvenir répudié, Bénédicte Ombredanne posait une main sur sa peau, il sursautait avec la même récalcitrante vivacité que si cette main avait été électrifiée.

Elle se dirait plus tard qu'elle aurait dû tirer profit de l'avantage qu'elle avait pris à ce moment-là sur son mari pour imposer de nouvelles normes relationnelles. Si elle avait été un peu plus prévoyante, elle lui aurait expliqué ce qu'elle attendait de leur vie commune, elle aurait pérennisé ce rééquilibrage par des repères placés entre eux comme autant d'épingles de couturière piquées dans le tissu d'une robe pour en marquer l'ourlet. De la sorte, quand il aurait recommencé à déraper, non seulement ces repères auraient pu attester ses écarts, mais elle aurait été à même de répliquer, avec la promptitude d'une alarme de musée : *tu refais ça, tu me redis ce genre de phrases, tu réemploies le mot moustache, tu réitères ce genre de gestes, je m'en vais, c'est fini entre nous, tu m'entends ? je prends les enfants avec moi et je quitte cette maison sur-le-champ, tiens-le-toi pour dit une bonne fois pour toutes !*, mais en réalité elle ne percevait pas l'effondrement de son mari comme une victoire qui lui offrait la possibilité de faire évoluer leurs rapports, elle le vivait comme la preuve encombrante, honteuse, spectaculaire, de sa culpabilité, une culpabilité dont chacun pouvait se faire une idée de l'étendue en constatant l'état où sa conduite inqualifiable avait réduit Jean-François. Celui-ci prenait un malin plaisir à se montrer dévasté en public, il excellait à sous-entendre devant leurs proches qu'elle avait quelque chose de grave à se reprocher et chacun songeait à un adultère, c'était absolument évident, se disait Bénédicte Ombredanne. C'est pourquoi elle regardait la glaciation de son mari comme un problème qui lui était posé à elle plutôt qu'à lui, en particulier vis-à-vis des enfants, lesquels, comme on peut l'imaginer, n'aspiraient qu'à une seule chose : que leur papa retrouve le sourire.

Pour ce faire, Bénédicte Ombredanne fut prévenante et généreuse, tendre, sans faiblir, pendant une vingtaine de jours. Elle fut même inventive, croquante, inattendue, retrouvant une fraîcheur qui lui rappela sa prime jeunesse. Souvent, elle devait argumenter pendant des heures pour le convaincre de son amour, elle lui disait qu'elle ne le quitterait pas, qu'elle ne le tromperait plus, elle le lui promettait. *C'est vrai, jamais plus, tu me le promets ?* Jamais, jamais plus, je te le promets, lui disait Bénédicte Ombredanne. Même si tu penses parfois que j'ai des défauts ? Même si je pense parfois que tu as des défauts, lui disait-elle avec douceur. À ce moment-là, il arrivait que son mari lui fasse comprendre qu'il voulait faire l'amour. Elle acceptait, il s'allongeait sur elle, il la prenait en continuant de lui poser des questions, ils se donnaient l'un à l'autre en poursuivant la conversation qu'ils venaient d'interrompre, délicate, réconfortante.

Mais d'autres fois, après avoir obtenu de Bénédicte Ombredanne qu'elle lui redise de quelle manière elle avait fait l'amour avec Christian, il exigeait qu'elle le suce, et qu'elle lui montre comment ses lèvres s'y étaient pris pour le conduire jusqu'à l'orgasme. Allez, vas-y, prends mon sexe dans ta bouche, montre-moi comment tu l'as sucé ton pédé d'antiquaire, montre, je veux savoir. Alors elle le suçait, pour qu'il aille mieux, pour qu'il se calme, pour éviter qu'une crise n'éclate, une colère, des reproches, qui aviveraient ses plaies, réveilleraient leurs enfants. Une fois que Jean-François avait joui dans sa bouche, et qu'il l'avait forcée à avaler son sperme, il s'endormait sans un geste de tendresse pour sa

femme, ou d'excuse, de remords, et elle pleurait silencieusement, le visage enfoncé dans son oreiller.

Une accalmie de cette humeur malsaine pouvait s'ensuivre
pendant laquelle elle essayait de se persuader que ces séances
si dégradantes avaient été nécessaires à son mari pour dépasser sa douleur : elle se disait que grâce à elles ils avaient suivi
jusqu'à son terme un douloureux processus d'expiation. Peu
importe l'amertume du remède, après tout, du moment qu'il
est efficace, allait-elle jusqu'à penser parfois — elle était prête,
même, à payer pour son écart, à se soumettre à une austère
pénitence, à condition que ce ne fût pas au prix de sa dignité :
une pénitence éprouvante, l'esprit fixé sur la figure unique de
son époux, pour signifier à celui-ci tout l'amour qu'elle se
sentait capable de lui donner s'il décidait de ne plus la rabais-
ser. Pendant ces brèves périodes de rémission, elle se remet-
tait à y croire, à croire à leur avenir commun. Il lui léchait le
sexe, elle suçait le sien en retour, on pourrait dire en somme
que sa choquante incartade strasbourgeoise avait eu de
réjouissantes répercussions sur leur sexualité. Ils faisaient
l'amour avec passion et elle jouissait, elle jouissait avec une
ferveur qu'elle n'avait jamais osé manifester jusqu'alors dans
les bras de son mari, auprès de qui elle était demeurée aussi
pudique qu'au premier jour. Elle avait toujours redouté qu'il
ne soit ridicule, après plusieurs années d'une vie érotique en
mode mineur, d'adopter du jour au lendemain un comportement d'effrontée, à tel point qu'elle s'était toujours mordu les
lèvres, ou arraché avec les ongles la peau des pouces, pour ne
pas crier trop fort au moment d'atteindre l'orgasme, de
crainte que son mari ne lui demande à quoi elle jouait, pour
qui elle se prenait. Elle avait constamment refréné ses pulsions et avec les années un fossé s'était creusé entre ce qu'elle
se sentait capable de connaître, en matière d'érotisme, et ce
qu'elle s'autorisait à en montrer, à s'accorder. Ses aveux

ayant établi qu'elle pouvait être une autre femme que cette épouse modeste et enterrée qu'il avait toujours connue, elle assumait à présent un visage un peu plus sulfureux, elle osait être un peu plus libre et son mari avait l'air d'aimer ça, il ne se moquait pas d'elle. Pour résumer, l'après-midi du 9 mars était désormais *loin derrière eux* et les souffrances que ces six heures de luminosité adultérine avaient allumées chez Jean-François définitivement révolues : c'est ce qu'elle se disait dans ces moments-là, heureuse qu'il soit mis fin au calvaire qu'elle endurait depuis trois mois.

Mais le lendemain, ou bien le surlendemain, son mari recommençait à la persécuter, toutes ses pensées nocives s'étaient remises à tournoyer dans son mental et à le tourmenter, ciel de tempête, corbeaux funestes. Elle le sentait le soir à ses déplacements hésitants dans la chambre, elle le voyait aux regards qu'il lui lançait, intrusifs, avant qu'il ne se glisse entre les draps, présence visqueuse et détraquée. En ces circonstances, elle s'avouait qu'elle aurait dû se méfier de cet homme le jour où elle l'avait vu dissimuler subrepticement dans son cartable en cuir son slip souillé et ses chaussettes tirebouchonnées — car cette nuit-là il avait eu le même regard spongieux, suintant de honte et de complexes, d'obliquité et de bassesse enfantine, que ces soirs où il se couchait l'humeur sombre, l'imagination tout emplie de l'aura mirifique de Christian.

Comme durant les deux premiers mois, il était de plus en plus fréquent qu'il la réveille la nuit. Il lui disait qu'il n'arrivait pas à dormir, il ne parvenait pas à se débarrasser de son angoisse, il avait besoin qu'elle l'aide à la dissiper, il lui disait que sa vie resterait un enfer tant qu'il n'arriverait pas à évacuer ce qu'elle avait fait avec cet homme, il lui disait qu'il ne comprenait pas qu'elle ait pu commettre une chose pareille, il lui demandait comment elle avait pu, alors qu'elle vivait avec lui depuis treize ans, se donner comme ça brusquement à un homme qu'elle connaissait depuis deux heures, il ne comprenait pas, il ne comprenait pas, il ne comprenait pas, ça lui prenait la tête, lui disait-il en gémissant, au cœur de la nuit, crevant avec ses plaintes le sommeil de Bénédicte Ombredanne. Qu'elle ait osé admettre entre ses cuisses la queue d'un inconnu, lui disait-il en se tenant le ventre (comme si une balle ennemie s'était logée dans ses chairs, et le faisait agoniser), c'était une monstruosité qui dépassait ses capacités d'absorption. Il pouvait être trois ou quatre heures du matin, aucun des deux n'avait allumé la lumière, Bénédicte Ombredanne entendait, tout près de son oreille, lugubre et suppliante, la voix de son mari, il l'implorait de lui faire comprendre comment elle avait fait pour oser prendre entre ses doigts, ses doigts à elle, *ceux de sa femme depuis treize ans*, le sexe d'un autre que lui — le sexe épais d'un autre que lui entre les lèvres de son épouse, à l'intérieur de sa bouche, contre ses dents, cette image s'était accrochée au plafond de sa boîte crânienne et il n'arrivait pas à s'en défaire, tout était éclairé, la nuit, dans son cerveau, à cause de cette image intolérable accrochée comme un projecteur à la voûte de son mental, lui disait-il en se frottant le sexe contre sa cuisse, en pleurs. Comment voulait-elle qu'il puisse s'endormir, avec toute cette lumière dans la tête ? Déroule le film de cette atrocité, aide-moi à visualiser ce qui s'est passé, pour que je puisse m'en débarrasser, détruire les négatifs : Bénédicte, Bénédicte, Bénédicte, je t'en supplie, raconte-moi tout une nouvelle fois, comme si cette nuit tu désirais te repasser le film de cette inconcevable après-midi, vas-y, raconte, comment ça s'est passé quand vous êtes entrés dans la chambre, après la promenade dans la forêt. Bénédicte Ombredanne protestait qu'elle ne voulait pas, qu'elle lui avait déjà raconté cette scène plusieurs fois, et en particulier lors de la nuit qui l'avait vue avouer ce qu'elle avait commis de si préjudiciable à leur amour, qu'elle regrettait de toutes ses forces, il fallait qu'il la croie. Je t'ai déjà tout dit plusieurs fois dans les moindres détails, Jean-François : *ne me force pas à recommencer*, lui disait-elle, ensommeillée, lumière éteinte, tandis que son mari était en train de se frotter contre elle, le sexe en érection. Quand tu as vu sa bite pour la première fois, qu'est-ce que tu t'es dit, Bénédicte ? Tu as eu envie de la prendre tout de suite dans ta bouche, ou c'est venu plus tard, dans le feu de l'action, dis-moi ? (Il pleurait, elle le sentait.) Jean-François, je t'en supplie, je ne veux plus penser à tout ça, je ne veux plus en parler. C'est lui qui t'a déshabillée en premier, ou bien c'est toi, comme une furie, qui t'es jetée sur lui pour arracher ses vêtements, impatiente de voir son sexe, de le prendre dans ta bouche ? Tu le savais, que vous feriez l'amour, quand vous êtes arrivés dans la chambre, ou tu avais encore des doutes ? J'ai besoin de savoir, c'est la seule voie possible pour me défaire de cette douleur, de ces attaques perpétuelles de mes angoisses. Bénédicte, j'en ai besoin, il me faut savoir ce qui s'est passé exactement, j'y ai droit, tu ne peux pas me le refuser. (Silence de quelques secondes, pendant lequel il remuait contre elle en gémissant de plaisir, en larmes.) Dis, Bénédicte, quand tu as retiré son pantalon, il bandait déjà, ou pas ? Il bandait déjà, lui répondait Bénédicte Ombredanne. Mais vraiment ? Son sexe était vraiment dur, dressé en l'air devant toi, rien qu'à voir ton corps ? Oui, il était dressé, rien qu'à voir mon corps. Et toi, tu mouillais ? (Pendant qu'ils parlaient, Jean-François se frottait de plus en plus fort contre sa cuisse. Bientôt, elle en était certaine, il viendrait s'allonger sur elle pour la prendre.) Je ne sais plus. Mais si, tu sais ! Enfin, bien sûr que tu sais ! Tu mouillais ? Oui, sans doute : sans doute un peu. Et après, qu'est-ce que vous avez fait ? C'est à ce moment-là que tu as pris son sexe entre tes lèvres ? Jean-François, s'il te plaît, arrête. Non, je n'arrête pas : il aurait fallu penser plus tôt aux conséquences de tes actes : comment tu veux que je m'en sorte, moi ? C'est trop facile : madame s'envoie en l'air comme une salope avec un type trouvé sur Internet, et moi je dois me débrouiller tout seul pour avaler l'événement ? C'est trop facile : tu dois m'aider. Mais pas comme ça, Jean-François, *pas comme ça*, protestait, presque en larmes, Bénédicte Ombredanne — mais elle ne voulait pas pleurer devant son mari, sa dignité la retenait de fondre en larmes : sachant très bien ce qui allait se produire de dégradant, elle se durcissait, elle se recroquevillait derrière des carapaces mentales qui lui permettaient de ne pas s'apitoyer sur son sort, ni trop souffrir de ces outrages. Je t'écoute : qu'est-ce que vous avez fait, ensuite ? Je me suis allongée, il m'a déshabillée. OK, ensuite ? Ensuite il m'a léché la chatte, longuement, en prenant son temps, d'abord avec ses lèvres, à pleine bouche, comme un baiser passionné, puis avec sa langue, la pointe de sa langue localisée sur mon clitoris, précise, millimétrée. Tu as aimé ? Tu as aimé qu'il te lèche la chatte comme ça, longuement, avec talent, comme un expert ? Il te léchait comme un expert, non ? Bénédicte, c'est ce que tu m'as dit l'autre jour : redis-le-moi. Il m'a léchée comme un expert : c'était sublime, je n'avais jamais ressenti ça avec personne. Même avec moi ? Même avec toi. OK, ensuite ?

Si Bénédicte Ombredanne refusait, ou hésitait, ou rechignait à se soumettre à ce sordide rituel, il s'énervait, il lui criait dessus et même parfois il la brusquait, un geste pouvait partir qui retombait sur son épaule avec assez de détermination pour qu'elle en soit intimidée. Un soir, Bénédicte Ombredanne était sortie du lit, elle avait allumé la lumière et debout dans la chambre elle avait essayé de raisonner son mari. Elle lui avait dit qu'elle comprenait très bien ce désir de récit qu'il pouvait éprouver mais il fallait qu'il se contienne, qu'il mette un terme à ce besoin qui allait tout détruire, oui, qui allait tout détruire, il fallait qu'il le sache. Alors Jean-François s'était levé à son tour et il avait dit à Bénédicte Ombredanne que non seulement elle l'avait trompé de la manière la plus inacceptable, oui, inacceptable ! mais qu'en plus, maintenant, elle entendait fixer les règles ? Elle refusait d'aider son mari à s'en sortir, c'est ça ? lui avait-il dit en hurlant, si bien que Bénédicte Ombredanne avait dû se remettre au lit, craintive, pour ne pas aggraver sa colère, ni prendre le risque d'alerter leurs enfants. Il n'avait pas continué, ce soir-là, certes, mais quelques jours plus tard, en pleine nuit, il l'avait de nouveau réveillée en sanglotant, elle lui avait demandé ce qu'il avait, il lui avait dit qu'il l'aimait de toutes ses forces, il lui avait demandé si elle l'aimait aussi, elle lui avait répondu oui, il lui avait alors demandé : pourquoi m'as-tu trompé, alors, si tu m'aimes ? C'était une erreur, lui avait répondu Bénédicte Ombredanne : je ne le referai plus. La nuit, j'essaie de dormir, mais je vois le sexe de cet homme entre tes doigts, tes doigts que j'aime, et cette image me dévaste, alors je me réveille, je pleure. Je vois tes lèvres se refermer sur le gland de ce type, et c'est horrible, comment as-tu pu faire une chose pareille ? Console-moi, rassure-moi, prends mon sexe dans tes doigts, s'il te plaît, je t'en supplie, sinon je vais mourir. Fais-moi jouir, sinon je vais mourir. Bénédicte Ombredanne s'exécutait, il enfonçait sa main dans son intimité, qui était sèche, ses doigts commençaient à aller et venir en elle avec force. Tu es sèche comme le désert, tu vois, qu'est-ce que je disais ? Je te touche, moi ton mari, et tu es sèche. Avec cet autre, tu étais sèche ? Non, tu ne l'étais pas : tu dégoulinais, c'est ce que tu m'as dit plusieurs fois. Tu n'es qu'une petite pute. Je vais te prendre, on va faire l'amour, je vais te baiser bien à fond comme ce type t'a baisée ce jour-là et tu vas jouir, je vais te déchirer la chatte, tu vas mouiller et tu vas jouir.

Ça allait durer deux mois sur ce mode-là, deux autres mois aussi atroces que les deux précédents mais d'une puissance offensive plus redoutable encore car Bénédicte Ombredanne s'était démunie de la seule défense efficace dont elle disposait, celle du secret. Une fois celui-ci tombé, son mari s'était comme introduit à l'intérieur de sa personne et il saccageait tout, il se fondait pour ce faire sur l'argument qu'elle l'avait effectivement trompé et qu'il était en droit d'obtenir d'elle des détails, et toute la vérité, dans ses recoins les plus intimes, sur cette inconcevable après-midi, comme il la qualifiait toujours. En théorie, le contrat conjugal signé en mairie obligeait Bénédicte Ombredanne à la loyauté la plus entière à l'égard de son époux, à un devoir de transparence. Il entendait faire respecter ses droits.

La souffrance, la délectation du mari de Bénédicte Ombredanne à écouter continûment le récit de sa mise à mort étaient sans fin, vertigineuses.

Il jouissait en elle en hurlant tandis qu'elle lui narrait à l'oreille la fureur animale de Christian. Après, il se levait pour aller se nettoyer le sexe dans la salle de bains, il urinait, il revenait se coucher sans dire un mot, comme s'il tenait rancune à son épouse des vérités intolérables qui venaient de lui être infligées. Il lui tournait le dos pour s'endormir, en évitant tout contact avec elle.

Il n'avait pas même la délicatesse de rapporter dans leur lit une serviette avec laquelle Bénédicte Ombredanne pût essuyer la semence répandue dans son corps. Elle se levait à son tour et se rendait dans la salle de bains. Un soir qu'elle venait de se passer un gant de toilette sur les lèvres vaginales, elle se posta devant la glace du lavabo et se regarda longuement dans les yeux : elle regarda longuement dans les yeux l'affreuse sculpture qu'elle y voyait, d'acier, abstraite, méconnaissable — elle entendait passer tout autour d'elle, sans rémission, de bruyants véhicules, des masses sonores et sombres entraînant des remorques chargées de mots, de phrases, de paragraphes, c'était une heure de grande animation et le rond-point où Bénédicte Ombredanne, hideuse, d'acier, au cœur de son miroir, était dressée, était le lieu d'une affolante circulation qui la fit paniquer. La tête lui tourna, elle se retint à l'émail du lavabo, elle ferma les yeux quelques instants et les rouvrit : elle était là de nouveau, elle, Bénédicte Ombredanne, dans le miroir de sa salle de bains, vivante, les traits tirés par la fatigue, la peau un peu cireuse, et les yeux tristes. En se retirant, le brouhaha avait laissé dans son cerveau une impression qui s'imposa bientôt comme une douce et tranquille certitude. Elle ouvrit sa petite trousse de toilette, en sortit deux tablettes de Xanax dont l'une était déjà entamée, déchira avec l'ongle le pourtour de papier métal de chacune des alvéoles, récoltant sur l'émail blanc douze grains roses extraits de leurs cosses. Elle fit couler un peu d'eau dans un verre et avala les douze grains roses en trois gorgées, se regardant fixement, heureuse, en suspension. À la suite de quoi elle cacha dans la poubelle les deux plaquettes de Xanax déchiquetées, éteignit la lumière de la salle de bains et s'allongea dans son lit, où son mari ronflait déjà.

5

Ce soir-là, tout Paris resplendissait aux Italiens. On donnait *la Norma*. C'était la soirée d'adieu de Maria-Felicia Malibran.

La salle entière, aux derniers accents de la prière de Bellini, *Casta diva*, s'était levée et rappelait la cantatrice dans un tumulte glorieux. On jetait des fleurs, des bracelets, des couronnes. Un sentiment d'immortalité enveloppait l'auguste artiste, presque mourante, et qui s'enfuyait en croyant chanter !

Au centre des fauteuils d'orchestre, un tout jeune homme, dont la physionomie exprimait une âme résolue et fière, — manifestait, brisant ses gants à force d'applaudir, l'admiration passionnée qu'il subissait.

Personne, dans le monde parisien, ne connaissait ce spectateur. Il n'avait pas l'air provincial, mais étranger. — En ses vêtements un peu neufs, mais d'un lustre éteint et d'une coupe irréprochable, assis dans ce fauteuil d'orchestre, il eût paru presque singulier, sans les instinctives et mystérieuses élégances qui ressortaient de toute sa personne. En l'examinant, on eût cherché autour de lui de l'espace, du ciel et de la solitude. C'était extraordinaire : mais Paris, n'est-ce pas la ville de l'Extraordinaire ?

Qui était-ce et d'où venait-il ?

C'était un adolescent sauvage, un orphelin seigneurial, — l'un des derniers de ce siècle, — un mélancolique châtelain du Nord échappé, depuis trois jours, de la nuit d'un manoir des Cornouailles.

Il s'appelait le comte Félicien de la Vierge ; il possédait le château de Blanchelande, en Basse-Bretagne. Une soif d'existence brûlante, une curiosité de notre merveilleux enfer, avait pris et enfiévré, tout à coup, ce chasseur, là-bas !... Il s'était mis en voyage, et il était là, tout simplement. Sa présence à Paris ne datait que du matin, de sorte que ses grands yeux étaient encore splendides.

C'était son premier soir de jeunesse ! Il avait vingt ans. C'était son entrée dans un monde de flamme, d'oubli, de banalités, d'or et de plaisirs. Et, *par hasard,* il était arrivé à l'heure pour entendre l'adieu de celle qui partait.

Peu d'instants lui avaient suffi pour s'accoutumer au resplendissement de la salle. Mais, aux premières notes de la Malibran, son âme avait tressailli ; la salle avait disparu. L'habitude du silence des bois, du vent rauque des écueils, du bruit de l'eau sur les pierres des torrents et des graves tombées du crépuscule, avait élevé en poète ce fier jeune homme, et, dans le timbre de la voix qu'il entendait, il lui semblait que l'âme de ces choses lui envoyait la prière lointaine de revenir.

Au moment où, transporté d'enthousiasme, il applaudissait l'artiste inspirée, ses mains demeurèrent en suspens ; il resta immobile.

Au balcon d'une loge venait d'apparaître une jeune femme d'une grande beauté. — Elle regardait la scène. Les lignes fines et nobles de son profil perdu s'ombraient des

180

rouges ténèbres de la loge, tel un camée de Florence en son médaillon. — Pâlie, un gardénia dans ses cheveux bruns, et toute seule, elle appuyait au bord du balcon sa main, dont la forme décelait une lignée illustre. Au joint du corsage de sa robe de moire noire, voilée de dentelles, une pierre malade, une admirable opale, à l'image de son âme, sans doute, luisait dans un cercle d'or. L'air solitaire, indifférent à toute la salle, elle paraissait s'oublier elle-même sous l'invincible charme de cette musique.

Le hasard voulut, cependant, qu'elle détournât, vaguement, les yeux vers la foule ; en cet instant, les yeux du jeune homme et les siens se rencontrèrent, le temps de briller et de s'éteindre, une seconde.

S'étaient-ils connus jamais ?... Non. Pas sur la terre. Mais que ceux-là qui peuvent dire où commence le Passé décident où ces deux êtres s'étaient, véritablement, déjà possédés, car ce seul regard leur avait persuadé, cette fois et pour toujours, qu'ils ne dataient pas de leur berceau. L'éclair illumine, d'un seul coup, les lames et les écumes de la mer nocturne, et, à l'horizon, les lointaines lignes d'argent des flots : ainsi l'impression, dans le cœur de ce jeune homme, sous ce rapide regard, ne fut pas graduée ; ce fut l'intime et magique éblouissement d'un monde qui se dévoile ! Il ferma les paupières comme pour y retenir les deux lueurs bleues qui s'y étaient perdues ; puis, il voulut résister à ce vertige oppresseur. Il releva les yeux vers l'inconnue.

Pensive, elle appuyait encore son regard sur le sien, comme si elle eût compris la pensée de ce sauvage amant et comme si c'eût été chose naturelle ! Félicien se sentit pâlir ; l'impression lui vint, en ce coup d'œil, de deux bras qui se joignaient, languissants, autour de son cou. — C'en était fait ! le visage de cette femme venait de se réfléchir dans son esprit comme en un miroir familier, de s'y incarner, de s'y

181

reconnaître ! de s'y fixer à tout jamais sous une magie de pensées presque divines ! Il aimait du premier et inoubliable amour.

Cependant, la jeune femme, dépliant son éventail, dont les dentelles noires touchaient ses lèvres, semblait rentrée dans son inattention. Maintenant, on eût dit qu'elle écoutait exclusivement les mélodies de *la Norma*.

Au moment d'élever sa lorgnette vers la loge, Félicien sentit que ce serait une inconvenance.

— Puisque je l'aime ! se dit-il.

Impatient de la fin de l'acte, il se recueillait. — Comment lui parler ? apprendre son nom ? Il ne connaissait personne.

— Consulter, demain, le registre des Italiens ? Et si c'était une loge de hasard, achetée à cause de cette soirée ! L'heure pressait, la vision allait disparaître. Eh bien ! sa voiture suivrait la sienne, voilà tout... Il lui semblait qu'il n'y avait pas d'autres moyens. Ensuite, il aviserait ! Puis il se dit, en sa naïveté... sublime : « Si elle *m'aime*, elle s'apercevra bien et me laissera quelque indice. »

La toile tomba. Félicien quitta la salle très vite. Une fois sous le péristyle, il se promena, simplement, devant les statues.

Son valet de chambre s'étant approché, il lui chuchota quelques instructions ; le valet se retira dans un angle et y demeura très attentif.

Le vaste bruit de l'ovation faite à la cantatrice cessa peu à peu, comme tous les bruits de triomphe de ce monde. — On descendait le grand escalier. — Félicien, l'œil fixé au sommet, entre les deux vases de marbre, d'où ruisselait le fleuve éblouissant de la foule, attendit.

Ni les visages radieux, ni les parures, ni les fleurs au front des jeunes filles, ni les camails d'hermine, ni le flot éclatant qui s'écoulait devant lui, sous les lumières, il ne vit rien.

Et toute cette assemblée s'évanouit bientôt, peu à peu, sans que la jeune femme apparût.

L'avait-il donc laissée s'enfuir sans la reconnaître ?... Non ! c'était impossible. — Un vieux domestique, poudré, couvert de fourrures, se tenait encore dans le vestibule. Sur les boutons de sa livrée noire brillaient les feuilles d'ache d'une couronne ducale.

Tout à coup, au haut de l'escalier solitaire, *elle* parut ! Seule ! Svelte, sous un manteau de velours et les cheveux cachés par une mantille de dentelle, elle appuyait sa main gantée sur la rampe de marbre. Elle aperçut Félicien debout auprès d'une statue, mais ne sembla pas se préoccuper davantage de sa présence.

Elle descendit paisiblement. Le domestique s'étant approché, elle prononça quelques paroles à voix basse. Le laquais s'inclina et se retira sans plus attendre. L'instant d'après, on entendit le bruit d'une voiture qui s'éloignait. Alors elle sortit. Elle descendit, toujours seule, les marches extérieures du théâtre. Félicien prit à peine le temps de jeter ces mots à son valet de chambre :

— Rentrez seul à l'hôtel.

En un moment, il se trouva sur la place des Italiens, à quelques pas de cette dame ; la foule s'était dissipée, déjà, dans les rues environnantes ; l'écho lointain des voitures s'affaiblissait.

Il faisait une nuit d'octobre, sèche, étoilée.

L'inconnue marchait, très lente et comme peu habituée.

— La suivre ? Il le fallait, il s'y décida. Le vent d'automne lui apportait le parfum d'ambre très faible qui venait d'elle, le traînant et sonore froissement de la moire sur l'asphalte.

Devant la rue Monsigny, elle s'orienta une seconde, puis marcha, comme indifférente, jusqu'à la rue de Grammont déserte et à peine éclairée.

Tout à coup le jeune homme s'arrêta ; une pensée lui traversa l'esprit. C'était une étrangère, peut-être !

Une voiture pouvait passer et l'emporter à tout jamais ! Demain, se heurter aux pierres d'une ville, toujours ! sans la retrouver !

Être séparé d'elle, sans cesse, par le hasard d'une rue, d'un instant qui peut durer l'éternité ! Quel avenir ! Cette pensée le troubla jusqu'à lui faire oublier toute considération de bienséance.

Il dépassa la jeune femme à l'angle de la sombre rue ; alors il se retourna, devint horriblement pâle et, s'appuyant au pilier de fonte du réverbère, il la salua ; puis, très simplement, pendant qu'une sorte de magnétisme charmant sortait de tout son être :

— Madame, dit-il, vous le savez ; je vous ai vue, ce soir, pour la première fois. Comme j'ai peur de ne plus vous revoir, il faut que je vous dise — (il défaillait) — que *je vous aime !* acheva-t-il à voix basse, et que, si vous passez, je mourrai sans redire ces mots à personne.

Elle s'arrêta, leva son voile et considéra Félicien avec une fixité attentive. Après un court silence :

— Monsieur, — répondit-elle d'une voix dont la pureté laissait transparaître les plus lointaines intentions de l'esprit, — monsieur, le sentiment qui vous donne cette pâleur et ce maintien doit être, en effet, bien profond, pour que vous trouviez en lui la justification de ce que vous faites. Je ne me sens donc nullement offensée. Remettez-vous, et tenez-moi pour une amie.

Félicien ne fut pas étonné de cette réponse : il lui semblait naturel que l'idéal répondît idéalement.

La circonstance était de celles, en effet, où tous deux avaient à se rappeler, s'ils en étaient dignes, qu'ils étaient de la race de ceux qui font les convenances et non de la race de

184

ceux qui les subissent. Ce que le public des humains appelle, à tout hasard, les convenances n'est qu'une imitation mécanique, servile et presque simiesque de ce qui a été vaguement pratiqué par des êtres de haute nature en des circonstances générales.

Avec un transport de tendresse naïve, il baisa la main qu'on lui offrait.

— Voulez-vous me donner la fleur que vous avez portée dans vos cheveux toute la soirée ?

L'inconnue ôta, silencieusement, la pâle fleur, sous les dentelles, et, l'offrant à Félicien :

— Adieu maintenant, dit-elle, et à jamais.

— Adieu !... balbutia-t-il. — Vous ne *m'aimez* donc pas ?

— Ah ! vous êtes mariée ! s'écria-t-il tout à coup.

— Non.

— Libre ! Ô ciel !

— Oubliez-moi, cependant ! Il le faut, monsieur.

— Mais vous êtes devenue, en un instant, le battement de mon cœur ! Est-ce que je puis vivre sans vous ? Le seul air que je veuille respirer, c'est le vôtre ! Ce que vous dites, je ne le comprends plus : vous oublier... comment cela ?

— Un terrible malheur m'a frappée. Vous en faire l'aveu serait vous attrister jusqu'à la mort, c'est inutile.

— Quel malheur peut séparer ceux qui s'aiment !

— Celui-là.

En prononçant cette parole, elle ferma les yeux.

La rue s'allongeait, absolument déserte. Un portail donnant sur un petit enclos, une sorte de triste jardin, était grand ouvert auprès d'eux. Il semblait leur offrir son ombre.

Félicien, comme un enfant irrésistible, qui adore, l'emmena sous cette voûte de ténèbres en enveloppant la taille qu'on lui abandonnait.

L'enivrante sensation de la soie tendue et tiède qui se

moulait autour d'elle lui communiqua le désir fiévreux de l'étreindre, de l'emporter, de se perdre en son baiser. Il résista. Mais le vertige lui ôtait la faculté de parler. Il ne trouva que ces mots balbutiés et indistincts :

— Mon Dieu, mais, comme je vous aime !

Alors cette femme inclina la tête sur la poitrine de celui qui l'aimait et, d'une voix amère et désespérée :

— Je ne vous entends pas ! je meurs de honte ! Je ne vous entends pas ! Je n'entendrais pas votre nom ! Je n'entendrais pas votre dernier soupir ! Je n'entends pas les battements de votre cœur qui frappent mon front et mes paupières ! Ne voyez-vous pas l'affreuse souffrance qui me tue ! — Je suis... ah ! je suis SOURDE !

— Sourde, s'écria Félicien, foudroyé par une froide stupeur et frémissant de la tête aux pieds.

— Oui ! depuis des années ! Oh ! toute la science humaine serait impuissante à me ressusciter de cet horrible silence. Je suis sourde comme le ciel et comme la tombe, monsieur ! C'est à maudire le jour, mais c'est la vérité. Ainsi, laissez-moi !

— Sourde, répétait Félicien, qui, sous cette inimaginable révélation, était demeuré sans pensée, bouleversé et hors d'état même de réfléchir à ce qu'il disait. Sourde ?...

Puis, tout à coup :

— Mais, ce soir, aux Italiens, s'écria-t-il, vous applaudissiez, cependant, cette musique !

Il s'arrêta, songeant qu'elle ne devait pas l'entendre. La chose devenait brusquement si épouvantable qu'elle provoquait le sourire.

— Aux Italiens ?... répondit-elle, en souriant elle-même. Vous oubliez que j'ai eu le loisir d'étudier le semblant de bien des émotions. Suis-je donc la seule ? Nous appartenons au rang que le destin nous donne et il est de notre devoir de le tenir. Cette noble femme qui chantait méritait bien quelques marques suprêmes de sympathie ? Pensez-vous, d'ailleurs, que mes applaudissements différaient beaucoup de ceux des *dilettanti* les plus enthousiastes ? J'étais musicienne, autrefois !...

À ces mots, Félicien la regarda, un peu égaré, et s'efforçant de sourire encore :

— Oh ! dit-il, est-ce que vous vous jouez d'un cœur qui vous aime à la désolation ? Vous vous accusez de ne pas entendre et vous me répondez !...

— Hélas, dit-elle, c'est que... ce que vous dites, vous le croyez *personnel*, mon ami ! Vous êtes sincère ; mais vos paroles ne sont nouvelles que pour vous. — Pour moi, vous récitez un dialogue dont j'ai appris, d'avance, toutes les réponses. Depuis des années, il est pour moi toujours le même. C'est un rôle dont toutes les phrases sont dictées et nécessitées avec une précision vraiment affreuse. Je le possède à un tel point que si j'acceptais, — ce qui serait un crime, — d'unir ma détresse, ne fût-ce que quelques jours, à votre destinée, vous oublieriez, à chaque instant, la confidence funeste que je vous ai faite. L'illusion, je vous la donnerais, complète, exacte, *ni plus ni moins qu'une autre femme*, je vous assure ! Je serais même, incomparablement, plus réelle que la réalité. Songez que les circonstances dictent toujours les mêmes paroles et que le visage s'harmonise toujours un peu avec elles ! Vous ne pourriez croire que je ne vous entends pas, tant je devinerais juste. — N'y pensons plus, voulez-vous ?

Il se sentit effrayé, cette fois.

— Ah ! dit-il, quelles amères paroles vous avez le droit de prononcer !... Mais, moi, s'il en est ainsi, je veux partager avec vous, fût-ce l'éternel silence, s'il le faut. Pourquoi voulez-vous m'exclure de cette infortune ? J'eusse partagé votre bonheur ! Et notre âme peut suppléer à tout ce qui existe.

La jeune femme tressaillit, et ce fut avec des yeux pleins de lumière qu'elle le regarda.

— Voulez-vous marcher un peu, en me donnant le bras, dans cette rue sombre ? dit-elle. Nous nous figurerons que c'est une promenade pleine d'arbres, de printemps et de soleil ! — J'ai quelque chose à vous dire, moi aussi, que je ne redirai plus.

Les deux amants, le cœur dans l'étau d'une tristesse fatale, marchèrent, la main dans la main, comme des exilés.

— Écoutez-moi, dit-elle, vous qui pouvez entendre le son de ma voix. Pourquoi donc ai-je senti que vous ne m'offensiez pas ? Et pourquoi vous ai-je répondu ? Le savez-vous ?... Certes, il est tout simple que j'aie acquis la science de lire, sur les traits d'un visage et dans les attitudes, les sentiments qui déterminent les actes d'un homme, mais, ce qui est tout différent, c'est que je pressente, avec une exactitude aussi profonde et, pour ainsi dire, presque infinie, la valeur et la qualité de ces sentiments ainsi que leur intime harmonie en celui qui me parle. Quand vous avez pris sur vous de commettre, envers moi, cette épouvantable inconvenance de tout à l'heure, j'étais la seule femme, peut-être, qui pouvait en saisir, à l'instant même, la véritable signification.

« Je vous ai répondu, parce qu'il m'a semblé voir luire sur votre front ce signe inconnu qui annonce ceux dont la pensée, loin d'être obscurcie, dominée et bâillonnée par leurs passions, grandit et divinise toutes les émotions de la vie et dégage l'idéal contenu dans toutes les sensations qu'ils éprouvent. Ami, laissez-moi vous apprendre mon secret. La fatalité, d'abord si douloureuse, qui a frappé mon être matériel, est devenue pour moi l'affranchissement de bien des servitudes! Elle m'a délivrée de cette surdité intellectuelle dont la plupart des autres femmes sont les victimes.

«Hélas, je suis sourde... mais elles! Qu'entendent-elles!... Ou, plutôt, qu'écoutent-elles dans les propos qu'on leur adresse, sinon le bruit confus, en harmonie avec le jeu de physionomie de celui qui leur parle! De sorte qu'inattentives non pas au sens apparent, mais à la *qualité*, révélatrice et profonde, au *véritable* sens enfin, de chaque parole, elles se contentent d'y distinguer une intention de flatterie, qui leur suffit amplement. C'est ce qu'elles appellent le «positif de la vie» avec un de ces sourires... Oh! vous verrez, si vous vivez! Vous verrez quels mystérieux océans de candeur, de suffisance et de basse frivolité cache, uniquement, ce délicieux sourire! — L'abîme d'amour charmant, divin, obscur, véritablement étoilé, comme la Nuit, qu'éprouvent les êtres de votre nature, essayez de le traduire à l'une d'entre elles!... Si vos expressions filtrent jusqu'à son cerveau, elles s'y déformeront, comme une source pure qui traverse un marécage. De sorte qu'en réalité cette femme *ne les aura pas entendues*. «La Vie est impuissante à combler ces rêves, disent-elles, et vous lui demandez trop!» Ah! comme si la Vie n'était pas faite pour les vivants!

— Mon Dieu! murmura Félicien.

— Vous prêtez aux femmes un secret, parce qu'elles ne s'expriment que par des actes. Fières, orgueilleuses de ce secret, qu'elles ignorent elles-mêmes, elles aiment à laisser croire qu'on peut les deviner. Et tout homme, flatté de se croire le divinateur attendu, malverse de sa vie pour épouser un sphinx de pierre. Et nul d'entre eux ne peut s'élever *d'avance* jusqu'à cette réflexion qu'un secret, si terrible qu'il soit, s'il n'est *jamais* exprimé, est identique au néant.

Bénédicte Ombredanne s'arrêta.

— Je suis amère, ce soir, continua-t-elle, — voici pourquoi :

je n'enviais plus ce qu'elles possèdent, ayant constaté l'usage qu'elles en font — et que j'en eusse fait moi-même, sans doute! Mais vous voici, vous voici, vous qu'autrefois j'aurais tant aimé!... je vous vois!... je vous devine!... je reconnais votre âme dans vos yeux... vous me l'offrez, *et je ne puis vous la prendre!...*

Bénédicte Ombredanne cacha son front dans ses mains.

— Oh! répondit tout bas Félicien, les yeux en pleurs, — je puis du moins baiser la tienne dans le souffle de tes lèvres!

— Comprends-moi! Laisse-toi vivre! tu es si belle!... Le silence de notre amour le fera plus ineffable et plus sublime, ma passion grandira de toute ta douleur, de toute notre mélancolie!... Chère femme épousée à jamais, viens vivre ensemble!

Elle le contemplait de ses yeux aussi baignés de larmes et, posant la main sur le bras qui l'enlaçait:

— Vous allez déclarer vous-même que c'est impossible! dit-elle. Écoutez encore! je veux achever, en ce moment, de vous révéler toute ma pensée... car vous ne m'entendrez plus... et je ne veux pas être oubliée.

Elle parlait lentement et marchait, la tête inclinée sur l'épaule du jeune homme.

— Vivre ensemble!... dites-vous... Vous oubliez qu'après les premières exaltations, la vie prend des caractères d'intimité où le besoin de s'exprimer exactement devient inévitable. C'est un instant sacré! Et c'est l'instant cruel où ceux qui se sont épousés inattentifs à leurs paroles reçoivent le châtiment irréparable du peu de valeur qu'ils ont accordée à la *qualité* du sens réel, UNIQUE, enfin, que ces paroles recevaient de ceux qui les énonçaient.

«Car ils ne veulent pas s'apercevoir qu'ils n'ont possédé que ce qu'ils désiraient! Il leur est impossible de croire que, — hors la Pensée, qui transfigure toutes choses, — toute

190

chose n'est qu'ILLUSION ici-bas. Et que toute passion, acceptée et conçue dans la seule sensualité, devient bientôt plus amère que la mort pour ceux qui s'y sont abandonnés. — Regardez au visage les passants, et vous verrez si je m'abuse. — Mais nous, demain! Quand cet instant serait venu!... J'aurais votre regard, mais je n'aurais pas votre voix! j'aurais votre sourire... mais non vos paroles! Et je sens que vous ne devez point parler comme les autres!...

En écoutant ces paroles, le jeune homme était devenu sombre : ce qu'il éprouvait, c'était de la terreur.

— Oh! s'écria-t-il. Mais vous entr'ouvrez dans mon cœur des gouffres de malheur et de colère! J'ai le pied sur le seuil du paradis et il faut que je referme, sur moi-même, la porte de toutes les joies! Êtes-vous la tentatrice suprême — enfin!... Il me semble que je vois luire, dans vos yeux, je ne sais quel orgueil de m'avoir désespéré.

— Va! je suis celle qui ne t'oubliera pas! répondit-elle.

— Comment oublier les mots pressentis qu'on n'a pas entendus?

— Madame, hélas! vous tuez à plaisir toute la jeune espérance que j'ensevelis en vous!... Cependant, si tu es présente où je vivrai, l'avenir, nous le vaincrons ensemble! Aimons-nous avec plus de courage! Laisse-toi venir!

Par un mouvement inattendu et féminin, elle noua ses lèvres aux siennes, dans l'ombre, doucement, pendant quelques secondes. Puis elle lui dit avec une sorte de lassitude:

— Ami, je vous dis que c'est impossible. Je ne profanerai pas ma vie pour la moitié de l'Amour. Bien que vierge, je suis veuve d'un rêve et veux rester inassouvie. Je vous le dis, je ne puis vous prendre votre âme en échange de la mienne. Vous étiez, cependant, celui destiné à retenir mon être!... Et c'est à cause de cela même que mon devoir est de vous ravir mon corps. Je l'emporte! C'est ma prison! Puissé-je en être bientôt délivrée! — Je ne veux pas savoir votre nom... *Je ne veux pas le lire!*... Adieu! — Adieu!...

Une voiture étincelait à quelques pas, au détour de la rue de Grammont. Félicien reconnut vaguement le valet du péristyle des Italiens lorsque, sur un signe de la jeune femme, un domestique abaissa le marchepied du coupé.

Celle-ci quitta le bras de Félicien, se dégagea comme un oiseau, entra dans la voiture. L'instant d'après, tout avait disparu.

M. le comte de la Vierge repartit, le lendemain, pour son solitaire château de Blanchelande, — et l'on n'a plus jamais entendu parler de lui.

Certes, il pouvait se vanter d'avoir rencontré, du premier coup, une femme sincère, — ayant, enfin, *le courage de ses opinions.*

6

Quand elle se réveilla, on lui apprit qu'elle était là depuis soixante-douze heures, qu'elle avait déjà parlé aux médecins plusieurs fois, avant de replonger dans un profond sommeil. Elle n'en avait aucun souvenir.

Elle se trouvait aux urgences psychiatriques du centre hospitalier régional de Metz, dans une chambre individuelle. Son état ne présentait aucun caractère de gravité. On lui expliqua que deux plaquettes de Xanax n'avaient jamais fait mourir personne, mais elle le savait probablement puisqu'elle avait commis ce geste. Dans une ville comme Metz, il était rare que plusieurs personnes ne soient pas admises chaque nuit aux urgences psychiatriques de l'hôpital public pour une intoxication médicamenteuse — et aucune d'elles ne souhaitait vraiment mourir, comme ils pouvaient chaque fois le vérifier facilement. On lui demanda pourquoi elle avait fait ça et Bénédicte Ombredanne répondit qu'elle n'en savait rien, par épuisement sans doute, peut-être par désespoir. On lui demanda pour quelle raison elle était désespérée, elle répondit par un haussement d'épaules, avant de refermer les yeux.

Le lendemain, on lui signifia qu'elle allait devoir rentrer chez elle.

Elle n'en avait aucune envie.

Elle demanda si elle pouvait rester quelques jours de plus, on lui répondit que son état ne le justifiait pas. Elle déclara qu'elle ne voulait pas rentrer chez elle, elle souhaitait se reposer encore un peu. On lui expliqua qu'avoir seulement besoin de reprendre des forces ne pouvait donner lieu à une prolongation de son séjour à l'hôpital. À sa demande, le chef de service vint recevoir ses doléances, il réitéra son refus de la maintenir aux urgences psychiatriques, lesquelles, comme leur intitulé l'indiquait assez clairement, n'avaient pas pour vocation d'accueillir durablement des patients. Elle le trouva un peu sec. Il lui demanda pour quelle raison elle ne voulait pas rentrer chez elle, il essaya de mieux comprendre sa situation en l'interrogeant sur son environnement familial, celui-ci présentait-il un facteur de risque particulier ? Elle répondit que non en remuant la tête, mais s'obstina à ne pas vouloir éclaircir sa position, se contentant de répéter qu'elle avait besoin de se reposer, d'être au calme, seule, sans travailler, loin de ses proches. Vous avez des problèmes avec vos proches ? Bénédicte Ombredanne ferma les yeux pendant quelques secondes, avant de les rouvrir, emplis de larmes. Le psychiatre lui déclara qu'il allait la faire admettre à Sainte-Blandine, où elle pourrait rester une petite quinzaine de jours, pas plus, une petite quinzaine de jours, si c'est ça que vous voulez, madame, lui dit-il. Comme vous le savez sans doute, Sainte-Blandine est une clinique psychiatrique privée située en centre-ville, je ne vais pas vous envoyer à Jury, en HP, pour l'ingestion de deux plaquettes d'anxiolytiques, ce serait disproportionné. Je vous souhaite un bon rétablissement.

Elle resta tout aussi évasive avec le psychiatre de Sainte-Blandine qui la reçut. Elle lui parla d'une fatigue océanique consécutive à des insomnies récurrentes, elle prétendit ne pas savoir pour quelle raison elle ne parvenait pas à dormir. Elle éluda toutes les questions relatives à sa vie familiale, conservant sur le sujet une indéfectible imprécision, déclarant avec fermeté qu'elle n'avait aucun problème particulier de ce côté-là, pas plus que n'importe qui, en tout cas, affirma-t-elle. Elle sentait, à l'insistance avec laquelle il l'interrogeait sur son mari, qu'il nourrissait quelques soupçons sérieux à l'égard de celui-ci. Souhaitez-vous que je le rencontre ? lui demanda-t-il. Non non non, surtout pas, lui répondit-elle. Le psychiatre déclara à Bénédicte Ombredanne qu'ils auraient des entretiens quotidiens, il allait lui prescrire des anxiolytiques et des somnifères, et sauf indication contraire elle pourrait sortir d'ici dans deux semaines, probablement.

Elle passa les deux premiers jours à dormir et à se reposer, sans mettre le nez dehors. À Sainte-Blandine, les repas ainsi que les médicaments étaient servis et apportés en chambre. Le psychiatre n'insista pas pour que leurs entretiens se déroulent ailleurs que dans ce lieu intime et protégé où Bénédicte Ombredanne, encore fragile, avait l'air de se sentir si bien, si en sécurité.

Son mari venait lui rendre visite chaque jour en fin d'après-midi, après son travail. Pour éviter qu'il ne l'envahisse, et qu'il ne soit tenté de passer la voir plus fréquemment, elle adoptait à son égard des manières réfractaires, pour ne pas dire réfrigérantes. Même, souvent, en sa présence, elle baissait les paupières et simulait de s'endormir, pour qu'il s'en aille et qu'il arrête de l'entreprendre, agressif, avec toujours les mêmes questions blessantes, sur les raisons pour lesquelles elle avait tenté de mettre fin à ses jours. Malheureusement, il n'était pas rare que Jean-François survienne au moment du dîner, ce qui forçait Bénédicte Ombredanne à affronter ses interrogations obsessionnelles, et ses reproches, et ses lamentations, sans pouvoir s'y soustraire d'une autre façon qu'en se concentrant sur le contenu de son assiette, tête baissée, viande blanche et pommes de terre, silencieuse. Loin de vouloir la consoler, ou la convaincre que tout irait pour le mieux quand elle rentrerait chez eux, Jean-François se présentait chaque soir devant sa femme comme la victime offusquée, méritant réparations, d'une action qu'il jugeait offensante : avoir voulu se faire périr contre son corps, sournoisement, pendant qu'il dormait, afin qu'au matin il ne soit plus l'époux intime que d'un cadavre glacial et contigu, transformant leur couche en caveau. Il était évident que l'objectif de Bénédicte Ombredanne avait été de lui faire payer une situation dont elle semblait avoir oublié qu'elle était l'unique responsable : ce n'était pas lui qui était allé se taper un jeudi après-midi une inconnue branchée sur Internet. Tu te rends compte, si tu avais réussi ton coup ? *Tu te rends compte de ce que ma vie serait devenue, si à mon réveil je t'avais trouvée morte dans le lit ?* Il semblait horrifié qu'une chose aussi atroce eût pu lui arriver, et peser sur sa mémoire jusqu'à la fin de ses jours (il ne disait pas *sur sa conscience*, mais bien *sur sa mémoire*) : que sa propre femme se fût donné la mort au seuil de leur chambre, dans son dos, pour expirer à son insu sous la couette conjugale, pendant son sommeil, son sommeil innocent, comme une accusation posthume proférée contre lui, muette et éternelle, voilà qui le choquait au plus haut point, si bien qu'elle se voyait réclamer chaque jour de plates excuses pour ce geste effarant qu'elle avait perpétré, dirigé contre lui. Quand Jean-François, le soir, se mettait à tenir de tels discours, elle les laissait sans réponse en feignant d'être assommée par les neuroleptiques, comme si les phrases qu'il lui lançait traversaient son cerveau sans pouvoir être analysées, restant aussi opaques et arbitraires que des corbeaux aperçus dans un ciel.

Elle avait refusé que ses enfants lui rendent visite, elle ne voulait pas qu'ils la voient dans cet état, ou bien qu'ils croisent dans les couloirs des patients déréglés par les médicaments, à la démarche heurtée ou alentie, aux yeux brouillés de rêves à peine éteints, ou étincelants de frayeurs saisissantes. Cet environnement les accablerait, c'était certain, et jetterait sur sa personne une lumière dénigrante.

Ils pourront venir plus tard, dans quelques jours, quand j'irai mieux, embrasse-les pour moi, dis-leur surtout que je les aime et que je pense à eux sans cesse. Tu rentres quand ? lui demandait son mari. Je ne sais pas, il était prévu que je reste ici une quinzaine de jours. *Quoi ?! Une quinzaine de jours ?! Mais pourquoi une quinzaine de jours ?!* lui disait-il en s'emportant. Je le vois, tu vas parfaitement bien : il n'y a aucune raison que tu restes ici. Tu lui as dit, au psychiatre, que tu voulais rentrer chez toi ? *Oui ? Tu lui as dit, ou pas ?* Non, pas encore, répondait-elle, évasive, simulant la somnolence. Il la scrutait avec désapprobation. Il lui disait ne pas comprendre ce désir de réclusion : il pensait qu'elle serait mieux à la maison qu'en clinique psychiatrique, au milieu des fous. Ces gens ne sont pas fous, lui disait-elle avec sévérité. Ah bon, et qu'est-ce qu'ils sont, alors ? demandait-il dans un lugubre éclat de rire. La plupart sont en dépression nerveuse, lui disait-elle. Il y a aussi des bipolaires. Ou bien des gens traumatisés, d'après ce que j'ai cru comprendre. En dépression nerveuse ? Des gens traumatisés ? Il faisait *pfff* en secouant la tête, le regard fixé sur ses souliers qu'il n'arrêtait pas de faire claquer sur le carrelage, rythmiquement, avec impatience, comme un batteur de groupe de rock, exaspéré de devoir se rendre chaque jour dans cette clinique de demeurés pour visiter sa pauvre épouse. J'ai demandé au psychiatre, lui disait-elle : oui, la plupart sont en dépression nerveuse, épuisés, en burn out, en état de choc. Ils se reposent ici de leur réalité, c'est tout, lui disait-elle. Ces gens ne sont pas fous.

Elle sentait bien que son mari n'était pas suffisamment à l'aise, dans l'enceinte de ce bâtiment sous haute surveillance, pour adopter à son encontre un comportement menaçant, haineux, ouvertement coercitif (malgré l'envie visible qu'il en avait), dont elle pourrait éventuellement se plaindre lors de ses entretiens avec le psychiatre. Il devait craindre d'être convoqué un soir par celui-ci, au motif de mettre sur la table, pour en examiner tous les rouages, ce qu'elle aurait raconté à cet homme de leur intimité des derniers mois. C'est ce qu'elle se disait quand déclarant à Jean-François : *laisse-moi maintenant, j'ai besoin d'être seule, je ne veux plus voir personne*, celui-ci se retirait servilement sans presque protester — alors qu'elle le sentait désireux de dénigrer son état, de faire voler en éclats le cristal de cette aura de délicatesse où elle semblait revendiquer d'avoir été mise à l'abri, vis-à-vis de lui, depuis qu'elle était là, à Sainte-Blandine, comme un objet fragile sous une cloche transparente. Il était flagrant que sa félicité à disposer d'une chambre pour elle toute seule, princesse dans les hauteurs d'un château fort, alcôve consolatrice à l'écart des fureurs du monde, choquait profondément son mari, le laissait médusé. Parfois, il murmurait deux ou trois mots plaintifs par lesquels il espérait éveiller sa pitié, et qu'elle lui dise OK, c'est bon, reste avec moi encore un peu, mais Bénédicte Ombredanne demeurait inflexible et de son regard noir, frontal, buté, d'acier, elle repoussait son mari comme avec un râteau vers la porte de sa chambre, alors il reculait, comme déblayé, ayant perdu tous ses repères, après avoir déposé un baiser sur ses lèvres, légèrement dégoûté.

Pendant ses entretiens avec le psychiatre, Bénédicte Ombredanne était quasi mutique, souhaitant ne rien révéler du processus qui l'avait conduite à avaler deux plaquettes de Xanax. Elle redoutait qu'en s'éclaircissant son cas ne soit versé avec condescendance dans la catégorie des faits de société, le psychiatre les réunirait un soir dans son bureau pour les amener à réfléchir à leur situation, sans doute leur prescrirait-il une thérapie conjugale, tenterait-il de raisonner Jean-François, l'enjoindrait-il à respecter sa femme, quelque chose de ce genre. Alors il serait mis un terme presque immédiat à son séjour à Sainte-Blandine (laquelle clinique n'avait pas à prendre en charge les femmes que harcelait leur mari, supposait-elle), réduisant à néant la quiétude qu'elle s'était enfin procurée en obtenant de se cacher dans ce refuge qu'elle aimait déjà tant, où pour la première fois depuis des années elle voyait briller dans ses pensées, *ses pensées de nouveau en mouvement*, la lueur d'un désir pour la vie, et d'un espoir de renaissance. Le mouvement était encore assez lent, certes, peu assuré, mais il était indéniable, il lui laissait espérer qu'avec son seul cerveau — comme grimpée sur une bicyclette remise en état — elle pourrait aller quelque part, atteindre un résultat, et peut-être même produire de la beauté, oui, pourquoi pas, de la beauté, avec des mots, des phrases et des idées de rythmes, avec, sous son crayon, la nuit, enfermée dans sa chambre, des fulgurances comparables au surgissement d'un cerf sous les yeux d'un promeneur, en pleine forêt, entre les branches d'un instant suspendu, sublime et frémissante surprise. Ils se regarderaient dans les yeux un long moment, l'animal et elle, *elle et elle*, avant qu'il ne s'enfuie, tout frissonnant de peur, et qu'elle ne puisse se dire qu'elle venait de retrouver sa voie, et de s'apercevoir enfin, oui, *elle*, les yeux dans les yeux, dans le reflet métaphysique d'un instant fugitif. C'étaient des événements de cette nature qu'elle se sentait capable de faire naître dans ses phrases — dans ses nuits fortifiées, comme on le dit d'une ville enclose dans des remparts. Pouvait-elle l'avouer au psychiatre ? Non, elle ne le pouvait pas, elle avait peur qu'il ne lui dise qu'il n'était pas hôtelier, et qu'elle pourrait fort bien envisager un séjour à la campagne, dans une petite pension, si ce qu'elle recherchait c'était le calme et le silence, être seule avec elle-même et ses pensées profondes, pour écrire et méditer, retrouver son intégrité d'être humain, de femme. Voilà ce que lui dirait certainement le psychiatre, si elle se mettait à lui parler vraiment. Au lieu de quoi, se retranchant derrière une prostration trompeuse, des silences calculés, des regards fixes humides de larmes appuyés sur les murs, elle créait pour le psychiatre une manière de trompe-l'œil insondable, faussement pathologique, susceptible d'égarer sa science dans de longues et touffues conjectures, afin que son séjour puisse se perpétuer.

Pendant la journée, outre dormir, elle essayait de lire un peu, mais surtout elle écrivait. Elle aurait bien aimé se procurer un cahier, mais elle n'avait pas osé demander à son mari de lui en apporter un qu'il aurait pu acheter un soir en sortant du travail : elle craignait qu'il ne l'interroge sur ce besoin qu'elle avait d'un cahier, et d'écrire, et d'écrire quoi, et pour quoi faire, et pour qui, et qu'il ne lui demande, un jour, plus tard, de le lui montrer, ou même qu'il ne cherche, en son absence, à mettre la main dessus, pour vérifier que son épouse était bien un être à double-fond, mentalement détraqué, plein de secrets inavouables, à l'imagination délictueuse. Elle en était certaine, demander à Jean-François de lui apporter un cahier serait source de tourments, ce serait semer le trouble dans son esprit, rouvrir ses plaies, jeter de l'huile sur le brasier de sa douleur et en récupérer toutes les affreuses nuisances, après transformation de sa souffrance en mécanisme de harcèlement. C'était une activité, l'écriture, qu'elle devait garder secrète, d'autant plus que son projet était de consigner scrupuleusement tout ce que son après-midi du 9 mars avait laissé dans sa mémoire : l'intégralité des phrases qu'ils s'étaient dites, Christian et elle, si une telle chose était possible, la description de sa maison, des meubles et des objets qu'elle y avait remarqués. Leurs deux rapports sexuels, aussi, elle désirait les décrire de l'intérieur avec le plus d'exactitude possible, numéroter chaque sensation, en dresser l'inventaire exhaustif, établir leurs gradations, leurs progressives métamorphoses. Comment chacune avait résonné dans son corps, et où, et pendant combien de temps, avant de s'effacer, et de quelle façon, et à quelle vitesse, pour être ensuite remplacée, et avec quelle intensité, par quelle autre, de quelle nature, sous l'effet de quelle action savante, surprenante, talentueuse et concertée, ou au contraire parfaitement instinctive, initiée par Christian, son sublime amant d'un jour. Elle avait demandé au psychiatre, un matin, au moment où il allait se retirer, s'il aurait la gentillesse de bien vouloir lui fournir du papier et un crayon. Il n'avait rien répondu de précis, hochant la tête d'un air entendu. Mais une dizaine de minutes plus tard une secrétaire avait frappé à la porte et lui avait remis une liasse de feuilles accompagnée d'un critérium, lui demandant si ça allait suffire. Âgée d'une trentaine d'années, la secrétaire était rousse et rondelette, ravissante : elle rosissait chaque fois qu'elle parlait. Son cadeau dans les mains, Bénédicte Ombredanne exultait de ce qu'elle allait pouvoir entreprendre grâce à ces choses pourtant si ordinaires qui venaient de lui être apportées, dont soudain elle retrouvait, avec une joie proprement enfantine, comme si celles-ci avaient été rendues rarissimes par une longue pénurie, toute la valeur originelle : tout à coup, rien ne lui avait paru plus précieux qu'une feuille et un crayon. Non, ça va aller, merci infiniment, si j'ai besoin d'un peu plus je vous le dirai, déclara-t-elle avec des larmes dans les yeux. N'hésitez pas à m'en redemander, ce sera avec plaisir, lui répondit la secrétaire en rosissant, visiblement émue elle aussi, avant de refermer la porte.

201

Oui, c'était bien ça qui était en train de se produire dans son existence : en même temps qu'elle retrouvait la valeur essentielle d'une simple feuille de papier, la rayonnante valeur de sa personne se laissait de nouveau percevoir, sa saveur, ce par quoi elle se définissait comme un être distinct des autres, unique, indicible, estimable, au fond d'elle-même. Elle réapprit à s'aimer : d'abord timidement, comme à tâtons, sans trop y croire, puis d'une manière de plus en plus affirmée à mesure que les jours s'écoulaient, et que les pages qu'elle écrivait s'accumulaient. Chaque fois qu'elle les relisait, elle éprouvait la sensation de se refléter dans un miroir, un miroir où elle avait la surprise, toujours, de se trouver unique et estimable, poétiquement à son goût. Ce résultat parce qu'elle avait dormi pendant soixante-douze heures, purifiée par un sommeil radical ? Le bonheur qu'elle éprouvait d'avoir redécouvert dans son être ce filon de minerai oublié, en d'autres termes *toute l'initiale singularité de sa sensibilité, et de son univers mental,* gisement dont elle se réjouissait de pouvoir l'exploiter de nouveau, chaque jour, par les forages de ses écrits, pendant tout le temps qu'allait durer son séjour à Sainte-Blandine, ce bonheur-là lui parut inégalable, se confondant en grande partie avec celui que lui aurait procuré l'arrivée de Christian dans sa chambre (en chair et en os, avec un grand sourire entre les parenthèses de ses fossettes), ou bien la possibilité qu'elle aurait eue de retourner dans son passé pour y revivre la journée du 9 mars, grâce aux pouvoirs magiques d'une fée.

Quel bonheur que d'écrire, quel bonheur que de pouvoir, la nuit, souvent la nuit, s'introduire en soi et dépeindre ce qu'on y voit, ce qu'on y sent, ce qu'on entend que murmurent les souvenirs, la nostalgie ou le besoin de retrouver intacte sa propre grâce évanouie, évanouie dans la réalité mais bien vivante au fond de soi, vivante au fond de soi et éclairée au loin comme une maison dans la nuit, une maison vers laquelle on laisse guider ses pas, seul, conduit par la confiance, l'inspiration, ses intuitions renaissantes, par le désir de rejoindre cet endroit qu'on voit briller au loin dans les ténèbres, attirant, illuminé, en sachant que c'est chez soi, que c'est là que se trouve enfermé, au fond de soi, ce qu'on a de plus précieux, son être le plus secret. (Évidemment, ce cheminement s'accompagne de puissantes sensations corporelles. Je sens depuis peu dans mon ventre un point de densité incompressible, incandescent, semblable à un grouillement de joie, semblable aux frétillements d'une incessante animation moléculaire, comme si mon organisme, à cet endroit, était agrandi par la lentille d'un microscope et que cet agrandissement ne se traduisait pas par des images, non, mais par l'accentuation des manifestations sensorielles qu'y produit le bonheur. Les pourtours de cette ardente intensification s'aventurent jusqu'à ma gorge, où surgissent fréquemment des hoquets d'euphorie, et surtout dans mon bas-ventre, souvent humide et mélodieux, où le sexe de Christian laisse son empreinte en creux par l'atroce manque que j'ai de lui, là, à l'intérieur de moi.) C'est drôle, quand on s'enfonce ainsi en soi et qu'on marche vers cette lointaine lumière habitée, c'est comme un paysage nocturne qui se déploie, grandiose, empli d'autant de sensations et de phrases qu'une forêt peut résonner de cris d'oiseaux et de bruissements d'animaux, de senteurs de fleurs et d'écorce, de mousse, de champignons : son mental transformé en paysage ou en forêt, en territoire de chasse et de cueillette, où s'accomplissent des trajectoires cinglantes à travers bois, sinueuses, au milieu des taillis et des ronces, ou au contraire plus douces, rapides, rectilignes, sur l'épiderme d'une plaine cultivée. Les mots sont si gentils, étonnamment dociles et bienveillants, ils se laissent si facilement entrevoir et cueillir, je les ordonne sur le papier à la faveur de phrases que je trouve belles, qui se révèlent spontanément au fur et à mesure que j'avance, révélant à moi-même mon propre corps empli de sensations et de forces. Elles se révèlent à moi, ces phrases, comme un paysage le long d'un chemin, il me suffit d'ouvrir les yeux, les phrases sont là dans mes pensées et je les note, je les laisse s'inscrire d'elles-mêmes sur la page, il me suffit d'être en alerte, disponible, tout entière tournée vers ce qui se passe en moi quand je marche et écris, quand je marche en moi-même et laisse tomber les mots de cette cueillette sur le papier, comme si j'étais de nouveau la jeune fille que j'ai été jadis, pleinement dans mon corps, pleinement dans la langue, pleinement dans les mots, pleinement dans mon être : car je ne suis jamais autant moi-même et dans mon être, et dans ma vérité, qu'à travers les mots, les phrases, les livres, les grands auteurs et leur génie de la verbale et tranchante fulgurance. Il faudra sans doute un peu élaguer dans ce que je viens d'écrire, je me répète à plusieurs endroits mais ce n'est pas grave, l'important c'est de se sentir mordue de l'intérieur par l'envie d'écrire, mordue et attrapée et entraînée par l'écriture comme par un animal qui me tiendrait prisonnière de ses crocs, quitte à en faire un peu trop et à aller trop loin, à crier de douleur sous l'emprise de cette mâchoire impérieuse, ce n'est pas grave. Après toutes ces années de sécheresse intérieure, je ne vais pas me plaindre que mes écrits soient trop baroques, aussi chargés de métaphores que le mulet d'un paysan marocain ! (Je plaisante, là, je me moque de moi-même, bien entendu.) Qu'ai-je fait pour mériter ça, tant de bienveillance de la part des mots et de la langue française, que j'ai pourtant tellement négligés ces dernières années, en me contentant d'enseigner, en restant strictement identique à celle que je me suis résignée un jour à devenir, en restant obstinément celle-là année après année, sans plus bouger, sans plus évoluer, en étant fixée sur mes seuls acquis, sur mes seules résignations assumées, en oubliant qui j'ai été au tout départ de ma vie, jusqu'à cette nuit des douze grains roses ?

Bénédicte Ombredanne avait demandé à son mari de lui apporter une lampe qu'elle adorait, héritée de sa grand-mère, dont l'abat-jour éclairait la seule feuille de papier ou à peu près, comme si celle-ci était la scène d'un théâtre et sa main tenant le critérium l'actrice qui y interpréterait un monologue, la chambre restant plongée dans des ténèbres aussi épaisses qu'à l'extérieur de la clinique — le regard de celui qui écrivait, elle en l'occurrence, était ainsi dans un propice entre-deux d'ombre et de lumière, de nuit et de clarté intime, exactement comme la pensée en train de se former, quand elle s'extrait peu à peu de ses ténèbres originelles pour se poser sous la lumière de l'intelligence. Bénédicte Ombredanne se réveillait, elle revêtait sa robe de chambre, elle allumait sa petite lampe, juste elle, la petite lampe confidentielle et intimiste de sa grand-mère, laissant éteint le sinistre et lointain plafonnier (qui lui rappelait son mari), et alors elle écrivait, il devait être trois ou quatre heures du matin et Bénédicte Ombredanne écrivait, au cœur de la nuit, du plus profond d'elle-même, heureuse comme elle ne l'avait plus été depuis sa jeunesse, quand, habitant chez ses parents, confrontée à la sévérité d'un père intransigeant, travaillant de plus en plus, faisant des fiches, lisant des livres et des annales, apprenant par cœur chaque jour des centaines de données disparates, tout ça pour essayer, conformément à ses désirs les plus sincères, certes, mais surtout aux ambitions exprimées par son père, de réussir sa seconde khâgne et intégrer Normale sup, elle attendait que toute la maisonnée fût endormie pour délaisser le rôle qu'on entendait lui faire jouer, et qu'elle jouait exemplairement, d'ailleurs, docile et performante, pour enfin se retrouver, regagner son monde intérieur véritable. Elle allumait la petite lampe héritée de sa grand-mère et elle lisait sous les draps, elle fabriquait avec ses draps une longue et aérienne grotte blanche assez basse, introduisait la lampe à l'intérieur et lisait des livres qu'elle avait vraiment envie de lire, hors programme, salutaires, pour le plaisir de se sentir vibrer sous la beauté des phrases qu'elle découvrait, intimes, à elle seule destinées, exactement comme une conversation approfondie mais en silence, par écrits interposés, elle-même lançant vers l'écrivain, depuis son refuge, à travers les siècles, des réponses sensitives aux phrases qu'elle adorait, des confidences, des éloges, des mots d'amour murmurés. Tant de prudence, je parle là de la grotte et des murmures, afin que son père, s'il se levait pour aller aux toilettes, ne l'accuse pas de dilapider inutilement de précieuses heures de sommeil, lesquelles, irrémédiablement perdues, pèseraient sur sa concentration et sur ses performances des jours suivants, par conséquent sur son avenir, son avenir tout entier, lui dirait-il en s'emportant, elle le savait. Elle avait adoré ça, à dix-huit ou dix-neuf ans, lire la nuit dans le silence de leur maison, quand tout le monde dormait et qu'elle était la seule à veiller, environnée des ténèbres de la campagne, enfin libre et vivante, éclairée de l'intérieur par le bonheur de la lecture, sous la voûte d'une longue et basse grotte blanche. Depuis qu'elle était à Sainte-Blandine, c'est cette sensation-là qu'elle retrouvait, quand, la nuit, elle se levait pour écrire, dans le silence de la clinique.

Je place ma main droite contre la tempe gauche de Christian, de sorte que l'œil de ma bague avoisine l'œil de mon amant.

LUI : Qu'est-ce que tu fais ?

MOI : Attends, ne bouge pas, je vérifie quelque chose.

LUI : Tu m'amuses. Alors ? Quelle conclusion, ma chère ?

MOI : Eh bien c'est fou.

LUI : Ne me dis pas.

MOI : Si.

Christian éclate de rire. J'éclate de rire à mon tour.

MOI : Arrête de rire, ou ce n'est plus la même chose, tout change. L'amour de mon aïeule ne riait pas, lui, quand il a posé pour le peintre. Sois sérieux, concentre-toi quelques instants, que je puisse vérifier.

LUI : Déjà, la couleur est la même.

MOI : Bien observé : tu n'es pas antiquaire pour rien.

LUI : J'ai l'œil ! Sans vouloir faire un mauvais jeu de mots. Bon, trop tard, pardon, excuse-moi. J'ai honte, j'admets, il est vraiment pitoyable.

MOI : Le même gris-bleu, exactement le même. Les cils, assez longs, presque féminins. Je te pardonne ta mauvaise blague. On te l'a déjà dit, que tu as de très beaux cils ?

LUI : Enfant, oui. Depuis, non. C'est à croire qu'il n'est pas convenable de complimenter un homme sur ses cils. Je m'étais dit qu'ils devaient avoir perdu de leur charme, pour qu'il n'en soit plus jamais question avec les femmes.

MOI : Les femmes te parlent plutôt de ton sexe, je suppose, qui est encore plus beau que tes cils.

LUI : Oh ! Qu'est-ce que j'entends ! Bénédicte, enfin !

MOI : Quoi, ce n'est pas vrai ? J'aime ton sexe, il est beau, j'ai adoré ce que j'ai senti qu'il me faisait, tout à l'heure, quand il est venu en moi. Alors je te le dis, c'est tout.

Christian sourit, touché par mes propos.

Mon visage devient grave, s'imprègne des sentiments que je sens naître en moi, alors le sien devient grave à son tour : nos sentiments en miroir les uns des autres, ainsi sans doute que le début d'une douleur sourde au creux du ventre, à l'idée de devoir se séparer bientôt.

J'ai gardé ma main droite, qui à présent tremble un peu, le

long de sa tempe gauche, l'œil de Christian est devenu brillant et s'harmonise ainsi avec le glacis de la miniature. L'expression des deux regards est exactement la même. La même profondeur. La même précieuse douceur dévouée au bonheur de sa destinataire. La même intégrité morale et intellectuelle. La même mélancolie légère liée à cet état d'amant secret que le désir de plaire encore à sa maîtresse tente de diminuer derrière des crépitements d'élégance, d'élégance. Tout cela dans un seul regard dédoublé, l'un de chair, l'autre d'huile, ancien et actuel, s'abîmant dans mon visage anxieux et ébloui. Une même essence à des siècles d'intervalle.

MOI : C'est insensé : même la forme de l'œil est la même, en amande, un peu bridée, avec la paupière qui retombe, un peu lourde et bombée — c'est ce qui donne à ton regard cet air légèrement sombre, grave, malgré l'éclat de la pupille. Je n'en reviens pas. J'adore tes yeux.

LUI : Alors, tu es d'accord ?

Je regarde Christian sans comprendre.

LUI : Quelle preuve supplémentaire te faut-il, que nous sommes faits l'un pour l'autre ? Ce n'est pas un signe du destin, ça ?

J'éclate de rire.

Christian garde son sérieux.

MOI : Je rêve ou tu es en train de me demander en mariage pour la seconde fois de l'après-midi ?

LUI : Et alors ? Tu ne vas pas t'en plaindre, tout de même !

MOI : Je te l'ai dit tout à l'heure : je ne suis pas libre. C'est bien ça, le message de la bague, non ?

LUI : Quoi ? Quel message ?

MOI : Eh bien, que je suis ta maîtresse, mais *secrète*! Et que tu es mon amant, mais *clandestin! Clandestin, Christian!*

On ne peut pas se marier, enfin ! Je ne suis pas libre ! Je suis une femme mariée !

Six jours après son arrivée à Sainte-Blandine, ayant couvert de son écriture une quarantaine de pages, Bénédicte Ombredanne décida de sortir de sa chambre.

Elle se contenta de marcher dans les couloirs, et d'adresser aux personnes qu'elle y croisait, mais seulement avec ses yeux, des saluts qui demeuraient timides, d'une grande pudeur.

Elle avait repéré une salle de vie commune, minuscule, équipée de chaises, d'une table basse et d'un téléviseur souvent éteint, mais elle n'osait pas s'y aventurer. Quand elle passait devant, elle pouvait voir par la vitre que s'y déroulaient en petit comité des conversations resserrées autour de la table basse, comme si ses occupants se connaissaient depuis longtemps et n'étaient pas tellement disposés à ouvrir leur groupe à de nouveaux venus — ils ressemblaient à des conspirateurs. Chaque soir, un certain nombre d'entre eux s'y retrouvaient pour boire de la tisane et grignoter des douceurs (la table basse était couverte des mêmes paquets de gâteaux que ceux qu'elle achetait pour ses enfants, Figolu, Chamonix, Choco BN, Pépito, palmiers), mais elle s'efforçait de ne pas trop regarder dans la salle, de peur que sa curiosité n'y éveillât de la défiance, des commentaires dépréciatifs voire des sarcasmes. En plus, s'ils finissaient par l'admettre dans leur groupe, sans doute la questionneraient-ils sur les raisons de sa présence à Sainte-Blandine, ce qui l'indisposerait au plus haut point — elle n'avait pas envie de parler d'elle, a fortiori en public, devant une assemblée nombreuse. Ce qu'elle avait le plus apprécié, depuis son arrivée, c'était qu'il fût permis de ne rien dire de la journée, alors elle n'allait pas renouer dès à présent avec les usages du monde extérieur, qui à l'inverse oblige tout un chacun à constamment produire des phrases.

À un moment de sa deuxième journée d'observation, pour ne pas dire d'errances craintives hors de sa chambre, une jeune femme au regard qui trépidait finit par aborder Bénédicte Ombredanne. Elle se planta devant elle et lui dit : toi, tu sais, tu me plais, t'as vraiment quelque chose de dingue dans l'allure, qu'est-ce que tu fous ici, une femme comme toi, dans cet affreux gourbi ? Tu ne veux pas qu'on aille boire un verre toutes les deux ? Elle avait une voix grave et profonde, éraillée, presque une voix d'homme. Elle éclata d'un rire sonore devant le trouble de Bénédicte Ombredanne qui se sentait désarçonnée par l'audace avec laquelle cette jeune femme lui avait adressé la parole, en se dispensant du moindre préambule : elle était allée d'un seul bond à la quinzième minute du déroulement d'une rencontre codifiée selon les usages en vigueur dans nos sociétés policées. Elle reprit un air sérieux et lui demanda si elle était d'accord. Bénédicte Ombredanne lui répondit oui du regard, avant de demander où elle voulait qu'elles aillent (elle ne voyait vraiment pas où elles pouvaient aller *pour boire un verre*). Mais en bas, au café ! lui répondit la jeune femme. Tu n'y es encore jamais allée ? lui dit-elle, tout étonnée. *Tu n'as pas vu qu'il y avait un café, juste en bas ?* Viens, suis-moi, je vais te montrer ! De fait, Bénédicte Ombredanne, en arrivant à Sainte-Blandine en ambulance, n'avait pas remarqué la présence d'un café (cela lui parut d'ailleurs incongru, qu'il pût y avoir un café en bas de la clinique). Elle regardait fascinée la jeune femme qui lui parlait, dont le physique lui fit penser à la Maja de Goya — mais enrichie par l'imaginaire d'autres tableaux plus violents du même peintre, plus violents et aussi plus funestes. Elle avait la même densité corporelle, le même regard luisant que la Maja allongée indolente sur sa couche de plaisir, une chevelure brune et épaisse, la peau sombre et brillante. Une clameur espagnole, tragique et excessive, cruelle, s'entendait dans sa présence comme les échos d'une fête par les fenêtres d'un appartement. Son regard sous tension, critique, sceptique, moqueur, méchant, dangereux et ironique, très peu crédule et revenu de tout, était empli de vie et d'un désir ardent de s'élancer à corps perdu dans l'existence et ses plaisirs, ses aventures et ses surprises, en brûlant toutes les étapes, en prenant tous les risques, y compris celui de la mort — puisque aussi bien elle n'avait rien à perdre et qu'elle l'était déjà en grande partie, morte, semblait dire à tout instant l'opaque et scintillante matière de son regard, pelage de loup ou nuit en mer, se disait pour elle-même Bénédicte Ombredanne en examinant son interlocutrice. Elle était vêtue d'un pantalon de jogging blanc en faux velours et d'un T-shirt qui avait rétréci au lavage, également blanc, qui laissait apparaître un ventre rond, doux, bronzé, percé d'un nombril tellement profond qu'il n'arrêtait pas d'attirer le regard de Bénédicte Ombredanne. Elle était chaussée de pantoufles assez vilaines portées avec des chaussettes de tennis et néanmoins, en dépit de cet accoutrement bâclé, elle restait séduisante (elles devaient avoir à peu près le même âge, trente-cinq ou trente-six ans, calcula Bénédicte Ombredanne en l'observant), notamment en raison de son visage intense, conquérant pourrait-on dire, qui semblait avancer comme la proue d'un navire à travers de grandes vagues, à toute vitesse, éclaboussé par la réalité environnante, recevant des embruns de présent sur sa peau, dans ses yeux, ce qui semblait lui procurer une grande ivresse — elle en *luisait*. C'était vraiment sa vitesse, sa vitesse intrinsèque, y compris quand ses traits n'étaient plus mobiles, qui caractérisait l'impression que produisait son visage, il avait l'air de surgir vers ses interlocuteurs dans un élan perpétuel vers la vie et les autres — et on était parfois tenté de s'écarter, de peur d'être littéralement renversé. Son agitation révélait une grande sensualité, ou plutôt une insatiable voracité, comme si cette femme était sur le point de céder à un désir impétueux de faire l'amour : elle scrutait souvent une présence indiscernable à la droite de Bénédicte Ombredanne, elle lui lançait parfois de brefs sourires avant de reporter ses yeux sur cette dernière, confuse de s'être ainsi absentée. D'autres fois, elle avait le regard d'une femme qui vient tout juste de commettre un meurtre atroce, et qui se met à y réfléchir en examinant la surface de la table, fixement, les doigts noués, pour savoir ce que ça fait d'avoir tué, et quelles pourraient en être les conséquences. Bénédicte Ombredanne, alors, prenait peur, mais hésitait à s'éloigner, de crainte de contrarier son amie.

Je dois décrire maintenant la configuration de Sainte-Blandine. J'y suis allé en repérage dernièrement pour pouvoir écrire ce chapitre. En effet, un certain nombre de détails n'étaient pas clairs pour moi dans les pages que j'ai reçues de Bénédicte Ombredanne à l'automne 2008, écrites là-bas du 6 au 21 juillet, deux ans plus tôt. On ne pourra pas saisir ce qui va suivre sans avoir une idée précise des lieux.

L'ensemble forme un U assez profond dont la base, tout au fond, à l'opposé du seul accès possible au monde extérieur, abrite la psychiatrie.

L'entrée de la clinique, ouverte sur une grande place à proximité du centre historique de la ville, est fermée par un immeuble des années 1960 sous lequel piétons et voitures peuvent circuler pour se rendre à l'intérieur du U.

Les deux branches de cet ensemble architectural composite, constituées de bâtiments d'époques variées (pour certains d'entre eux, probablement conventuels, du XVIIIe siècle, parmi lesquels une chapelle des plus charmantes), abritent les services dévolus au diabète, aux maladies métaboliques, à l'endocrinologie, aux soins palliatifs, à l'uro-néphrologie, etc.

Dans le long vide central du U, en dehors de places de parking destinées aux véhicules du personnel hospitalier, on trouve deux terre-pleins circulaires plantés d'arbres de différentes essences, dont certains assez majestueux, au milieu d'un gazon raréfié par la sécheresse estivale.

La base du U, offrant un bel exemple d'architecture hospitalière des années 1950 (dont subsistent d'admirables éléments d'origine, tels que carrelages, huisseries, rampes, luminaires, ainsi qu'une odeur de vieille automobile qui m'a paru dériver de cette époque), accueille, à l'extérieur, en curieuse et charmante adjonction, un café édifié en préfabriqué dans les années 1970 — café ayant exactement la même fonction qu'une classique cafétéria d'hôpital mais sous les apparences, inattendues en ces lieux, d'un authentique établissement urbain, attrayant, ouvert au public, où chacun peut se rendre librement, appelé La Bulle. Comme on peut l'imaginer, les Messins ne s'y donnent pas rendez-vous pour boire un verre entre amis à la sortie du travail (et ils ont tort) : il est principalement fréquenté par les malades et leur famille, et, en vérité, la plupart du temps, par les seuls résidents du service psychiatrique situé en surplomb, dont l'escalier débouche à quelques mètres d'une porte vitrée pratiquée à l'arrière de l'établissement (sortie de secours comparable en l'espèce à une entrée des artistes), sous une galerie couverte, permettant aux patients de s'y rendre aisément.

C'est à La Bulle qu'Élisa entraîna Bénédicte Ombredanne quelques minutes après avoir fait sa connaissance, c'est à La Bulle que Bénédicte Ombredanne, introduite par sa nouvelle amie, rencontra un certain nombre d'autres patients qui y venaient pour se détendre et s'offrir des consommations, dans une ambiance intermédiaire entre la vie du dehors, blessante, qu'ils avaient fuie, et la vie en clinique, enclavée, où ils avaient trouvé refuge. Quelque chose de factice y régnait, et d'un peu théâtral, qui évoquait tout à la fois le monde réel et le monde de l'hôpital, comme un décor dual et ambigu avec lequel l'imagination des malades pouvait négocier à sa guise. Le charme de cet endroit résidait dans son atmosphère de sanatorium : Bénédicte Ombredanne pensa immédiatement à *La Montagne magique*, roman qu'elle adorait, quand elle s'assit en face d'Élisa. Il était possible d'avoir à La Bulle une vie sociale imitée sur celle du monde réel, mais abritée de ses dangers par le fait même que ce café pouvait être légitimement considéré comme une annexe naturelle de la clinique : il semblait que sous la forme de cette petite brasserie urbaine greffée au pied du bâtiment un lieu de sociabilité citadine avait été reconstitué pour les seuls résidents du service psychiatrique de Sainte-Blandine, afin qu'ils puissent se réacclimater en toute quiétude à la rugosité du monde extérieur, par paliers, avec toute la douceur requise, avant d'y retourner pour de bon. En vérité, ce lieu était semblable à un simulacre, ou plus exactement à un jouet, mais un jouet grandeur nature et destiné à des adultes que leur fatigue existentielle avait précipités dans une espèce d'enfance sociale assez profonde. C'est ce qu'éprouvait Bénédicte Ombredanne pour elle-même : elle sentait qu'elle régressait de jour en jour dans une délicieuse irresponsabilité, enfin elle lâchait prise et pour la première fois de toute son existence elle se laissait sombrer au plus profond d'elle-même avec délectation sans avoir peur d'abandonner la réalité à son triste sort (elle se débrouillerait bien toute seule pendant quelques jours, la réalité, se disait-elle), et il était vraiment voluptueux de ne plus se sentir d'obligations ou de devoirs vis-à-vis d'aucun principe, d'aucune fonction ni de quiconque. Moyennant quoi elle était en train de reconquérir ce qu'elle avait perdu, sans y prendre garde, dans l'ordinaire de sa vie sans relief, lors de ces dix dernières années, à commencer par la conscience de qui elle était — et dont la trace la plus fiable se trouvait loin dans son passé, comme il me semble l'avoir déjà indiqué.

L'intérieur du café, en lambris vernis marron, était très chaleureux : chaises en skaï rouge, nappes grises, végétation artificielle introduisant dans l'atmosphère des fragments de forêt vierge à la Douanier Rousseau, miroirs, tableaux. Des plantes vertes étaient posées à même le sol ou sur des meubles bas, des guirlandes de fleurs ornaient lesdits miroirs, un incongru lampadaire de jardin blanc éclairait un baby-foot sur lequel personne ne s'activait jamais, une vitrine proposait à la vente des figurines en porcelaine d'inspirations variées, grenouilles, fées, bouddhas, chevaux cabrés, écuyères, à offrir. Un rituel dont Bénédicte Ombredanne apprécia de devenir tributaire à son tour voulait qu'à l'heure du goûter on vienne manger une gaufre que le patron chargeait avec malice d'une cargaison considérable de chantilly, un peu comme un haut monticule de graviers sur une péniche. Elle n'avait jamais vu une telle quantité de chantilly sur un dessert, ce détail indiquait qu'effectivement les résidents de Sainte-Blandine étaient de grands enfants qui assumaient, gourmands et concentrés, méticuleux, très émouvants, leur processus de régression. Il fallait les voir se délecter de cette humoristique disproportion de crème fouettée, Bénédicte Ombredanne vivait elle-même ce rituel comme un moment d'enfance et d'enchantement, d'autant que personne ne parlait, ils étaient tous à se débattre avec leur crème, s'en mettant partout sur les doigts et autour de la bouche, sur le menton et sur les joues, parfois même sur le front, dans le plus grand sérieux. Après la gaufre et quelques phrases somnolentes échangées dans la torpeur de la digestion, les tablées se dispersaient, certains remontaient dans leur chambre, d'autres changeaient de place et d'interlocuteurs, sortaient fumer une cigarette sous la galerie couverte ou regardaient rêveusement par les vitres les conifères des terre-pleins, autour desquels passaient des infirmiers et des médecins, des brancards, des ambulances, des familles affligées, des malades sur des béquilles ou traînant derrière eux, en robe de chambre, une cigarette à la main, une poche de perfusion accrochée à une potence. Élisa était celle qui passait le plus de temps au café, elle avait sa table attitrée que personne d'autre n'était autorisé à occuper, y compris en son absence. Bénédicte Ombredanne l'avait vue se mettre en colère contre une jeune femme qui en dépit des avertissements de la serveuse avait eu l'outrecuidance de s'asseoir sur sa chaise. On avait cru qu'elles allaient se battre, ou plutôt qu'Élisa allait massacrer l'imprudente qui s'était mis en tête de disputer son territoire.

La Bulle permettait aux résidents de Sainte-Blandine de vivre parfois de bouleversantes séquences de confidences, de dévoilement. Dans le désœuvrement des longues après-midi d'été, le hasard des tablées entraînait des rapprochements d'imaginaires qui souvent déclenchaient des conversations flottantes où chacun racontait aux autres, et notamment aux nouveaux arrivants, ce qui s'était passé dans sa vie pour que s'impose un séjour ici, au service psychiatrique de Sainte-Blandine. De même que la contemplation de l'océan induit l'envie rêveuse de traversée, d'au-delà, d'illimité, et fait qu'on se libère des contingences du monde réel et de son corps précaire pour devenir regard immense, vie intérieure en suspension dans la lumière océanique, les après-midi passées dans l'abstraction de la brasserie confrontaient les résidents à leur seule essence métaphysique d'être humain — et chacun confiait à son voisin, cet inconnu, ce qu'il n'avait jamais osé confier à personne, y compris à son meilleur ami, à ses amis d'enfance. Lors de ces réunions aléatoires, contre la coque desquelles on entendait le clapotis des heures qui s'écoulaient, lentes, presque stagnantes, emplies de vide (car l'acceptation du silence s'observait chez la plupart des résidents avec le même degré de tolérance que chez le personnel soignant, il était possible de se taire sans que personne n'en fût indisposé), Bénédicte Ombredanne parla de son mari et de leur couple, du Téléphone sonne, de Meetic, de Christian, des quatre mois qu'elle venait d'endurer. La tablée qu'elle préférait, devant laquelle elle était allée le plus loin dans la pudique, dans l'hésitante et téméraire progression de ses confidences, était constituée d'Élisa, de Patrick, de Grégory, de Véronique, de Marie-France.

Élisa, en réalité, n'était pas espagnole, mais d'origine algérienne. Son frère, qui habitait sur la Côte d'Azur, avec un excellent travail, de hauts revenus, une belle villa avec piscine où elle passait souvent ses vacances, était allé rendre visite à leur mère à Alger, seul, sans sa femme et ses enfants, pour une semaine, il y aurait trois ans en octobre. Une après-midi, il était sorti s'acheter des cigarettes et on l'avait assassiné. Cinq types, pour une raison restée inconnue, lui étaient tombés dessus et l'avaient poignardé, son corps avait été retrouvé lacéré par de nombreux coups de couteau. Élisa ne s'en était jamais remise : elle s'était écroulée immédiatement, anéantie. Aide-soignante dans une maison de retraite, elle n'avait plus trouvé la force de s'occuper des vieilles personnes dont elle avait la charge, partir travailler le matin était devenu une épreuve de plus en plus insurmontable. Passer huit heures à se soumettre à leur lenteur, les nourrir, les écouter, les déplacer avec précaution, répondre judicieusement à leur humeur plaintive ou belliqueuse (gestes apaisants, sourires, paroles réconfortantes ou concessions patiemment négociées), leur parler fort et à l'oreille, en isolant chaque syllabe, pour qu'ils distinguent dans ses phrases le profil des mots sommaires qu'elle y plaçait, tout cela avait fini par la miner, elle devenait brutale et irascible, presque haineuse. Elle en voulait à la terre entière. Les doigts d'Élisa devaient toucher des peaux rugueuses, laver des fesses, frotter des dos, vêtir des corps rigides — alors que son regard visualisait en permanence, à chaque instant de ses journées, le visage de son frère, leurs jeux d'enfants, les moments qu'ils avaient passés, adultes, inoubliables, au bord de la piscine, l'été, à Cannes, à siroter des cocktails en riant. La plupart de ces vieillards ne souhaitaient rien tant que mourir, ils en parlaient et ils le réclamaient sans cesse, vindicatifs, critiques, désagréables, à ceux qui les accompagnaient dans cette absurde endurance de leurs organes — alors que son frère, lui, sportif, prospère, entreprenant et ambitieux, avait été stoppé net dans un sublime élan vers la richesse et le bonheur, redistribuant l'une et l'autre autour de lui avec la générosité qu'on lui avait toujours connue. Élisa avait fini par se faire prescrire un arrêt maladie et à partir de là elle s'était laissée couler. Sa propre fille, devant l'état de délabrement où sa mère s'enlisait chaque jour un peu plus, avait souhaité partir vivre chez son père et Élisa y avait consenti car elle ne se sentait plus capable de s'occuper d'une enfant de dix ans. Une fois seule, elle n'avait plus été retenue par aucune contrainte extérieure aux usages qui structurent l'existence, heures de repas et de coucher, horaires de bureau ou d'ouverture des magasins, école. Elle passait ses journées dans son lit à regarder la télévision, elle ne sortait plus, elle ne s'habillait plus, elle ne se lavait plus. C'était sa voisine qui lui faisait ses courses et son ménage, car sa maison était devenue insalubre, un taudis. Les derniers temps, Élisa avait sombré dans un tel désespoir qu'elle n'avait plus ouvert la porte à sa voisine. Elle voulait rester seule, elle s'était mise à puer, elle ne mangeait plus rien, elle avait rompu avec le monde extérieur, comme partie pour un long et périlleux voyage dans les ténèbres, aux confins du réel, aux portes mêmes de la mort. Elle désirait rejoindre son frère, *c'était son obsession,* mais pas en se tuant, non, pas du tout, plutôt en se désagrégeant dans ses souvenirs, dans les pensées qu'elle ressassait toute la journée qui refusaient son absence. Elle n'aspirait qu'à se laisser absorber par sa douleur. Sa douleur, elle le savait, menait jusqu'à l'endroit où se trouvait son frère, une douleur verticale, infinie, amoureuse, aussi profonde et noire qu'un puits. Sa douleur comme un puits infini à partir de son ventre et jusqu'à lui. C'est alors qu'avec l'aide d'un serrurier sa voisine était parvenue à s'introduire chez elle, elle avait appelé les pompiers et Élisa avait été hospitalisée, décharnée, à moitié morte. C'était il y a deux ans. Elle avait repris pied peu à peu, cependant, il y a trois semaines, sentant revenir les mêmes symptômes, elle avait demandé à son médecin de bien vouloir la faire admettre à Sainte-Blandine, où s'était déroulée deux ans plus tôt la phase la plus décisive de sa convalescence, pendant cinq semaines. Mais en fait ce démarrage de crise avait été une fausse alerte, elle s'était sentie rétablie à peine arrivée — voir autour d'elle toutes ces personnes diminuées avait produit sur son mental un effet répulsif. Elle avait envie de vivre, de se sentir jolie et désirable, d'être acclamée, en mouvement!

Quand Élisa leur disait ça, et dans de grands éclats de rire, ses camarades lui répondaient que ça crevait les yeux qu'elle allait bien, elle était dans une forme éblouissante! C'est ce dont je me suis rendu compte en arrivant ici, figurez-vous, leur confirmait Élisa: vous voir tous dans cet état m'a fait comprendre que je ne voulais plus aller mal, c'est peut-être ça que je suis venue chercher à Sainte-Blandine cette fois-ci, leur disait-elle en riant. Secouez-vous, que diable! Ne vous laissez plus dominer par vos angoisses, chassez-les, retournez dans la vie, amusez-vous!

Tant mieux si toi tu es capable d'une telle énergie, mais pour moi c'est encore trop tôt, lui disait Véronique d'une voix tremblante.

Tu es tellement belle, lui disait Marie-France.

Mais pourquoi tu restes ici, dans ce cas ? lui demandait Bénédicte Ombredanne.

Accablées par les neuroleptiques, la plupart des interlocutrices d'Élisa s'exprimaient avec difficulté, la bouche emplie de billes, le visage arrêté, comme figé dans la cire d'une expression unique, inaltérable. Élisa, ses yeux, à l'inverse, crépitaient d'allégresse — même si l'on pouvait voir, au milieu de ces reflets, en mouvement, et dans des proportions élevées, de fugaces particules de considérations morbides, irréversiblement désespérées. En fait, s'était dit plusieurs fois Bénédicte Ombredanne, Élisa était hémiplégique mais dans sa tête, à travers sa perception de la vie et du monde : une moitié d'Élisa était morte, inhumée dans son passé, dans ses souvenirs.

Qu'est-ce que je suis bien, avec vous ! Je vais rester ici encore quelques jours pour être certaine de m'être bien fait entrer dans le crâne que j'ai franchi un cap définitif. Je veux être du côté de la vie, récupérer ma fille, tomber amoureuse, m'amuser, voir de belles queues ! Tout le monde riait, Marie-France feignait de s'offusquer de ces propos. Oui, vous m'avez bien entendue, de belles queues bien généreuses ! Bon, bien sûr j'ai un peu peur de retomber dans mes angoisses une fois rentrée à la maison, c'est pour ça que je reste ici avec vous, et puis on rigole bien, on mange des gaufres, vous en voulez une autre ? Bénédicte, mon tendre amour, ma poétesse, tu veux une autre gaufre ?

Non, ça va aller, merci, répondait Bénédicte Ombredanne dans un sourire affectueux, tu es gentille, je n'ai plus faim du tout.

Allez, tu es toute maigre, il faut te remplumer ! Qu'est-ce qu'il va penser, Christian, quand il va te voir dans cet état, aussi frêle qu'un pissenlit ! Tu crois qu'il va avoir envie de te prendre dans ses bras ? Sa belle queue bien casquée, tu crois qu'elle va aller scruter direct la voûte céleste, en apercevant ton squelette ? Non ! Bien sûr que non ! Elle va rester en berne ! Allez, gaufre obligatoire !

Laisse-la tranquille, disait Patrick. Moi je la trouve parfaite comme ça Bénédicte. Si ça se trouve, ce Christian, il a les mêmes goûts que moi.

Ouahh ! Regardez ça, vous autres ! Une idylle à l'horizon ! Ça manquait un peu de cul, ces derniers temps ! Je vous laisse les amis, je vais chercher ma gaufre, je reviens dans un instant, surtout soyez bien sages !

Tous éclataient de rire, Bénédicte Ombredanne était la première à se réjouir de ces provocations, elle savait bien qu'avec ces saillies l'objectif d'Élisa était de secouer ses compagnons assoupis, pour les ramener à eux-mêmes et à la vie. Bénédicte Ombredanne considérait Patrick avec un regard reconnaissant, car ses éloges lui apportaient du réconfort, elle que personne ne flattait plus depuis longtemps.

Moi aussi, en fait, j'ai envie d'une autre gaufre, se ravisait Aurélie en se levant pour rejoindre Élisa au comptoir de la brasserie.

Bénédicte Ombredanne regardait s'éloigner Aurélie avec tendresse. Il lui semblait que depuis quelques jours, elle reprenait un peu d'éclat.

Elle a l'air d'aller mieux, disait Véronique.

Tiens, c'est drôle que tu dises ça : c'est exactement ce que j'étais en train de penser.

Tant mieux, disait Patrick. Quand elle est arrivée, je ne donnais pas cher de sa peau. Je me suis demandé comment elle allait faire pour remonter la pente, en partant d'aussi bas.

Moi aussi, disait Bénédicte Ombredanne. Je suis contente pour elle. J'aime beaucoup cette jeune femme.

La pauvre, j'espère que sa beauté reviendra.

Elle est déjà un peu revenue, vous ne trouvez pas ?

Si, je suis d'accord. Elle est déjà un peu plus détendue qu'il y a trois jours.

Regardez, la compagnie d'Élisa lui fait vraiment du bien. Elle vient de la faire rire aux éclats. Je n'avais jamais vu Aurélie rire ainsi.

Élisa est en train de demander au patron de mettre un peu plus de chantilly sur la gaufre d'Aurélie, je ne sais pas comment elle va faire pour avaler tout ça ! disait Marie-France en mettant sa main devant sa bouche, en un geste de frayeur amusée.

Aurélie, elle, avait-on appris de sa propre bouche quelques jours plus tôt, est poursuivie depuis deux ans par un homme qui rôde la nuit devant sa maison. Il tourne autour de sa voiture, il caresse le capot, il regarde à l'intérieur, ou bien il laisse des traces de son passage sur la carrosserie, en particulier sur la portière avant gauche — soit des frottements rendus visibles par la saleté, la neige, le givre, soit des mots ou des dessins, soit carrément des rayures. C'est souvent grâce à ces traces qu'elle s'aperçoit qu'il est passé pendant la nuit, leur avait dit Aurélie, assise à une table de La Bulle, le jour où elle leur avait raconté son histoire. Elle n'en peut plus, ça dure depuis deux ans, cet homme a fait six mois de prison l'année dernière suite aux plaintes qu'elle avait déposées (son beau-père était parvenu, une nuit, à le prendre en flagrant délit, il était arrivé en moto par surprise et l'avait photographié devant sa maison), mais cette incarcération n'avait pas eu le moindre effet, ah ça non, elle n'avait pas eu le moindre effet, bien au contraire. Il avait été un détenu modèle, il avait juré qu'il ne l'importunerait plus, on l'avait cru, il avait produit une excellente impression sur le personnel pénitentiaire, sur le juge, sur le psychiatre et l'assistante sociale, si bien qu'il avait pu bénéficier d'une remise de peine. C'est tout juste si la situation ne s'était pas retournée contre elle et si toutes ces personnes n'avaient pas souhaité que ce soit elle qui fasse de la prison, pour la punir de se montrer si réticente. Avoir l'outrecuidance d'éconduire un homme comme lui, aussi évolué ! Il s'exprime à la perfection et il est d'une intelligence nettement supérieure à la moyenne, c'est ça qui est horrible, c'est d'être traquée par un homme assez machiavélique pour ne pas se laisser attraper une seconde fois, et qui, dans le cas contraire, sera assez habile pour s'attirer l'indulgence du juge d'instruction : on le percevra comme un amoureux inconsolable, humilié par une garce hystérique.

Aurélie avait besoin, pour obtenir qu'il soit renvoyé en prison, de le prendre de nouveau en flagrant délit : le jugement qui a été rendu lui interdit de pénétrer dans son quartier. Alors, depuis qu'il a été libéré, elle essaie de le prendre en photo, mais il possède un sixième sens, il est un peu comme un animal sauvage, il parvient toujours à se glisser près de sa voiture quand elle n'est pas en faction derrière ses rideaux. En plus, comment faire pour le photographier sans qu'il la voie, de nuit, dans les ténèbres d'une rue mal éclairée (le lampadaire le plus proche est à une dizaine de mètres) ? Imaginons qu'enfin elle le surprenne devant chez elle, elle devrait ouvrir la fenêtre et se présenter dans l'encadrement, de sorte qu'il aurait largement le temps de déguerpir avant qu'elle ne soit en mesure de déclencher l'appareil. Si elle avait un peu d'argent elle recruterait un détective privé, un détective privé parviendrait à recueillir les preuves dont elle a besoin pour obtenir son renvoi en prison, ou son éloignement définitif de la région, mais elle n'a pas les moyens de s'offrir les services d'un détective privé. Bien entendu les policiers font des rondes régulières, elle les voit parfois passer, la nuit, devant sa maison, mais leur passage n'a jamais coïncidé avec la présence de cet homme devant son appartement. En février dernier, un soir qu'elle était hyper angoissée parce que depuis une semaine il passait toutes les nuits (elle s'en rendait compte le matin au réveil grâce à des signes qu'il laissait derrière lui sur sa voiture, sans équivoque possible), elle avait invité une amie à venir dormir chez elle. Elles ne s'étaient pas mises au lit, elles avaient voulu guetter son arrivée depuis la fenêtre de la cuisine, dans l'obscurité, en buvant du vin rouge, elles discutaient, sa copine essayait tant bien que mal de la tranquilliser, les heures passaient et il ne venait pas. À un moment sa copine est allée prendre un bain. Quelques minutes plus tard elle l'a appelée, depuis la salle de bains, parce qu'elle ne trouvait pas le shampooing, Aurélie s'est alors éloignée un instant de la fenêtre et quand elle est revenue il y avait son prénom écrit dans la neige sur le toit de sa voiture. À partir de cette nuit, elle a commencé à avoir vraiment peur. Tout se passait comme si cet homme disposait de pouvoirs surnaturels qui lui permettaient de deviner les moments où il pouvait surgir devant chez elle sans craindre d'être inquiété. Son angoisse n'avait pas, depuis, fléchi, bien au contraire, elle s'était même accentuée, comme si cet homme ne se contentait pas de passer chaque nuit devant chez elle pour y vénérer la carrosserie de son automobile, mais s'était installé dans son cerveau comme un virus, un virus qui irradiait une inquiétude irrationnelle, constante, s'infiltrant dans ses pensées, imbibant sa conscience : il n'errait pas seulement la nuit sur le trottoir devant chez elle, mais dans sa tête, à chaque instant de ses journées, sans qu'elle puisse empêcher ces intrusions mentales. Cet homme était devenu toute sa vie : il n'y avait plus rien d'autre dans sa vie que cet homme. Alors il y a un mois elle s'est mise en arrêt maladie, mais même pendant son arrêt maladie elle n'avait pas dormi : elle n'arrêtait pas de se lever, la nuit, avec son appareil photo en bandoulière, pour surveiller le trottoir devant chez elle, et pendant la journée, à cause de la lumière et des nuisances sonores, elle ne trouvait pas le sommeil. Elle aurait dû reprendre la semaine passée mais elle n'avait pas eu la force de retourner travailler — elle était institutrice de CM2. Elle pleurait sans cesse, elle ne dormait toujours pas, alors son médecin lui avait recommandé de venir se reposer à Sainte-Blandine.

Ses interlocuteurs avaient regardé Aurélie fixement, avec tendresse et une profonde compassion. Elle s'était remise à pleurer. Elle avait dit que ce type était en train de foutre sa vie en l'air, sa vie n'avait pas été drôle jusqu'à présent, elle avait vécu des trucs difficiles, elle aurait mérité que le destin lui fasse connaître une période un peu plus agréable, juste ça, un peu plus agréable. Elle ne demandait pas la lune ! Juste d'être heureuse ! Heureuse comme tout le monde, un bonheur simple et normal ! Et c'est à ce moment-là, comme par hasard, leur avait dit Aurélie en pleurant, que cet homme avait débarqué dans sa vie, qu'il était en train de dévaster, de dévaster méthodiquement, comme s'il suivait à la lettre un programme de démolition et qu'il s'était promis de l'accomplir jusqu'à son terme, jusqu'à son extinction définitive, son extinction à elle. Elle allait avoir quarante ans, elle rêvait de faire des enfants, il lui restait deux ans pour rencontrer un homme et se marier — et ces années qui sont irremplaçables étaient gâchées par cette histoire abominable, irrémédiablement gâchées. Pourquoi elle ? Pourquoi avait-il fallu que ça tombe sur elle ? C'est la fin de ma jeunesse et elle est saccagée, bientôt je serai vieille et cette période aura été neutralisée par cet homme. Vous comprenez ? Ma vie est devenue un tête-à-tête continuel et exclusif avec cet homme, dans la solitude, par fenêtre interposée, la nuit, sans que personne ne puisse rien faire pour éradiquer cette anomalie : *impunité totale*. Je passe mon temps à pleurer, je ne dors plus, regardez la tête que j'ai, je suis atroce, je ressemble à un monstre. Moi qui suis d'un naturel joyeux ! On ne croirait pas, comme ça, à me voir ! Mais je vous jure, j'aime la vie, je suis drôle, je suis gaie normalement, j'adore rire !

Elle avait essayé de rire pour le prouver, mais elle s'était instantanément remise à pleurer.

Recroquevillée sur elle-même, elle tremblait comme un animal exténué d'avoir été trop longtemps poursuivi, et qui, prostré au pied d'un arbre, incapable de courir davantage, attend d'être rattrapé par son prédateur, résolu à se laisser dévorer.

Pulpeuse et féminine, Aurélie avait des traits d'une grande pureté, des mains gracieuses, les ongles longs, de lourds cheveux qui lui tombaient sur les épaules, châtain clair, dignes d'Hérodiade et du poème de Mallarmé, s'était dit plusieurs fois Bénédicte Ombredanne. Ses yeux étaient bleu clair et sa peau était pâle, mais l'angoisse avait ravagé son visage, sa grâce l'avait abandonnée. On sentait bien qu'elle avait été espiègle et sensuelle, charmeuse, naguère, mais c'était terminé : Aurélie ne s'offrait plus aux regards que comme une femme constamment terrifiée, en état de panique, livide et agitée, vidée de toute pensée confiante ou apaisée.

Mais qui c'est, en fait, ce type ? Comment ça se fait qu'il te poursuit comme ça depuis deux ans ? lui avait demandé Élisa en lui prenant la main avec tendresse, au milieu des consommations.

C'est un ancien copain à toi ? lui avait demandé Bénédicte Ombredanne. Tu le connaissais, avant qu'il ne se mette à te traquer ?

Non, pas du tout, elle l'avait rencontré à Metz Plage. Elle aimait beaucoup, l'été, le soir, avant cette histoire, aller à Metz Plage écouter des concerts allongée dans une chaise longue, un verre à la main, toute seule, pour se détendre. En arrivant ce soir-là, elle avait repéré qu'un homme, installé avec un ami non loin de sa chaise longue, multipliait les coups d'œil sur elle, visiblement attiré. Elle, en revanche, elle avait soigneusement évité de croiser son regard, elle est toujours d'une grande prudence avec les hommes, elle leur réserve toujours un abord fermé, pour qu'ils n'aillent pas s'imaginer qu'elle leur fait des avances. À la fin du concert (il ne lui avait pas tellement plu, d'ailleurs, ce concert), elle s'était dirigée vers la sortie pour rentrer chez elle. Au bout d'une centaine de mètres, il l'avait rejointe en courant, il lui avait dit que c'était dommage qu'elle parte, il aurait bien aimé faire sa connaissance, est-ce qu'elle était d'accord pour rester ? Elle lui avait répondu non, elle était désolée, elle ne pouvait pas. Il avait engagé la conversation, il s'exprimait avec des mots étonnamment précis, des phrases soignées prononcées avec une certaine distinction (on eût dit qu'il avait été élevé dans la grande bourgeoisie), il l'avait mise en confiance. C'était vraiment comme une jolie rencontre de hasard entre une femme et un homme du même âge, c'est une belle nuit d'été, ils se parlent, ils se plaisent, ce n'était pas malsain du tout. Il lui a laissé son numéro de téléphone, elle l'a appelé quelques jours plus tard, il l'a invitée à venir boire un verre dans son studio le samedi suivant. Elle y est allée, ils ont discuté, ils se sont embrassés, mais il y avait dans son comportement quelque chose d'insistant qui la mettait mal à l'aise : il la scrutait avec une dévotion excessive, comme si déjà il la considérait comme une déesse insurpassable — elle aurait dû comprendre, à ce moment-là, que cet homme était dérangé, être beaucoup plus prudente. Ils s'embrassaient, ils se caressaient, elle avait seulement retiré son soutien-gorge. Au moment où la dramaturgie de la soirée aurait voulu qu'ils fassent l'amour, elle lui a dit qu'elle devait rentrer chez elle. Mais pourquoi ? lui a-t-il demandé. Parce que j'ai besoin de dormir, ma semaine a été longue et difficile. Dors ici, si tu veux, je ne te toucherai pas, tu peux me faire confiance, j'ai envie de dormir avec toi, c'est tout, juste dormir avec toi. Aurélie avait vu, dans son regard, qu'elle pouvait lui faire confiance : qu'il ne la toucherait pas. Néanmoins, aucune envie de rester.

Patrick était venu s'asseoir à la table et devant le silence de ses camarades qui écoutaient religieusement le récit qu'Aurélie, d'une voix faible et tremblante, parfois même en pleurant, leur faisait, il s'était contenté d'un sourire et avait bu à la paille le Coca-Cola qu'il avait apporté, posant son regard, à son tour, sur le beau, sur le sublime visage anéanti d'Aurélie.

Et après, qu'est-ce qui s'est passé ? avait demandé Marie-France.

Oui, comment s'est-elle retrouvée dans cette situation, puisqu'elle est partie à temps, et qu'elle n'a pas passé la nuit avec ce type ? avait demandé Bénédicte Ombredanne.

Après avoir entendu ces questions, Aurélie avait poussé un long soupir navré accompagné d'un sourire d'affliction : évidemment, semblait-elle vouloir leur dire, aucun d'entre vous, après s'être évadé d'entre les griffes de ce malade, ne se serait laissé entraîner dans l'enfer où elle était tenue recluse depuis deux ans. En effet, elle avait commis à ce moment-là une grave erreur. Elle aurait dû l'appeler pour lui dire que c'était fini, sans prendre de précautions, comme n'importe qui autour de cette table l'aurait fait. Ou bien ne pas l'appeler du tout et disparaître sans lui donner d'explications. Elle ne le sentait pas, c'était son droit le plus strict, elle n'avait pas à se justifier. Seulement voilà, son plus gros défaut dans la vie est de trop se préoccuper du ressenti des autres. Elle est donc allée le voir pour lui dire qu'elle voulait arrêter. Ils ont passé deux heures à parler, elle n'arrivait pas à s'en défaire, il l'embrouillait, il avait un peu le dessus dans la conversation.

Il lui disait qu'elle allait changer d'avis, qu'elle l'aimait mais sans l'avoir encore compris parce que les choses étaient allées trop vite pour elle. C'était normal de se sentir déstabilisée par une rencontre qui n'était pas seulement imprévue, mais décisive pour leur avenir à tous les deux, lui disait-il le plus sérieusement du monde. Il était confiant, il attendrait, elle devait prendre son temps pour analyser les sentiments que son apparition à lui avait fait naître en elle : il n'était pas inquiet et ne doutait absolument pas de l'issue favorable de ses réflexions. Il l'avait bien senti, l'autre soir, sur le canapé, pendant qu'ils s'embrassaient, qu'elle avait eu le coup de foudre elle aussi, que leur attirance était réciproque : on n'embrasse pas de cette manière un garçon pour lequel on n'a pas, même sans le savoir, des sentiments profonds, des sentiments d'amour. Elle aurait dû, alors, en l'entendant tenir de tels propos, avait dit Aurélie à ses amis de Sainte-Blandine, le traiter de grand malade et l'envoyer balader, partir de chez lui en claquant la porte, ironiser, le menacer. Lui montrer qu'elle n'était pas le genre de fille à se laisser manipuler. Mais elle ne l'avait pas fait. Elle n'avait pas su quoi lui répondre pour se sortir de cette folie gluante. Elle était assise sur le canapé, toute douce, et essayait d'élaborer les phrases les plus modérées possible. Elle y mettait les formes. Elle arrondissait les angles. Elle évitait d'employer des mots blessants. Son intention avait été de dissoudre avec délicatesse, par érosion pour ainsi dire, en prenant son temps, les illusions que cet homme s'était faites, pour ne pas l'humilier. Les arguments qu'elle produisait édulcoraient son aversion pour lui et donc sans doute prêtaient à confusion, peut-être la trouvait-il hésitante, prenait-il ses égards pour de l'affection, comme s'il avait en face de lui une jeune femme indécise, sans conviction, qu'il serait facile de faire basculer. Elle murmurait qu'elle était venue lui dire que c'était terminé, elle s'était déplacée en personne parce qu'elle pensait qu'il n'était pas convenable de rompre à distance, surtout avec un homme comme lui, gentil, évolué. Il était formidable, oui, elle voulait qu'il sache à quel point elle le respectait et le trouvait formidable, mais néanmoins elle ne changerait pas d'avis, non, sa décision était prise, tu n'as plus rien à attendre de moi, c'est fini, c'était vraiment agréable, l'autre soir, vraiment, je t'assure, mais en fait, je ne sais pas, je ne suis pas sûre, je préférerais qu'on arrête, lui disait-elle, avait raconté Aurélie à ses amis de Sainte-Blandine. Je suis d'accord pour qu'on arrête quelque temps, lui répondait-il de nouveau, pour que tu puisses absorber le choc de notre rencontre et la vitesse à laquelle nos relations se sont nouées, mais on se reverra, j'en suis certain, pour vivre ensemble ce bel amour. Non, je ne pense pas, je crois que c'est vraiment terminé pour de bon, répondait timidement Aurélie, confuse, les doigts entremêlés, assise au bord du canapé, le regard suppliant. Elle était partie au bout de deux heures, abrégeant une conversation qui s'enlisait dans les mêmes phrases visqueuses qu'il répétait en boucle, des phrases d'amour et de tendresse, de dévotion, de confiance en l'avenir, des phrases en décalage total avec ses déclarations à elle et surtout avec ses sentiments profonds. En fait il était fou, c'était absolument indéniable, enfermé dans un délire qu'il s'était construit tout seul et pour lui seul, et qu'il alimentait avec sa seule imagination corrompue, coupée de toute réalité.

Bénédicte Ombredanne regardait Aurélie avec l'envie de l'aimer et de la protéger pour le restant de ses jours.

Quelque temps plus tard, il avait écrit sur sa voiture, devant chez elle, dans la saleté de la carrosserie : JE T'AIME, AURÉLIE, et aussi : TU ES L'AMOUR DE MA VIE. Comment savait-il où elle habitait ? Elle ne le lui avait pas dit, elle était sur liste rouge, il ignorait son nom de famille. C'était donc qu'il l'avait suivie, un soir, depuis son travail, car elle avait commis l'imprudence de lui dire quelle était sa profession, et où elle l'exerçait. Elle a commencé à flipper. Visiblement il n'avait pas l'intention de lâcher prise et en effet il s'est mis à déposer sur sa voiture des messages dont la régularité lui donnait l'impression qu'il la ligotait, ce lien qui s'enroulait chaque nuit d'un tour supplémentaire autour de sa personne rendait de plus en plus difficiles les mouvements de son être intérieur, il était en train de l'encorder à quelque chose d'inconnu, de monstrueux, qui a commencé à la terroriser, à obséder toutes ses pensées. Elle lui a téléphoné pour lui demander de la laisser tranquille, elle avait été claire avec lui l'autre soir : *il n'avait plus rien à attendre d'elle, il pouvait aller voir ailleurs et se trouver une autre fille, elle ne changerait pas d'avis.* C'est ce que tu penses, lui a-t-il dit. Tu m'aimes, mais tu ne le sais pas encore : c'est très fréquent, tu sais ? La preuve, tu t'es laissé aborder, tu es venue chez moi, nous nous sommes embrassés, tu m'as donné tes seins : je te plais, c'est un fait, c'est comme ça, tu n'y peux rien changer. *Mais j'ai tout arrêté, je t'ai dit que c'était fini !* lui a-t-elle rétorqué avec la plus grande fermeté. Tu es même revenue chez moi ! a-t-il alors répliqué. Tu n'as pas pu résister à la tentation de revenir chez moi en personne ! Mais c'était pour être moins brutale, et plus courtoise, et plus civilisée ! se défendait Aurélie : *ce n'était pas pour revenir chez toi, tu te trompes, c'est un malentendu !* (Elle était complètement paniquée par les propos qu'il lui tenait : penser qu'elle était revenue dans son studio parce qu'il l'attirait, mon Dieu, quelle idée folle, quel affligeant malentendu, dans quelle situation cauchemardesque s'était-elle mise ?!) Cela n'existe pas, les malentendus, lui a-t-il dit : on fait les choses, ou on ne les fait pas. Tu sais comment ça marche, le subconscient, non ? Tu as déjà entendu parler du subconscient, des actes manqués, des sentiments que l'on refoule, non ? Tu es revenue chez moi et tu y es restée deux heures, tu n'arrivais plus à partir, c'était tellement attendrissant de te voir te tortiller sur le canapé sans pouvoir te résoudre à partir de chez moi, quelque chose de puissant t'aimantait, te retenait à ma personne, tu t'en souviens ? Tu vas voir, ne t'inquiète pas, nous allons nous aimer, j'en suis certain, c'est seulement une question de temps. Non, lui a-t-elle répondu : je ne t'aimerai jamais, j'en suis certaine, absolument certaine : maintenant, laisse-moi tranquille une bonne fois pour toutes, ou j'appelle la police. C'est alors que contre toute attente, à moins que sa stratégie n'ait sciemment consisté, à ce moment-là, à lui laisser entrevoir le caractère inéluctable du processus dans lequel il l'avait entraînée, il lui fit un drôle d'aveu, il lui confia des informations qu'en toute logique il aurait dû tenir secrètes. À moins, encore une fois, que son idée n'ait été de fonder sur l'angoisse qu'elle allait en retirer l'espoir d'une avancée significative dans la poursuite de son plan diabolique. Il lui dit que c'était peine perdue, *qu'elle était faite comme un rat,* qu'elle ne s'en sortirait pas comme ça, que la police ne lui faisait pas peur, il en avait vu d'autres. Silence d'Aurélie au téléphone et silence d'Aurélie au café de Sainte-Blandine. Tous la regardaient sans oser bouger. Des larmes étaient montées dans ses yeux qu'elle avait absorbées avec pudeur, afin qu'elles ne coulent pas. Alors, comme si chacun avait été confronté, au même moment, aux mêmes intempéries, des mines de compassion étaient apparues simultanément tout autour de la table comme des parapluies qui s'ouvrent et des larmes avaient embué le regard de tous les interlocuteurs d'Aurélie, y compris Bénédicte Ombredanne qui bientôt allait effacer avec ses doigts une goutte unique qui s'était mise à sinuer sur sa joue. Quelques années plus tôt, à Toulouse, lui confia-t-il alors, leur avait dit Aurélie en reprenant le cours de son récit, il avait fixé son attention sur une jeune femme pendant cinq ans. Il avait vécu avec elle pendant une semaine, c'était donc allé un peu plus loin qu'avec Aurélie, et il l'avait poursuivie de ses assiduités pendant cinq ans, sans relâche, sans se décourager. Il était allé trois fois en prison : un séjour de six mois, un autre de neuf mois, un séjour en hôpital psychiatrique de six mois, à la suite de quoi la justice l'avait expulsé du département : il n'avait plus le droit d'y mettre les pieds. Alors il s'était installé à Metz et bien sûr il ne regrettait pas ce choix car dans cette ville pourtant si peu sexy il avait fait une rencontre bouleversante : il devait bien reconnaître que c'était mille fois plus fort qu'à Toulouse ce qui était en train de se passer entre elle et lui. Aurélie, il en était certain, était la femme qu'il attendait depuis toujours. Elle finirait bien par tomber follement amoureuse de lui à son tour, car le destin l'avait voulu ainsi et qu'il croyait au destin. Elle, contrairement à l'autre, lui a-t-il dit au téléphone ce soir-là, avait raconté Aurélie à ses amis de Sainte-Blandine, il ne la lâcherait pas, il prendrait le temps qu'il faudrait pour lui faire comprendre que la providence en avait décidé ainsi. Elle finirait par vivre avec lui. Elle finirait par lui donner des enfants.

Silence autour de la table.

C'est fou, avait dit Bénédicte Ombredanne en essuyant une seconde larme.

C'est complètement dingue, avait ajouté Élisa. Ce type, je le croise, je le bute. Tu me fileras son adresse. Je vais aller lui dire deux mots, ça va pas traîner.

Maintenant, quand son mari rendait visite à Bénédicte Ombredanne, il lui parlait des regards froids que lui jetaient les résidents de Sainte-Blandine, mais aussi le psychiatre et le personnel hospitalier, l'accusant de les avoir dressés contre lui. Avant d'arriver dans sa chambre, il devait passer devant les baies vitrées de la brasserie, emprunter la galerie couverte, l'escalier, le hall et enfin un long couloir, croisant selon ses dires un nombre ahurissant de regards désapprobateurs, voire carrément haineux ou insultants, dont il faisait le reproche à Bénédicte Ombredanne pendant toute la durée de leur entrevue : il n'y avait plus que ce seul sujet qui désormais l'intéressait.

Notamment ton Espagnole, là, je ne sais plus comment elle s'appelle, lui disait-il.

Tu veux parler d'Élisa, je suppose, lui répondait Bénédicte Ombredanne avec lassitude.

Toujours ce regard ironique, ce petit sourire insolent. Il va falloir qu'elle fasse un peu attention parce qu'un jour, je te préviens, je ne vais plus pouvoir me maîtriser, ça va partir d'un coup, elle ne va pas comprendre ce qui lui arrive.

Je ne te le conseille pas, mon tendre amour. Cette femme est bien plus forte que toi, sa violence est extrême, elle ne ferait qu'une seule bouchée de ta petite personne bureaucratique ! lui disait-elle en riant, pour essayer de détendre l'atmosphère.

De fait, Jean-François était loin d'avoir tort : les résidents lui témoignaient une aversion qui crevait les yeux, et qui mettait en joie Bénédicte Ombredanne. Pour la première fois depuis qu'elle était mariée, elle partageait avec d'autres le poids de son mari — ce fardeau accablant — et celui-ci lui en parut moins effrayant, elle apprit à en moduler les effets toxiques par la seule orientation de ses pensées. Rendue plus forte par le soutien de ses amis, qui semblaient la regarder faire à distance, solidaires de ses efforts, elle s'était aperçue que si elle décidait, dans sa tête, concentrée, de ne pas accorder à cet homme l'empire que ses nuisances la conduisaient habituellement à lui abandonner, eh bien son poids s'amoindrissait de lui-même, elle parvenait à le voir tel qu'il était vraiment, elle se disait qu'elle avait sous les yeux, qui arpentait chaque soir sa chambre avec colère tel un enfant criard et capricieux, un homme mineur et pitoyable, insipide, insignifiant — et elle se demandait par quel curieux prodige, étant lui-même si peu de chose, il pouvait saccager son existence avec autant de facilité, en rencontrant si peu de résistance : *comment était-il même envisageable qu'il pût la dominer, et avoir le dessus sur elle, ne serait-ce qu'un quart d'heure ?* Quant au psychiatre et au personnel soignant, ce qui pouvait expliquer le ressenti de Jean-François, c'est qu'ils n'étaient pas dupes : ils savaient par expérience qu'une jeune femme qui refuse d'expliquer pour quelle raison elle a tenté de mettre fin à ses jours, et qui réclame avec obstination d'être gardée à l'hôpital le plus longtemps possible, subit probablement dans son foyer, de la part de son mari, un traitement dont la rigueur redoublerait si ce dernier devait apprendre qu'elle s'en était ouverte à des tiers — et cette réalité n'était pas de nature à inspirer aux personnels de Sainte-Blandine des regards particulièrement sympathiques quand à l'heure du dîner ils voyaient Jean-François tourner en rond avec dureté dans la chambre de son épouse, attendant qu'ils fussent repartis pour continuer de la tourmenter.

Qu'est-ce que tu leur as raconté ? lui disait-il. (Il hurlait ses murmures avec haine. Quand il parlait ainsi entre ses dents, il broyait ses phrases dans le pressoir de ses molaires avant de les lui jeter au visage comme la peau d'un grain de raisin, à peine audibles tant elles étaient écrasées par le mépris qu'il lui vouait.) *Quelles monstruosités tu leur as dites sur mon compte, parfaitement inventées ?* Je te préviens, je refous plus les pieds ici !

Eh bien parfait, ne reviens plus ! lui répondait Bénédicte Ombredanne d'une voix claire et sonore. De toute manière un peu de patience, je sors d'ici dans trois jours, tu n'en as plus pour longtemps à vivre cette situation humiliante, ajoutait-elle ironiquement.

À t'entendre, on jurerait que tu regrettes de devoir quitter ton asile de fous, on rêve ! *Ne me dis pas que tu préférerais rester ici, au milieu de ces grands malades, plutôt que de rentrer chez toi voir tes enfants !*

De fait, elle ne voulait plus partir.

Bénédicte Ombredanne aimait les personnes avec lesquelles elle s'était liée. Deux semaines avaient suffi pour qu'elle les aime plus qu'aucune autre qu'elle fréquentait à l'extérieur. Vue d'ici, Amélie lui paraissait aussi creuse, aveugle, factice et stéréotypée qu'une poupée rectiligne gagnée à un stand de tir, un soir d'été : elle s'accommodait médiocrement de sa vie médiocre et décevante, pleine de petites capitulations accumulées par inadvertance, dont elle n'avait d'ailleurs même plus le souvenir (exactement comme elle avant la nuit des douze grains roses), alors qu'ici, d'une manière ou d'une autre, tous avaient fait voler cette intime hypocrisie de soi à soi en éclats, ils avaient eu le courage de se faire, ou de se laisser exploser de l'intérieur, de se mettre à nu face à eux-mêmes.

Elle avait l'impression d'avoir trouvé sa place, sa vraie place, enfin, dans l'enceinte de cette clinique, dans les neuf mètres carrés de sa cellule de poétesse, comme la nommait tendrement Élisa.

Elle ne voulait plus partir.

Certes, elle se disait parfois qu'au bout de quelques mois elle aurait sans doute envie de reprendre son envol. Mais c'est qu'alors elle serait prête à changer radicalement de vie, parce qu'elle aurait franchi dans son être des distances considérables, découvert de nouveaux paysages, pris ses marques dans d'inédites visions d'elle-même, mis au point de nouveaux dosages des ingrédients qui constituaient la for-

mule un peu complexe et embrouillée, pas tout à fait convain-
cante, de sa personnalité, de sa présence au monde, depuis
toujours. Elle serait sans doute capable, au bout de quelques
mois passés ici, se disait-elle, de quitter son mari, de s'éloigner de Metz, de prendre ses enfants avec elle et de refaire sa
vie un peu plus loin, dans un contexte nouveau, voire
inconnu. Sainte-Blandine lui avait donné envie d'inconnu.
Avoir confronté son imaginaire au vécu de ses amis résidents
lui avait transmis assez de force et de courage, et une certaine
distance par rapport à ses propres ennuis, pour aspirer à des
expériences risquées et singulières, à des environnements
étrangers à ce qu'elle avait connu jusqu'à présent. Elle arrête-
rait l'enseignement : elle sortirait de cette prison-là également,
qui la tenait recluse dans une étroite définition d'elle-même
(vocation, engagement politique et social, dévouement à la
jeunesse et à l'avenir de la France, etc.), au détriment d'aspirations plus ambitieuses. Elle en avait assez, en somme, de
se dévouer quasi exclusivement, dans l'ordre, à son mari,
à ses enfants, et aux enfants des autres, sans aucun retour
constructif. Elle suivrait une formation pour travailler dans
l'édition : après tout, elle était agrégée de lettres, ce qui n'était
pas rien, sans doute pourrait-elle devenir correctrice, ou bien
lectrice, ou bien encore, un jour, qui sait, une éditrice appré-
ciée par ses auteurs, pourquoi pas ? Écrire, non, elle ne pensait pas en avoir le talent, au-delà des mots qu'elle prenait
plaisir à jeter la nuit sur le papier pour se procurer l'ivresse de
pénétrer le plus loin possible dans les profondeurs de son être
intérieur, mais pour elle seule et pour son seul accomplissement, clandestinement, comme un journal intime. Elle
n'avait pas envie de mettre ses expériences sur la place
publique, quand à l'inverse c'était cette démarche-là qu'elle
préférait chez les écrivains contemporains qu'elle lisait, cette

démarche-là davantage qu'aucune autre, davantage que la démarche purement romanesque, voulait-elle dire par là, mais vous m'aviez comprise, Éric. Elle, non : elle était trop fragile pour s'exposer de la sorte au regard des autres, même cachée derrière son écriture. Surtout cachée derrière son écriture, d'ailleurs, pensait-elle, car elle se représentait les pages qu'elle écrivait comme une chambre éclairée dans la nuit et donnant sur une rue : plus c'était bien écrit et plus il lui semblait qu'il faisait noir à l'extérieur et qu'était exposée, et qu'était éclatante sa personne se promenant nue dans la clarté de cet appartement illuminé, sans qu'on puisse discerner qui vous observe depuis la rue, qui et combien d'individus, et dans quel état d'esprit à votre égard. Non, écrire, ce n'était pas pour elle. En revanche, travailler dans l'édition, à Paris, après s'y être installée avec ses enfants, voilà ce qu'elle pensait qu'elle aurait pu finir par envisager si son séjour à Sainte-Blandine avait duré suffisamment longtemps pour lui donner la force et le courage de construire dans son mental une solide certitude, pas seulement un rêve fumeux et illusoire mais une solide certitude, un projet étayé, une prise de décision édifiée avec sérieux et réalisme, pendant des mois, dans la confiance que ce lieu lui avait apportée quotidiennement, à l'abri des nuisances du monde. Pourquoi construire en soi le projet d'un nouvel avenir prendrait-il moins de temps que construire une vraie maison ? Est-ce que l'on fait sortir de terre une maison en deux semaines ? *Pourquoi avait-il fallu qu'elle ne reste à Sainte-Blandine que deux petites semaines ?* Est-ce qu'il n'aurait pas été justifié qu'elle séjourne à Sainte-Blandine pendant le temps que nécessite l'édification d'un pavillon R + 1 de deux cents mètres carrés, finitions comprises, par exemple ? Au lieu de quoi, recrachée comme un vulgaire noyau dans son milieu d'origine, elle avait retrouvé, à l'identique, et aggravée, inaltérable, la situation qu'elle avait fuie quinze jours plus tôt par l'absorption des douze grains roses, une dure nuit de juillet.

Vous comprenez ce que je veux dire ? m'a alors dit Bénédicte Ombredanne. Je voulais rester dans cet endroit le temps nécessaire pour pouvoir prendre une décision radicale. Mais le psychiatre ne l'a pas entendu de cette oreille : après m'avoir accordé quatre jours supplémentaires, il m'a dit que j'allais devoir rentrer chez moi.

Nous buvions du vin blanc, elle en était à son troisième verre, j'orientais son récit par des questions ou des encouragements affectueux. La lumière place Colette était de plus en plus palpable et liquoreuse, vivante, habitée, comme si la ville était en train de se laisser envahir par un sentiment de plénitude et d'allégresse : une flamboyante prémonition d'accomplissement régnait sur la terrasse du café où nous étions attablés et englobait tous les consommateurs dans la douceur de ses visions, nous promettant un bonheur imminent, des hasards prolifiques, des rencontres décisives, une bienveillance universelle. Bénédicte Ombredanne, par le récit qu'elle venait de me faire, avait beau avoir passé l'après-midi à me terrifier, il me semblait qu'elle allait s'en sortir, qu'une ère heureuse allait s'ouvrir à elle, c'est en tout cas ce que murmurait à nos pensées la lumière qui baignait l'esplanade. Car sous nos yeux l'atmosphère que fabriquait la ville, aussi réconfortante que des paroles murmurées à nos oreilles par les lèvres d'une personne prodigieuse, rare, de confiance, invisible mais substantielle, vivant depuis des siècles, parlant d'un autre endroit que notre présent d'actualités : *un endroit plus sacré*, l'atmosphère que fabriquait la ville m'assurait donc que Bénédicte Ombredanne était un pur joyau des temps anciens, un pur joyau qui méritait d'être protégé, qui finirait par être élu comme tel par les événements de sa propre vie. Bénédicte Ombredanne a avalé une nouvelle gorgée de vin, avant de reposer son verre sur la table. Elle était sans doute un peu pompette et je suppose que cette ivresse avait été propice au mouvement qu'elle avait suivi, intense et sans interruption, en ligne droite de son cœur vers le mien, me racontant sans faillir cet atroce printemps 2006.

Parfois, quand elle était vraiment désespérée, elle allait du côté de la caserne, à l'arrière de la clinique, et regardait la fenêtre de sa chambre, elle la scrutait longuement pour essayer de faire renaître dans ses pensées la lumière qu'elle y avait connue. Une lumière de renaissance, d'espoir, et de recommencement. Mais elle n'avait pas retrouvé cette lumière, jamais plus : elle s'était éteinte de nouveau définitivement.

D'autres fois, la nuit, elle descendait dans son bureau pour essayer d'écrire, mais ces essais ne la menaient nulle part, elle ne parvenait plus à faire se déployer dans son être ces paysages où elle avait cheminé, libre et heureuse, par l'écriture, à Sainte-Blandine, pendant des heures, jusqu'à se perdre, elle s'en souvenait avec douleur. Là elle restait en surface, comme allongée sur une plage, se voyant en train d'essayer, se voyant en train de se voir en train d'essayer, jusqu'au moment où la plage était intégralement recouverte par cette même figurine d'une Bénédicte Ombredanne se réfléchissant en elle-même à l'infini, échouant à s'oublier. Ou alors, pour savoir ce qu'elle manigançait, ou vérifier qu'elle n'écrivait pas à un amant potentiel rencontré sur Internet, son mari surgissait brusquement sur le seuil du bureau, donc sur le seuil des images qui ce soir-là étaient peut-être apparues dans son esprit, les détruisant instantanément, saccageant d'un seul coup le charme qui peut-être, en cet instant fatal, avait commencé à se diffuser, si ce soir-là sa tentative s'était bien engagée.

Je vous enverrai les pages que j'ai écrites là-bas, elles sont toujours dans mon casier au lycée, à l'intérieur d'une grande enveloppe en papier kraft. J'en ferai des photocopies et je vous les enverrai, vous en ferez peut-être quelque chose un jour, si mon histoire vous inspire. Aujourd'hui le temps m'a manqué pour tout vous raconter. Mais dans ces quarante pages tout y est, je vous les enverrai la semaine prochaine. Mon retour à la maison a été difficile, pour ne pas dire glacial. Mes enfants n'ont pas été particulièrement accueillants. Ils étaient un peu embarrassés, pas naturels du tout, comme s'ils avaient pensé que leur mère était folle, ou bien coupable. Ont-ils entendu mon mari, au téléphone, parler de Sainte-Blandine comme d'un asile de fous, me dénigrer ? Je ne sais pas. Mais j'ai senti dans leurs yeux, pendant plusieurs semaines, une forme de réticence interrogative, ils questionnaient mon apparence avec des mines préoccupées, et des regards soucieux, un peu en retrait, comme s'ils me surveillaient, guettaient et redoutaient dans mon comportement le surgissement de quelque chose. Je ne veux pas dire qu'ils s'inquiétaient pour leur mère d'un éventuel danger qui pourrait la menacer, pas du tout : ils me semblaient préoccupés de devoir vivre avec une femme qui n'était pas seulement leur mère, mais aussi un morceau d'inconnu, un territoire mal exploré, comme recouvert en grande partie par une intense et effrayante forêt équatoriale, où elle pourrait les perdre, et qui pourrait les engloutir, pleine d'animaux féroces, d'insectes et de reptiles. Ils devaient se dire que leur mère n'était pas tout à fait comme celles de leurs copains. Qu'elle était peut-être dangereuse, insaisissable, imprévisible, pas franchement rassurante pour leur sécurité.

Mais ça s'est arrangé, depuis, rassurez-vous.

En ce qui concerne mon mari, il alterne les phases où il se juge coupable de m'avoir rendu la vie infernale, où il se dépeint lui-même comme mon bourreau et me demande comment je peux encore l'aimer, me suppliant, en larmes, de lui pardonner, de ne pas l'abandonner. Et les phases où il me reproche de lui avoir littéralement gâché la vie, où il se lamente d'avoir enchaîné son destin avec celui d'une laide à moustache, d'une maigre avec une chatte puante, une femme qui soit s'habille avec coquetterie, affriolante, dans l'espoir de se faire baiser par des inconnus, soit, si j'en tire les conséquences, qui s'habille comme un sac, sans élégance, comme s'il était venu sur terre, lui, *lui Jean-François Ombredanne*, pour être affublé d'une femme qui en est à peine une, et qui lui fait honte. Tu n'es pas une femme, me dit-il. Quand on marche dans la rue et que l'on croise une jolie femme, ou bien une femme tout à fait ordinaire, il me dit : ça, tu vois, ça c'est une femme, tu vois la différence ? Toi tu n'es pas une femme, Bénédicte, je ne sais pas ce que tu es mais tu n'es pas une femme. Depuis ma sortie de Sainte-Blandine, il est distant, indifférent. Il ne me voit pas. Il ne me parle quasiment plus. Il ne me pose jamais aucune question. Les seules phrases qu'il m'adresse sont des reproches ou des insultes. Mes yeux ne rencontrent jamais les siens. Il se comporte comme si je n'étais pas là.

Sans doute le fait-il parce qu'il sait que ça me fait souffrir, ou pire encore, mais je n'ose pas considérer cette hypothèse comme étant la plus pertinente, parce qu'il estime que mon existence ne mérite aucun égard. Il me traite comme une simple bonne. Souvent, il dîne seul au salon devant la télévision, je dois lui préparer son plateau-repas, et le lui apporter. Quand on dîne tous les quatre, il ne m'écoute pas, il ne me dit jamais le moindre mot qui pourrait amorcer une conversation, si je lui pose une question il l'élude ostensiblement, il se concentre exclusivement sur les enfants, avec lesquels il est toujours prévenant et onctueux. Il se préoccupe uniquement de leur bien-être, afin que par contraste je me sente vraiment nue, nue de toute affection, tenue pour négligeable. Encore moins qu'un animal, que l'on caresse, encore moins qu'une plante verte, que l'on arrose, encore moins qu'un objet, qu'on époussette, encore moins qu'une prostituée, que l'on rétribue. Trouvez vous-même le mot qui convient. Ce mépris ne l'empêche pas, la nuit, lumière éteinte, quand l'envie lui en vient, de s'allonger sur moi et de me pénétrer. Je me laisse faire en me disant que l'acte sexuel est peut-être la seule chose qui soit encore de nature à faire surgir une étincelle entre nous, mais j'ai fini par ne plus croire à ça non plus. D'ailleurs, la plupart du temps, quand il me prend, je pleure, mais il ne s'en rend même pas compte.

J'ai essayé de le quitter deux fois, l'année dernière. Les deux fois il m'a menacée de tuer les enfants avant de se donner la mort. Moi, contrairement à toi, tu peux en être certaine, je ne commettrai pas un suicide d'opérette. Je sais très bien comment m'y prendre pour qu'il y ait des cadavres.

C'est du chantage, ai-je dit à Bénédicte Ombredanne. Il ne faut pas céder. Mais en même temps je comprends bien qu'il ne soit pas facile de réagir à de telles menaces.

Surtout quand on n'est pas en forme, et vulnérable, et épuisée, et apeurée, comme je le suis depuis plusieurs années.

Il aurait fallu, comme vous le disiez tout à l'heure, que vous puissiez rester à Sainte-Blandine un peu plus longtemps, reprendre des forces et trancher vos relations d'un coup sec.

Certes, quand je suis sortie de Sainte-Blandine, je pouvais un peu mieux dormir qu'avant mon admission, mon mari avait arrêté de m'interroger, la nuit, sur ce que j'avais fait avec Christian, mais son indifférence à mon égard mettait dans mon corps la même solitude que l'absence de sommeil, le même plomb froid, inanimé. Une angoisse solidifiée dans mes membres. J'étais comme morte, lourde et glaciale, exactement comme avant mon admission aux urgences psychiatriques de l'hôpital public de Metz. L'éclaircie de mon séjour à Sainte-Blandine, inespérée, comme apparue par la grâce de deux énormes nuages noirâtres qui se disjoignent, avait jeté sur ma vie une lumière de renaissance : je me suis souvent dit, pendant ces deux semaines, dans le silence de ma chambrette, que ma vie allait enfin devenir belle, surprenante, pleine d'enclaves, d'éclat, de délices, de secrets, de douceur, de musique, d'histoires, d'enjeux électrisants. Ma vie allait être relancée, comme un match après un but. J'étais en train de marquer un but, mon séjour à Sainte-Blandine était le ralenti d'un but, je voyais mon destin prendre le chemin du bonheur et ma sortie coïnciderait avec le moment où ce bonheur serait atteint, où le ballon viendrait mourir dans les filets. *Rien ni personne ne pourrait faire que ce bonheur n'ait pas été rentré au fond de ma poitrine.* Peut-être oserais-je appeler Christian ? J'irais le voir un matin et ses yeux plongeraient dans mon regard pour y nourrir l'amour que j'avais la chance de lui avoir inspiré, me disais-je, euphorique, dans ma chambrette de Sainte-Blandine. Nous nous aimerions pendant longtemps, je viendrais vivre avec lui, nous ferions peut-être des enfants. J'avais commencé à apercevoir une vision mirifique, je me disais que j'allais bientôt pouvoir me baigner, nue, heureuse, dans un lac sombre et infini, limpide, serti d'étoiles. Mais la trappe s'est soudain refermée dans un énorme et terrifiant fracas. Quand je suis sortie de Sainte-Blandine, je me suis trouvée enfermée sous la trappe d'un fol espoir d'une quinzaine de jours violemment retombée sur la tristesse habituelle de mon existence, et contre un mur dressé devant mes yeux dans l'obscurité, s'interposant entre moi et le bonheur que j'avais aperçu. Ce mur, c'était mon mari, la vie aride qu'il m'imposait. Une cave, quoi. J'ai passé des mois et des mois dans cette cave, assise sur une marche de terre, prisonnière, à pleurer de nouveau. Seule la lecture de votre livre, en septembre 2007, m'a de nouveau donné de la lumière : j'ai redressé la tête, j'ai recommencé à croire en moi et à avoir envie de me battre, de retourner dans la réalité et d'être heureuse. Alors j'ai soulevé la trappe, je suis sortie de ma cave et me voici à vous raconter mon existence, sur cette terrasse ensoleillée, dans cette sublime après-midi d'automne. Regardez comme la lumière est belle, vous avez eu raison de l'affirmer dans votre livre, c'est à l'automne que la lumière est la plus belle, aujourd'hui elle est miraculeuse, on la sent vibrer dans l'atmosphère comme des milliards de particules. J'ai l'impression que si j'avance la main vers la beauté de cette vision je vais pouvoir la toucher et qu'elle va réagir, comme quand on pose les doigts sur le pelage d'un chat.

Dans le taxi qui nous menait gare de l'Est, j'ai demandé à Bénédicte Ombredanne pour quelle raison elle avait dit, à un moment de son récit, que son mari avait dû prendre un temps partiel. Vous avez dit à votre fille que vous n'aviez plus les moyens de vous acheter des robes rue Gambetta, sous les arcades, depuis qu'il s'était mis à temps partiel, vous vous souvenez ?

Il avait eu de graves difficultés relationnelles dans son travail. D'un fonctionnement psychologique alambiqué, son mari est difficile à suivre dans ses raisonnements, ses réactions, ses prises de position. Il est en outre d'une susceptibilité maladive, et terriblement rancunier, avec une mémoire des torts qu'on lui cause absolument phénoménale, n'oubliant rien, stockant dans son cerveau tous les griefs qu'ont pu lui inspirer, à un moment ou à un autre, associés à une souffrance aussi dissimulée qu'increvable, l'un ou l'autre de ses collègues — à juste titre, ou pas. Il était entré dans une relation invivable avec l'un d'eux et ce conflit nécessitait de fréquents arbitrages de la part de la direction, pour les départager. De sorte qu'au bout d'un certain temps il avait fallu penser une nouvelle organisation de toute l'agence bancaire, afin de séparer entièrement les territoires et les prérogatives des deux belligérants. Il avait été établi que la responsabilité en revenait d'abord à son mari, tous avaient témoigné en ce sens. Le directeur de l'agence bancaire lui avait alors signifié que la nouvelle découpe rendait indispensable l'embauche d'une autre personne. Mais cette embauche ne pouvait être envisageable que si lui, Jean-François Ombredanne, renonçait à une partie de son salaire, c'est-à-dire acceptait un temps partiel. Soit il disait oui, et il serait désormais à quatre cinquièmes, soit il disait non et la direction de la banque serait amenée à engager contre lui une procédure de licenciement, pour incompatibilité d'humeur. Bien entendu, le directeur de l'agence bancaire espérait qu'il agréerait l'accord qu'il lui proposait.

Empruntant la rue Sainte-Anne, le taxi avait continué par la rue de Gramont qui la prolonge, passant à proximité des Italiens, autrement dit de l'Opéra-Comique encastré dans un pâté de maisons sur notre droite, du côté de Bénédicte Ombredanne, laquelle ne savait pas, tandis qu'elle répondait à mes questions, que nous étions dans la rue où l'inconnue de Villiers de l'Isle-Adam avait sublimement éconduit l'émerveillé Félicien de la Vierge. Nous aurions pu les apercevoir, eux deux, dans un reflet du passé apparu subrepticement au hasard de deux silhouettes placées l'une devant l'autre, dans la vitesse de la voiture qui remontait la rue.

Si je comprends bien, Bénédicte, vous n'êtes pas la seule à considérer le fonctionnement de votre mari comme problématique, pour ne pas dire pathologique.

C'est aussi pour cette raison qu'il m'a toujours fallu le materner, le protéger, le rassurer, et aujourd'hui encore mal-

246

gré la glaciation de nos relations. Ce qui ne l'empêche pas, vingt minutes plus tard, une fois que je suis parvenue à le réconforter au sujet d'une déconvenue professionnelle, de me crier les pires insultes, allez comprendre. Il s'est donc mis à temps partiel, mais c'est devenu difficile, financièrement, dans notre foyer, à cause des crédits pour la maison et pour les deux voitures : tout avait été calculé ric-rac. Retrancher de nos revenus un cinquième de son salaire suffisait à compromettre l'équilibre budgétaire du foyer : nous avons dû, dès lors, faire encore plus attention qu'avant, nous restreindre sur quasiment tout. J'ai renoncé à notre femme de ménage, et j'ai pris au lycée des heures supplémentaires. J'ai enchaîné les lessives. Je rentrais à l'heure du déjeuner faire des tâches ménagères au lieu d'aller à la cantine, comme je le faisais auparavant au moins deux fois par semaine, pour discuter avec mes copines du lycée.

Nous étions arrivés gare de l'Est et marchions vers les voies.

Ce sont ces heures de repassage qui m'ont fait basculer peu à peu. Tout est parti du repassage, des heures que j'ai passées, tuantes, l'après-midi, ou bien à l'heure du déjeuner, dans un silence à me rendre folle, même quand je mettais la musique à fond, à repasser, à faire du repassage, à être debout dans ce vide absolu, le fer à la main, à humecter le linge, à appliquer le fer en entendant ces sons insupportables de vapeur qui s'enfuit, à plier le linge et les vêtements, à les monter dans chaque chambre, à les ranger dans les tiroirs. L'épuisement aidant, j'étais dans une perception très particulière de la réalité, tout était exacerbé, grossi et délirant. Les choses flottaient dans ma tête et les voix se multipliaient à l'infini, hurlaient de plus en plus, pendant ces heures de repassage, pendant ces heures de vacuité, d'ennui, d'humiliation. D'absurdité. De déroute. C'est dans ce contexte-là qu'est arrivée l'émission du Téléphone sonne et ce qui en a découlé. C'est quelle voie ? Je n'arrive pas à lire ce qui est indiqué sur le panneau, c'est écrit trop petit.

— Voie G. C'est par là, à droite, venez, il nous reste dix minutes, je vous accompagne jusqu'à votre place. C'est quelle voiture ?

— Je composte mon billet, attendez.

Bénédicte Ombredanne introduit son billet dans la fente de la machine, qui sonne, elle le retourne et l'enfonce dans l'autre sens, la mâchoire le poinçonne, elle l'en retire et le déchiffre :

— Voiture 7, place 24.

— Allons-y.

— Vous êtes sûr ? Je peux me débrouiller, vous savez. Ma valise n'est pas si lourde, je vous ai déjà fait perdre toute votre après-midi.

— Vous ne m'avez rien fait perdre du tout, Bénédicte. Je vous accompagne jusqu'à votre place, en route.

Nous marchons sur le quai vers la voiture 7.

Bénédicte Ombredanne me remercie de lui avoir accordé autant de temps, elle sent déjà que me parler lui a fait le plus grand bien. Jusqu'à présent, elle n'avait raconté son histoire qu'aux résidents de Sainte-Blandine. Est-ce qu'elle les revoit ? je lui demande tandis que les vitres du TGV Paris-Luxembourg reflètent nos deux silhouettes qui remontent vers la voiture 7. A-t-elle revu Élisa, Aurélie, Patrick et Grégory ? Elle avait honte de l'avouer — mais elle ne les avait jamais recontactés, ils lui avaient laissé leur numéro de téléphone et leur adresse mais elle était repartie dans sa vie sans avoir envie de se retourner. Élisa, Patrick, Aurélie et les autres, ils étaient tous restés là-bas quand elle avait quitté Sainte-Blandine la mort dans l'âme et pour elle c'était un peu comme s'ils y étaient toujours, comme s'ils n'avaient pas

248

d'existence en dehors de la clinique, comme si c'était leur vrai et seul pays. Comme s'ils étaient apparus dans le monde réel à la faveur du séjour qu'elle y avait fait, avant de s'éteindre de nouveau au moment de son départ. Exactement comme Brigadoon, dont vous parlez si bien dans votre livre : Sainte-Blandine, pour moi, c'est Brigadoon. Je n'y suis pas tombée amoureuse, pas à proprement parler, ou alors d'une certaine idée de moi-même, et d'une image possible de moi-même dans une réalité élargie. Je suis tombée amoureuse, aussi, de chaque personne dont j'ai fait la connaissance là-bas, oui, de chacune, et du lien d'amitié, de confiance, que nous avions les uns avec les autres : quelque chose d'unique. Je voudrais pouvoir y retourner, et tous les retrouver, et que la réalité s'éteigne derrière moi définitivement, qu'elle disparaisse de nouveau pour une période de cent ans, comme si j'allais poursuivre ma vie là-bas, à l'abri, avec eux, pour toujours, exactement pareil que dans le film.

Nous étions arrivés devant la voiture 7.

Le train devait partir dans deux minutes.

On entendait une voix de femme sortant d'un haut-parleur disant que les voyageurs avaient pris place à bord du TGV n° 2835 à destination de Luxembourg, que les bagages devaient être étiquetés, et que les personnes accompagnant les voyageurs étaient invitées à descendre.

J'ai hissé la valise de Bénédicte Ombredanne à l'intérieur de la voiture puis je me suis tourné vers elle.

Nous nous trouvions l'un devant l'autre sur le quai, nous nous sommes regardés longuement, assez gravement, dans les yeux, immobiles, sans nous sourire, à la suite de quoi j'ai embrassé Bénédicte Ombredanne sur les deux joues, avec le plus d'affection possible, en lui serrant délicatement les épaules, pour qu'elle sente que j'étais là avec elle, et qu'elle pouvait compter sur moi. Elle m'a dit qu'elle allait m'envoyer la copie des fameuses quarante pages qu'elle avait écrites à Sainte-Blandine sur le papier fourni par l'assistante aux cheveux roux — qui m'aurait beaucoup plu, d'ailleurs, moi qui aimais les rousses, a-t-elle conclu avec un clin d'œil. Elle m'a dit que nous allions nous écrire, l'idée la ravissait de pouvoir correspondre avec moi. Je lui ai dit que moi aussi j'en serais très heureux et qu'elle ne devait jamais hésiter à m'appeler, à m'envoyer des SMS, surtout si elle se sentait triste, ou si elle était en détresse.

Accompagnée d'un long signal sonore, la voix sortant du haut-parleur a annoncé que le départ était imminent, attention à la fermeture des portes.

Prenez soin de vous, m'a dit Bénédicte Ombredanne.

Elle est montée dans la voiture 7 du TGV 2835 de 18 h 40 pour Luxembourg, la porte s'est refermée sur elle immédiatement et je ne l'ai plus jamais revue.

7

Nous avons correspondu jusqu'au printemps suivant, par mail, approfondissant ce qu'elle m'avait raconté à la terrasse du Nemours. Pendant cette période, il ne m'a pas été difficile de comprendre que son mari n'avait jamais été aussi dégradant, d'où les éclipses qui ponctuaient nos échanges, totales, pour certaines assez longues, pendant lesquelles j'imaginais que les circonstances obligeaient Bénédicte Ombredanne à se concentrer sur sa seule protection. Elle réapparaissait au bout d'un moment, sans explications, me priant de bien vouloir lui pardonner son silence. Je lui demandais si tout allait bien, elle me répondait qu'elle sortait d'une séquence un peu plus âpre que d'ordinaire mais que tout était rentré dans l'ordre, elle me remerciait d'être aussi patient et compréhensif avec elle, me savoir en faction aux portes de sa vie la rassurait.

Bénédicte Ombredanne possédait désormais deux téléphones portables : celui que son mari l'avait autorisée à acquérir peu après sa sortie de Sainte-Blandine, et dont il se servait lui-même à l'occasion, et un second, clandestin, acheté à l'époque de notre correspondance, dont peu de personnes avaient le numéro. J'avais été heureux d'apprendre l'existence de ce second téléphone, qui indiquait que Bénédicte Ombredanne était déterminée à ne pas se laisser museler par son mari. Elle était, d'une certaine façon, m'étais-je dit, entrée en résistance, et peut-être parviendrait-elle, animée par cet esprit d'insurrection, à élaborer un plan d'évasion réaliste : avec un téléphone confidentiel, elle aurait la possibilité d'émettre des signaux à l'extérieur des murailles de sa vie (je ne pensais pas forcément à Christian, ou bien à des amants, mais plutôt à des prises de contact pour des formations, à de nouvelles amitiés, à des relations sociales dignes de ce nom, indépendantes de leur vie conjugale), préalable qui me semblait indispensable à son émancipation. Il était rare qu'on communique par téléphone : comme on ne se voyait pas, et qu'elle restait relativement discrète sur les détails de sa vie quotidienne, les pensées qu'on s'envoyait n'avaient jamais de caractère d'urgence (nous aurions pu les acheminer à l'ancienne, par la poste, à petite vitesse) et je savais en outre que ce second téléphone restait souvent caché dans son casier au lycée, en compagnie des quarante pages de Sainte-Blandine et des sorties papier des lettres que nous nous écrivions. C'est d'ailleurs depuis l'ordinateur de la salle des profs de son lycée qu'elle les imprimait, Bénédicte Ombredanne ayant décidé, par mesure de précaution, de créer une adresse mail spécifiquement réservée à notre correspondance, et de ne jamais en ouvrir la boîte chez elle, sur son PC personnel.

Un jour du printemps 2009, en mars pour être précis, alors que j'étais sans nouvelles d'elle depuis plusieurs semaines, j'ai reçu un appel de Bénédicte Ombredanne. Je me trouvais à ce moment-là devant l'école élémentaire de la rue de Chabrol, tout près de chez moi, où j'attendais mon fils, alors en cours préparatoire. J'étais surpris qu'elle me téléphone à l'improviste, cet appel m'a inquiété, j'ai répondu. De fait, sa voix attestait qu'elle était bouleversée, elle était désolée de me déranger mais il y avait une urgence, est-ce qu'on pouvait se parler, là, tout de suite ? Je lui ai dit oui, j'attendais mon fils devant l'école mais j'étais arrivé en avance, on pouvait prendre quelques minutes, de quoi s'agissait-il ? Nous devions suspendre nos relations pendant un certain temps, et surtout je ne devais plus lui envoyer de SMS, l'ai-je entendue me dire. Je lui ai fait remarquer que c'était quelque chose que je ne faisais jamais, elle m'a répondu je sais, mais je voulais quand même vous avertir, au cas où, si l'envie vous était venue, comme ça, de m'envoyer un message. Je l'entendais haleter, elle avait dû courir avant de composer mon numéro, elle parlait bas et d'une manière précipitée, à tel point que j'avais du mal à comprendre ce qu'elle me disait. Elle me donnait l'impression de s'être recroquevillée, affolée, pour ne pas être entendue de son mari, dans un réduit obscur, où elle craignait d'être bientôt débusquée. Elle avait rencontré quelqu'un, avec qui elle s'entendait bien, et c'est pour ça qu'elle n'avait plus donné de ses nouvelles ces derniers temps, l'ai-je entendue me dire, accélérant encore son débit, comme engagée dans un compte à rebours périlleux. Eh bien, et alors ? où est le problème ? ai-je demandé. C'est une excellente nouvelle, ça, Bénédicte ! Elle m'a interrompu sèchement. Le problème c'est que son mari venait de découvrir, dans son second téléphone, une série de messages équivoques, pas explicites ni sulfureux mais vraiment tendres, échangés entre cet homme et elle. Elle avait dissimulé son téléphone dans la bibliothèque de son bureau, derrière les œuvres complètes de Mallarmé, mais comme une imbécile elle avait oublié de couper le signal de réception des SMS, un petit bip discret et presque imperceptible, réglé à son plus bas niveau sonore, et le hasard avait voulu que son mari soit en sa compagnie au moment où ce petit bip s'était soudain fait entendre, de sorte qu'il avait mis à terre tous les volumes situés dans la zone d'émission du signal, et il avait trouvé le téléphone. Il lui a demandé ce que c'était que ce téléphone inconnu, à qui il appartenait, et qu'est-ce qu'il faisait là. S'est ensuivie une crise de rage phénoménale. Il a ouvert le message et il l'a lu, puis d'autres qu'elle avait reçus du même homme. Il l'avait repoussée violemment contre un mur, où elle s'était fait mal, pour pouvoir manipuler l'appareil sans être gêné par ses tentatives d'obstruction, son front saignait, c'était la première fois qu'il s'en prenait à elle physiquement. C'était quand, ça ? je lui ai demandé. Ce matin, m'a répondu Bénédicte Ombredanne d'une voix tremblante. Son mari lui a demandé si ces messages venaient de son amant strasbourgeois d'il y a trois ans, mais en l'absence de toute connotation érotique des SMS il n'a pas été difficile de le persuader que cette idée était absurde. Il a voulu savoir s'il s'agissait d'un nouvel amant, je lui ai répondu non avec la plus grande fermeté : non seulement je n'avais pas de nouvel amant, mais il voyait bien que ces messages étaient tendres, amicaux, affectueux, sans plus ! Ça commence comme ça, par de la tendresse, et on sait comment ça finit, ça finit dans un lit ! lui a dit son mari. Alors, pour couper court à tout soupçon, pour protéger cet homme et éviter que mon mari ne se mette pas à faire une fixette sur lui, je lui ai dit qu'il s'agissait de vous, Éric. De moi ? me suis-je alors exclamé. *Vous lui avez dit qu'il s'agissait de moi ?* Une cohue était en train de s'écouler, sur le trottoir, depuis la porte étroite de l'école, et tout à coup j'ai vu mon petit garçon sortir de cette masse en expansion et s'orienter vers moi avec lenteur, son gros cartable sur le dos, épuisé (nous étions un vendredi, il n'y avait que le vendredi que j'allais le chercher à la sortie de l'école), alors j'ai placé mon index sur mes lèvres pour lui faire comprendre qu'il ne devait pas me déranger et nous nous sommes mis en route vers la maison, je tenais

Donatien par les épaules tout en écoutant ce qu'avait à me dire Bénédicte Ombredanne. Vous êtes pour lui un homme inaccessible, il sait que je vous ai rencontré il y a un an pour une conversation littéraire (je lui ai dissimulé que l'on s'était revus à l'automne), je suis parvenue à lui faire croire que vous vous étiez pris d'affection pour moi en raison de ce que je vous avais dit sur vos romans, qui vous avait beaucoup impressionné. Il vous en veut de m'avoir expédié ces messages, je ne vais pas prétendre le contraire, et il se sent diminué, diminué et humilié, écrasé, lui le pauvre employé de banque, par cette estime que vous portez à sa femme, il vous en gardera éternellement rancune, oui, ça c'est certain, mais il ne peut rien contre vous, il n'osera pas, je lui ai promis de mettre un terme à nos relations. Il me l'a fait promettre sur la tête d'Arthur. Pardonnez-moi, Éric, mais je ne pouvais pas faire autrement, je suis sûre que vous comprendrez. Sinon j'étais partie pour quatre mois d'interrogatoires ininterrompus pour que je lui révèle l'identité de cet homme. Il n'aurait pas hésité, d'ailleurs, à appeler le numéro, mais là il n'osera pas, il n'aura pas envie de vous parler, enfin je ne crois pas. Si par malheur vous recevez un appel depuis ce téléphone, ou si un numéro inconnu s'affiche sur votre portable, ne décrochez pas, s'il vous plaît, Éric, ne décrochez pas, et s'il vous laisse un message vocal, effacez-le sans l'écouter, effacez-le immédiatement sans l'écouter, je vous en conjure. Laissons passer un peu de temps, c'est moi qui reviendrai vers vous quand les choses se seront tassées, d'accord ? Je vous laisse, maintenant, Éric, au revoir, pardonnez-moi, prenez soin de vous, j'attendrai que votre fléchette vienne se ficher dans mon cœur, il faut que je vous laisse, je l'entends qui revient, je vous embrasse, et Bénédicte Ombredanne a raccroché.

Je l'ai eu un peu mauvaise, je l'avoue, d'avoir été utilisé

à mon insu comme paravent, mais, en lui disant ce jour-là au téléphone qu'elle avait eu raison de s'être ainsi protégée, avec mon aide, de la colère de son mari, je n'ai rien laissé paraître du malaise que cette manœuvre intempestive m'avait en réalité inspiré : malaise de me sentir substance d'un mensonge destiné à couvrir une équipée adultérine dont elle ne m'avait même jamais parlé, malaise d'avoir été trahi ou sacrifié, d'être tombé dans un piège, d'avoir été précipité dans une situation qui pourrait se révéler pernicieuse si son mari, ce grand malade, se mettait en tête de se venger. Certes, il était acquis que Bénédicte Ombredanne ne méritait rien tant que de pouvoir se procurer d'agréables moments en compagnie d'un homme qui serait tendre avec elle, ce qui en soi justifiait que je lui serve volontiers de paratonnerre, je suis bien d'accord, quoi qu'elle eût fait pour s'exposer à la folie inquisitrice de son mari — cependant, me mettre ainsi au pied du mur et raccrocher brusquement, puis disparaître pendant des mois sans plus donner de ses nouvelles (elle aurait pu, le lendemain, m'envoyer un message de remerciements, ou un mail me confirmant que le subterfuge auquel j'avais prêté mon corps avait porté ses fruits), cette attitude m'a déçu et je n'ai pas repris contact avec elle.

Un an plus tard à peu près, en avril 2010, Bénédicte Ombredanne m'a envoyé un mail pour me souhaiter un bon anniversaire, et je n'ai pas répondu, elle ne m'a pas relancé, nos échanges sont retombés dans le silence où les avait entraînés notre dernière conversation téléphonique, devant l'école élémentaire de la rue de Chabrol.

De nouveau un an plus tard, en avril 2011, j'ai envoyé un mail à Bénédicte Ombredanne pour savoir comment elle allait, et lui dire qu'en lieu et place de la fléchette évoquée avec elle au printemps 2008 je venais de terminer un livre qui était un pavé. Vous me direz que fléchettes et pavés ont ceci en commun qu'on les lance, mais l'effet produit au point d'impact n'est pas exactement le même : ce roman-ci serait plutôt de nature à vous pulvériser la cage thoracique, lui ai-je écrit avec malice pour essayer de me faire pardonner mon silence des douze derniers mois. Je vous l'enverrai par la poste, avec une dédicace adroitement chiffrée (pour n'éveiller aucun soupçon malencontreux chez votre mari), à l'adresse que vous m'aurez donnée, quand il sera sorti de l'imprimerie, fin mai ou début juin. J'espère que ce roman ne vous décevra pas, moi j'ai la vague et désagréable impression qu'il n'est pas parvenu à se hisser au niveau du précédent, un petit quelque chose lui fait défaut que je suis incapable d'identifier, mais je le sens, je le sens, et j'en souffre, j'en souffre. Il est déjà très bien reçu par ceux qui l'ont lu et moi je fais semblant de partager sans réserve leur enthousiasme. Une résistance indéfinie, minime mais insistante, dissimulée dans mes pensées, m'empêche de me mettre entièrement au diapason de cet engouement. J'assume ce livre à cent pour cent avec l'aide de ma raison mais il se trouve qu'un sentiment aussi nocif et insidieux qu'indiscernable fait comme un petit trou dans la chambre à air des éloges que je m'adresse à moi-même en continu pour parvenir à croire en ce livre, et par ce petit trou impossible à identifier, et à localiser, et à neutraliser, s'échappe imperceptiblement, en permanence, depuis le jour où j'en ai commencé l'écriture, la croyance qu'il est réussi, qu'il transcende les idées desquelles il découle, qu'il procède de ma personne avec la vérité et l'évidence d'un phénomène inéluctable, qu'il a la grâce d'un marron lancé dans une poubelle, bras tendu, à trois mètres de distance, les yeux fermés : *pile en plein cœur de l'orifice*, si vous voyez à quoi je fais allusion, ai-je écrit à Bénédicte Ombredanne. Vous resterez la seule à qui je confesserai ce sentiment, car vous êtes la seule à savoir que j'ai passé des semaines à pleurer, caché dans mon bureau, pendant toute la période où j'ai mûri ce livre, qui à moi me fait sentir, presque à chaque ligne, la peur que j'ai eue, terrifiante, jour après jour, mois après mois, de m'être perdu comme écrivain, de m'être perdu à tout jamais. Ne plus avoir écrit de phrase magique depuis longtemps, être dans une sorte d'absence aux sortilèges de l'écriture, n'avoir plus avec elle, l'écriture, qu'un rapport de carrossier, de surface, de volonté, d'effort, d'outils, de galbe, de forme, un peu comme voir des corps à travers la vitre d'un peep-show sans pouvoir les toucher — c'est ce qui m'est arrivé, je crois. Ce sentiment de défaite impalpable me hantait et je voulais l'anéantir, et je trouve que dans ces pages il se sent trop : ce roman n'est rien d'autre que la tentative, sans cesse recommencée, jour après jour, sur cinq cents pages, de réussir une phrase magique, une seule, pour retrouver la grâce de mon précédent livre. Si bien que ce roman, je n'en puis plus douter maintenant qu'il est fini, est un peu comme un tombeau monumental, majestueux, en pierre de taille (et magnifique, diront certains), le tombeau de celui que j'ai été pendant deux ans et demi, et qui doutait de lui au point d'en mourir. Peut-être, pour renaître à moi-même, fallait-il en passer par là, par ce livre tout en marbre, ai-je écrit à Bénédicte Ombredanne (je recopie les phrases exactes que je lui ai envoyées ce jour-là). Tout ça pour dire qu'à présent je me sens prêt pour un nouveau départ, d'autant plus que j'aime beaucoup, encore une fois, ce gros roman, mais là n'est pas la question, et vous l'aurez compris, je le sais. Donnez-moi de vos nouvelles, dites-moi si tout va bien, j'espère surtout que vous ne m'avez pas tenu rancune de mon silence. Je vous embrasse, avec toute mon affection,

Éric.

J'ai reçu, en retour instantané, le mail suivant :

Mail Delivery System — Undelivered Mail Returned to Sender — Nous sommes désolés de vous informer que votre message n'a pas pu être remis à un ou plusieurs de ses destinataires. This is the mail system at host mwinf5d36.orange. fr. I'm sorry to have to inform you that your message could not be delivered to one or more recipients. be.ombre@me. com: host me.com (17.158.8.70) said: 550 5.1.1 unknown or illegal alias be.ombre@me.com.

J'ai alors rédigé un SMS par lequel je priais Bénédicte Ombredanne de bien vouloir me faire parvenir sa nouvelle adresse mail, mais avant de l'envoyer je me suis souvenu qu'elle m'avait défendu, deux ans plus tôt, d'utiliser ce numéro, alors j'ai préféré m'abstenir. Utilisant le poste fixe de mon bureau, j'ai composé ledit numéro avec prudence, tout prêt à raccrocher si une voix d'homme me répondait, et un message m'annonçant qu'il n'était pas en service a résonné désagréablement à mon oreille.

J'ai alors composé, toujours depuis mon poste fixe, le numéro du premier téléphone de Bénédicte Ombredanne, et le même message a retenti, accompagné de ses stridents signaux sonores.

Plus aucun moyen de la joindre.

Alors je suis allé sur Internet et j'ai entrepris de taper dans Google le nom de Bénédicte Ombredanne.

Au moment où ma saisie en était à Bénédicte Ombre, sont apparues, suggérées par Google, prolongeant ma requête, un certain nombre d'occurrences associées à ce début d'état civil, dont celle-ci, directe et foudroyante : *Bénédicte Ombredanne décès*.

J'ai alors sélectionné cette proposition et dans la liste des liens possibles j'ai cliqué sur celui-ci : dansnoscœurs.fr/benedicte-ombredanne/448043. S'est alors affichée sur mon écran la page suivante, duplicata d'un avis de décès paru dans *l'Est Républicain* :

Metz
Condé-sur-Marne
Reims
Jean-François OMBREDANNE, son mari
Arthur et Lola, ses enfants
Jacqueline BAUSSMAYER, sa mère
Geneviève et Christophe BAUSSMAYER, sa sœur et son frère
Marie-Claire et Damien OMBREDANNE,
sa sœur et son beau-frère,
Ses oncles, tantes, cousins, nièces et neveux,
Ont la douleur de vous faire part du décès de
Madame BÉNÉDICTE OMBREDANNE,
Née BAUSSMAYER,
À Metz,
Le 23 janvier 2011.
La cérémonie religieuse aura lieu le vendredi 28 janvier 2011
à Condé-sur-Marne.

Mon corps s'est vidé d'un seul coup.

J'ai regardé cette page pendant plusieurs minutes, glacé, mes doigts évanouis sur le clavier, sans faire le plus petit mouvement.

Je me suis mis à pleurer, me demandant quelle erreur grave j'avais commise pour qu'une anomalie aussi atroce se soit produite aux alentours immédiats de mon existence, pour ne pas dire à l'intérieur, à un envoi de mail de mon bureau.

Aurais-je pu l'empêcher, cette mort, la différer, ou encore l'adoucir, si j'avais répondu au dernier message de Bénédicte Ombredanne, envoyé pour mon anniversaire un an plus tôt ?

Au cœur de ce tableau typographique cérémoniel, le nom de BÉNÉDICTE OMBREDANNE ne cessait d'attirer mon regard, je n'arrivais pas à y croire, ce nom centré comme sur une stèle me subjuguait d'une douleur indicible, je suis resté de longues minutes à me laisser absorber par cet abstrait substitut de funérailles.

Mon orgueilleux silence des deux dernières années me faisait apparaître comme affreusement logique le silence où reposait désormais Bénédicte Ombredanne. Si le hasard ne m'avait pas permis de découvrir qu'elle était morte, ces deux silences auraient continué de se confondre : c'est en tentant de reprendre contact avec elle que je m'étais aperçu qu'à l'intérieur du premier, tombé sur nos relations deux ans plus tôt à cause de mon égoïsme, un second avait pris place entretemps, irréversible celui-ci, rendant définitive l'occurrence idiotement circonstancielle du premier.

Quelle cruauté.

Je l'avais toujours su que Bénédicte Ombredanne ne quitterait jamais son mari, que celui-ci continuerait de lui faire subir toutes sortes d'outrages, de vexations, de violences psychologiques, alors pourquoi l'avais-je laissée tomber ?

Je m'étais rendu coupable d'un manquement grave à l'égard de cette femme, c'est quelque chose que me hurlait mon corps, qui en était saisi.

De quoi était-elle morte ?

Mes recherches sur Internet n'ont abouti à rien : je n'ai pas pu en apprendre davantage.

J'ai passé les deux jours suivants à ne pas savoir quoi faire, accablé de douleur, et de colère contre moi-même.

J'essayais d'atténuer la cruauté des effets de ce décès sur mon mental. Après tout, je ne la connaissais pas si bien que ça, cette femme, je ne l'avais rencontrée que deux fois, que m'importait dans le fond qu'elle fût morte, pourquoi sa mort me mettait-elle dans cet état ? Sa disparition ne me regardait pas, je n'avais pas à en savoir davantage, il me fallait passer à autre chose, mais c'est en vain que je m'adressais ces injonctions autoritaires : la pensée de Bénédicte Ombredanne ne me lâchait plus. Pourquoi ? Peut-être parce que, selon ses propres dires, elle ne s'était jamais confiée à personne comme elle s'était confiée à moi (si l'on excepte les résidents de Brigadoon), et parce que se trouvaient, dans un tiroir de mon bureau, les photocopies des quarante pages qu'elle avait écrites pendant son séjour à Sainte-Blandine, en plus des sorties papier des nombreuses lettres qu'elle m'avait envoyées, pour certaines assez longues, pendant de nombreux mois, ce qui n'était pas rien.

Ce qu'elle avait essayé d'exprimer de ses pensées les plus profondes, et de sa vérité intérieure, par écrit, dans le silence des nuits d'été de Sainte-Blandine, elle m'en avait fait le dépositaire exclusif. Et maintenant elle était morte, et Bénédicte Ombredanne reposait désormais dans deux endroits distincts, en chêne, silencieux, horizontaux : son cercueil sous la terre, et un tiroir de mon bureau.

La mort et les tiroirs sont peut-être les deux destinations où les gens et les objets se laissent le plus facilement oublier.

Je ne devais pas oublier Bénédicte Ombredanne.

Il n'était pas envisageable que j'appelle son mari, ni sa mère, qui devait être anéantie.

Bénédicte Ombredanne ne m'avait jamais dit qu'elle avait un frère et deux sœurs, je m'apercevais que nous n'avions jamais parlé de sa famille, ni lors de nos conversations au Nemours, ni dans nos échanges de mails.

Je pouvais donc appeler Geneviève ou Christophe Baussmayer, ou encore Marie-Claire Ombredanne, mais concernant cette dernière une donnée singulière m'insécurisait, à savoir qu'elles portaient toutes les deux, curieusement, le même patronyme. Qu'est-ce que ça signifiait ? Que Bénédicte et Marie-Claire avaient épousé deux frères, ou bien deux hommes qui se trouvaient cousins ? Je devais être prudent, je ne savais pas où j'allais mettre les pieds, il serait naturellement fâcheux que j'aille confier mon affliction à une alliée objective de Jean-François Ombredanne — dans l'hypothèse où celui-ci serait parvenu à mettre son frère et sa belle-sœur de son côté, les convainquant que mon amie était folle, ou hystérique, voire nymphomane, on sait comment ça se passe dans les familles.

Interrogeant Internet, j'ai trouvé la référence d'une société dirigée par une certaine Marie-Claire Ombredanne, sise au 38 de la rue des Élus à Reims, et enregistrée sous l'appellation : Soins de beauté. Concernant Geneviève Baussmayer : aucune information. Son frère Christophe résidait visiblement aux États-Unis, où selon LinkedIn il travaillait pour une entreprise pétrochimique multinationale.

Tapant l'adresse de la rue des Élus sur Google, je suis tombé sur un site qui recommandait, parmi un certain nombre d'établissements de cette catégorie, l'institut Beauté Turquoise.

Beauté Turquoise : soins visage, soins corps, drainage lymphatique, esthétique, épilation peaux sensibles.

Sur l'avis de décès paru dans *l'Est Républicain*, il était fait mention de Reims : ça collait.

J'ai appelé Beauté Turquoise.

Une femme a décroché à qui j'ai demandé si je pouvais bénéficier d'un soin du visage, ou si ces prestations étaient réservées aux femmes. Il m'a été répondu avec la plus grande courtoisie que ces soins s'adressaient aux hommes aussi bien qu'aux femmes. J'ai demandé si je pouvais venir le lendemain en fin de matinée, mon interlocutrice m'a répondu attendez, je regarde, oui, il me reste encore un créneau à onze heures trente, je lui ai dit que cet horaire était pour moi idéal et que je viendrais donc le lendemain à onze heures trente pour un soin du visage. Sur quoi l'esthéticienne m'a demandé mon nom. J'ai un instant hésité à raccrocher, redoutant que la révélation de mon identité ne provoquât chez la jeune femme une réaction contrariante (il était tout à fait concevable que Bénédicte Ombredanne ait parlé de mes livres à sa sœur), mais je n'ai observé aucune altération particulière de sa voix quand je lui ai donné mon nom, qu'elle a ensuite inscrit sur son agenda en répétant distinctement chacune des lettres que j'égrenais, avant de le prononcer pour elle-même d'une voix claire, d'excellente humeur. Les soins seront pratiqués par qui ? ai-je alors demandé. Par moi-même, m'a-t-il été répondu. Vous êtes la directrice de l'institut, ou bien une employée ? Je suis la seule à travailler ici, monsieur, m'a répondu la sœur de Bénédicte Ombredanne, pourquoi cette question ? Comme ça, pour savoir, et pour être sûr de la qualité du soin, me suis-je empressé de lui dire. Vous ne serez pas déçu, monsieur : cet institut est l'un des plus réputés de la ville.

Le lendemain, je me suis rendu à pied gare de l'Est, j'ai retiré à une borne SNCF le billet réservé la veille par Internet, je me suis installé dans mon siège et j'ai dormi, j'étais fatigué, ma nuit avait été inquiète. Quand il n'a été interrompu que par un rapide petit-déjeuner, le sommeil n'aime rien tant que renouer en douce avec lui-même, abandonné au bercement voluptueux des mouvements ferroviaires.

Arrivé à Reims, je suis allé directement, guidé par mon iPhone, rue des Élus, où mes pas ont fini par me déposer, à l'heure précise du rendez-vous, devant la vitrine de l'institut Beauté Turquoise, dans laquelle je me suis reflété de pied en cap, en manteau noir, une écharpe grise autour du cou, muni d'un petit sac en cuir où par prudence j'avais glissé une brosse à dents et des sous-vêtements de rechange.

En transparence de ma silhouette, des présentoirs publicitaires contenant des produits de beauté étaient disposés sur une moquette turquoise, accompagnés de trois fragments photographiques de corps bronzés, musclés, que massaient des doigts fins et huileux, enduits d'onguent. Sur une autre photographie, seuls les yeux bleus d'une jeune femme blonde, l'ovale de ses narines, les lèvres d'un fin sourire de contentement béat ressortaient d'une épaisse couche de crème appliquée sur son visage et sur son cou, blanche et opaque.

J'ai poussé la porte vitrée, une clochette a retenti et une femme imposante, large de hanches et d'épaules, est venue à ma rencontre en me tendant une main massive, à la poigne masculine, agréable au toucher, que j'ai serrée avec plaisir assez longuement, m'entendant dire que j'étais sous doute le monsieur de onze heures trente pour le soin du visage. Le lui ayant confirmé avec un sourire, un long couloir nous a conduits dans une pièce située à l'arrière qu'il m'a surpris de découvrir plus joliment décorée que n'avaient pu me le laisser supposer la vitrine et le vestibule, ou encore la plante caoutchouteuse placée en sentinelle près du bureau où elle notait ses rendez-vous. J'observais discrètement l'esthéticienne, n'identifiant aucune similitude entre les traits, les physionomies, les manières d'être et les imaginaires corporels des deux sœurs. Comme elle venait de suspendre mon manteau dans une penderie fermée par un épais rideau grège, Marie-Claire Ombredanne m'a invité d'un geste courtois à m'introduire, pour m'y déshabiller, dans la cabine qu'elle m'indiquait de sa belle main, me demandant de bien vouloir réapparaître dans

265

le peignoir que j'y trouverais, avec aux pieds des chaussons de coton éponge. J'étais un peu surpris qu'il faille, pour un soin du visage, se dévêtir, mais je me suis exécuté — et, de fait, quelques minutes plus tard, c'est dans cet accoutrement de curiste que je me suis allongé sur une table de massage recouverte d'une serviette blanche, table dont l'extrémité, très inclinée, permettait au visage d'être orienté obliquement vers un point éloigné du plafond, au fond de la pièce.

Assise sur un haut tabouret, Marie-Claire Ombredanne m'a demandé quel genre de soins je souhaitais me voir prodiguer, est-ce que j'avais déjà quelque chose en tête, ou bien c'était la première fois ? Je lui ai répondu que c'était la première fois, j'avais la peau fragile et ce rude hiver qui n'en finissait pas l'avait endommagée, j'avais envie qu'elle reprenne un peu d'éclat, ai-je dit à la sœur de Bénédicte Ombredanne, ou supposée telle. Si vous pouviez en atténuer les rougeurs, regardez, elle est déshydratée et un peu rouge, ai-je poursuivi en inspectant ses sourcils, ses dents, son nez plaisant quoiqu'un peu gros, l'implantation de ses cheveux châtains et la beauté toute médiévale de ses oreilles, vantaux d'une verticalité vertigineuse, très à mon goût. Je l'ai vue approcher du mien son visage, ses yeux verts se sont promenés à la surface de ma peau sèche avec la plus grande attention, elle a posé la pulpe de son index sur ce que je savais être une petite dartre opiniâtre, circulaire, qui était là, exaspérante, sur mon nez, depuis plusieurs semaines, avant de me dire, sûre d'elle et d'une voix claire, qu'elle suggérait le soin CatioVital de Mary Cohr. Il dure une heure et quart et coûte habituellement soixante-cinq euros, *mais* vous pourrez bénéficier aujourd'hui d'une réduction *exceptionnelle* de trente pour cent, c'est une opération promotionnelle valable jusqu'à la fin du mois. C'est un soin profond et nettoyant, traitant et personnalisé, avec un modelage aux huiles essentielles, l'ai-je entendue me dire. Libérée de ses nombreuses impuretés, votre peau sera réoxygénée et parfaitement nette, vous verrez ! Parmi les différentes options proposées, je serais tentée de vous recommander le soin hydratation/douceur, de préférence au soin éclaircissant/éclat auquel j'avais d'abord songé en vous voyant, mais il est vrai que votre peau est très sèche, quelle crème traitante utilisez-vous, monsieur, au quotidien ? Je ne sais plus, le tube est blanc et cylindrique, rigide, avec un capuchon bleu ciel, et il tient debout tout seul, vous voyez ? Grand comme ça à peu près, ai-je indiqué à la sœur de Bénédicte Ombredanne, ou supposée telle, en lui montrant avec mes doigts la dimension approximative du tube. Si c'est blanc et bleu ciel, c'est Bioderma, m'a-t-elle répondu, à quoi j'ai coupé court en lui disant qu'il s'agissait sans doute de ça, et qu'elle avait raison, Bioderma. On part donc sur un soin CatioVital Mary Cohr hydratation/douceur à soixante-cinq euros moins la remise exceptionnelle de trente pour cent ? m'a-t-elle demandé. J'ai répondu oui et sur ce oui ladite Marie-Claire Ombredanne, dont par erreur l'annonce mortuaire de *l'Est Républicain* avait fait la sœur de ma lectrice messine plutôt que la belle-sœur (voilà, c'était évident, j'avais enfin compris la situation : quel con j'étais, en fait cette femme était *l'épouse du frère de Jean-François Ombredanne*, en d'autres termes il aurait fallu lire : *Marie-Claire et Damien Ombredanne, sa belle-sœur et son beau-frère*, mais le *belle* avait sauté au marbre du quotidien régional et ainsi je venais de me mettre dans de beaux draps, ou plutôt dans un beau peignoir éponge : en somme, j'aurais fait le déplacement à Reims pour le seul bénéfice d'un soin vitalisant du visage Mary Cohr, voilà tout), et sur ce oui contractuel ladite Marie-Claire Ombredanne s'est retirée dans un angle de la pièce pour préparer la mixture dont elle allait avoir besoin pour améliorer l'état de mon épiderme.

La désormais supposée belle-sœur de Bénédicte Ombredanne m'a ensuite massé le visage avec une huile dont la fragrance de prairie n'a pas tardé à me charmer. Les yeux fermés, je voyais des fleurs jaunes se multiplier par milliers dans une herbe d'un vert émeraude abondamment ensoleillée, au milieu de laquelle une jeune femme nue est bientôt apparue en courant vers moi les bras écartés, la peau très blanche, les cheveux au vent, ses seins se balançant avec souplesse. Je sentais sur mon visage le toucher envoûtant des doigts massifs de Marie-Claire Ombredanne, doigts décidés et romantiques, d'une douceur indéniable, troublante, à la virtuosité desquels il ne faisait aucun doute que je devais l'orientation explicitement sulfureuse de ces premières images de campagne. On ne m'avait jamais massé le visage et je dois dire que j'ai trouvé cette expérience ahurissante, au point que des envies de sexe intense avec cette femme au physique outrancier m'ont traversé l'esprit par fulgurances à différentes reprises, mais j'ai été en mesure d'en contenir les pulsions. L'esthéticienne enfonçait symétriquement dans l'épaisseur de mon visage ses mains expertes et appliquées, dominatrices, enduites d'huile et glissantes, pleines de sous-entendus, de chuchotements, d'intimité, ouvrant des horizons radieux vers ses désirs de louve lubrique et insatiable, me disais-je naïvement à moi-même, réduit à l'état de larve intellectuelle (comme on vient de le constater à l'instant). Pétrissant avec une conviction tout équivoque cette partie de notre corps où nous avons conscience de nous-mêmes, en d'autres termes l'endroit tellement sensible et vulnérable où se fabriquent l'image qu'on a de soi, le désir, les rêves, la honte, la relation aux autres, la séduction et les fantasmes, il me semblait que ses doigts orientaient, et orientaient tangiblement, *presque en la malaxant,* la substance de ma présence au monde, et plus précisément ses tropismes érotiques. Autrement dit, ayant fait disparaître toute ossature, *elle massait directement ma vie,* ou plutôt ma conscience d'être moi-même *et* en vie, et cette conscience se révélait d'une nature aussi érogène que la peau de mon pénis. Certes, aucun orgasme ne peut résulter du séjour prolongé d'un visage d'homme sous les mains virtuoses d'une masseuse, mais mes pensées ont compensé par de brûlantes extases ce déficit physiologique : on peut dire qu'abandonné au savoir-faire de Marie-Claire Ombredanne j'ai connu une sorte d'orgasme de la conscience, une déchirure d'impudeur a surgi verticale dans mon âme avec la brusquerie d'un drap que l'on déchire. Pour être précis, c'est quand j'ai compris qu'elle voyait distinctement avec ses doigts ce qui se passait derrière mon visage que j'en ai joui avec la brusquerie d'une déchirure — j'ignorais jusqu'à présent que l'on pouvait jouir du visage. Je crois que j'ai gémi. J'arrête là, on a compris l'esprit du moment. Une fois le massage terminé, le regard que j'ai lancé à Marie-Claire Ombredanne était celui d'un homme qui vient de vivre une expérience qu'il n'a encore jamais connue, et qui mérite d'être distinguée par une expression de profonde gratitude : je lui ai souri béatement. Elle m'a souri à son tour, j'ai senti qu'elle connaissait ces signes de reconnaissance et qu'elle appréciait de les identifier chez ceux ou celles qu'elle venait de masser, preuves d'une victoire de sa maîtrise sur les verrous de la pudeur. Vous allez bien, ça vous a plu ? m'a-t-elle demandé avec malice, et j'ai répondu oui, c'était parfait, j'adore ça, je reviendrai vous voir, ces quelques mots lancés vers elle avec un sourire en miroir du sien.

Après quoi la belle-sœur supposée de Bénédicte Ombredanne a appliqué sur mon visage, à l'aide d'un pinceau plat, une mixture blanche et onctueuse, relativement épaisse, glacée et odorante, que je sentais se solidifier sur ma peau. Non pas sécher ou se rigidifier, comme l'aurait fait du plâtre, mais se maintenir fermement sur mon visage en restant tendre et vivante, humide, crémeuse. J'ai trouvé cette sensation apaisante, prolongeant comme par une sorte de sieste l'extase ardente du massage existentiel. (Une sieste dans une pièce froide, calmante.) Une fois le masque dûment étalé, l'esthéticienne m'a déclaré qu'il devait rester en place une trentaine de minutes.

— Je peux parler ? ai-je demandé.

— Le mieux est de ne pas parler, de vous détendre, de ne penser à rien, m'a-t-elle répondu avec gentillesse, me confortant dans l'intuition que notre échange allait être fluide et fructueux. Fermez les yeux, faites de ce moment un moment de vide et de détente, d'abandon. Vous voulez que je vous mette de la musique ?

— Excusez-moi de vous poser la question d'une manière aussi abrupte, mais vous êtes bien la sœur de Bénédicte, n'est-ce pas ?

Marie-Claire Ombredanne, qui s'apprêtait à aller ranger ses ustensiles, s'est immobilisée, le bol en bois dans une main et le pinceau souillé dans l'autre, interdite. Son regard vert s'est enfoncé dans mes yeux avec froideur, méfiant, comme effaré.

— Je suis désolé de vous parler de votre sœur si brusquement, mais je ne pouvais pas faire autrement.

— Vous connaissiez Bénédicte ? (Long silence. Je regardais le visage de Marie-Claire Ombredanne sans trouver la force de lui répondre.) Vous étiez un ami de Bénédicte ?

— Oui, en quelque sorte, ai-je fini par lui dire, sortant de mon silence. On peut dire que j'étais un ami de Bénédicte, tout à fait.

Le bol et le pinceau étaient restés chacun à leur altitude initiale, le bol un peu plus en avant et le pinceau légèrement plus bas, presque au niveau des hanches. Les ayant sans doute oubliés, elle allait rester dans cette posture pendant toute la durée de notre échange, comme si un photographe avait dû l'immortaliser, pour les besoins d'un reportage, dans l'exercice de son métier, la priant d'adopter une attitude représentative de ses activités quotidiennes.

— Votre nom ne me dit rien. Si vous aviez été un ami de Bénédicte, je l'aurais su, elle m'aurait parlé de vous. Ma sœur n'avait aucun secret pour moi, m'a-t-elle dit avec froideur, toujours aussi méfiante, sceptique, et mécontente.

— Je suis écrivain, elle aimait mes livres, elle m'a écrit une lettre absolument splendide et nous avons...

— Ça c'est sûr qu'elle écrivait très bien, m'a interrompu Marie-Claire Ombredanne. Pardon, je vous ai coupé.

— Nous nous sommes rencontrés deux fois. La première au printemps 2008, et la seconde à l'automne de la même année, à Paris, dans un café du Palais-Royal, ai-je poursuivi en lui souriant, mais elle restait réticente. Nous nous sommes écrit pendant quelques mois, mais cette correspondance s'est interrompue il y a deux ans pour une raison que je vous dirai peut-être, si nous devons nous revoir. J'ai appris son décès hier matin.

Un long silence s'est installé entre nous.

Marie-Claire Ombredanne paraissait réfléchir à la situation. C'est alors qu'elle m'a demandé, le regard toujours posé sur mon visage :

— Je suppose qu'elle vous a parlé de moi ?

— Il lui est arrivé de me parler de vous, effectivement.

— Vous savez donc à quel point nous étions proches.

— Mais nos échanges n'évoquaient que rarement sa famille, en dehors de son environnement immédiat, son mari et ses enfants. (Au mot *mari,* Marie-Claire Ombredanne avait sursauté, comme piquée par une guêpe, mais elle avait gardé contenance du mieux qu'elle le pouvait, malgré la fulgurante douleur de l'aiguillon. Le bol en bois, à cette occasion, avait changé d'orbite, comme alourdi : il se trouvait maintenant en parfaite symétrie, par rapport aux hanches, avec le pinceau tenu verticalement, un peu penché.) Je ne sais quasiment rien de sa famille. Hier, en découvrant sur Internet qu'elle était morte, je me suis rendu compte que Bénédicte ne m'avait même jamais parlé de son enfance. J'ignore jusqu'au métier que faisaient ses parents.

— Agriculteurs.

— Tiens, je n'aurais jamais pensé, ai-je répondu sur un ton étonné. (J'avais failli lui dire : *agriculteurs, vous êtes sûre ?*) Où ça ? dans la région ?

— C'est ce qui était pour elle le plus important, la famille. Ses parents, sa sœur aînée, son frère, sa sœur jumelle.

— Sa sœur jumelle ?

— J'étais sa sœur jumelle. Vous ne le saviez pas ? Elle ne vous l'avait pas dit ? Ça alors, c'est vraiment surprenant.

Sans doute l'enduit qui recouvrait mes traits accentuait-il l'intensité de mon regard, lequel, stupéfait, affamé d'explications, était probablement aussi éloquent que le plumage d'un oiseau exotique sur une surface neigeuse, sautillant en quête de graines. Ses yeux plongés au fond des miens, Marie-Claire Ombredanne cherchait à en analyser toutes les nuances, étonnée par le nombre d'interrogations suspendues qu'elle pouvait y déceler, fortement contrastées.

— Je sais très bien ce que vous allez dire, tout le monde l'a toujours dit : *que nous étions à l'opposé l'une de l'autre.* C'est assez fréquent, chez les faux jumeaux, et même souvent chez les vrais, que l'un des deux, s'étant senti lésé dans

272

le ventre de la mère, ou bien au sein, se développe davantage que sa moitié, par réaction. J'ai toujours eu peur de manquer. C'est ce qui fait le fond de ma personnalité. Je déborde de vitalité et d'énergie, je mange énormément, je fais seize heures de sport par semaine, je dévore la vie à pleines dents. C'est peut-être pour cette raison que mon corps a atteint cette stature imposante, quand celui de ma jumelle est resté celui d'une écolière. Bénédicte était plus intérieure que moi, plus intérieure et moins physique, plus angoissée. Encore que, dans sa jeunesse, elle ait été d'une nature plus expansive qu'elle ne l'est devenue par la suite. Elle était vraiment joyeuse, quand elle était adolescente, je vous assure. Rigolote, provocatrice. À l'école, quand nous étions enfants, elle n'avait pas sa langue dans sa poche. Plus tard, elle était toujours la première à vouloir sortir et faire la fête, le samedi soir. Qui aurait pu le croire, ces dernières années ? Vous qui me dites l'avoir un peu connue, et récemment, non ?

— Je suis d'accord. J'ai du mal à imaginer Bénédicte en jeune fille qui aime sortir le samedi soir pour s'amuser.

— *Alors*, a-t-elle ponctué avec force, comme en laissant tomber son poing sur une table, de rage, affirmative.

Marie-Claire Ombredanne s'est éloignée vers son laboratoire situé dans mon dos.

J'ai attendu en silence qu'elle revienne. Je n'entendais que de discrets reniflements. Elle est réapparue quelques minutes plus tard, les yeux rougis, un mouchoir en papier serré dans son poing.

— Pardonnez-moi, je n'arrive pas à me remettre de sa disparition, il ne se passe pas une seule journée sans que j'éclate en sanglots devant mes clients. Et maintenant vous qui débarquez en prétendant avoir très bien connu ma sœur, alors qu'elle ne m'avait jamais parlé de vous, c'est trop pour moi, je craque.

Marie-Claire Ombredanne s'est assise sur le tabouret haut et elle s'est mise à pleurer, laissant se déverser ses larmes et ses sanglots, abandonnée à la puissance dévastatrice de sa douleur, secouée de spasmes.

Allongé impuissant sur sa table de massage, mon visage toujours enduit du masque hydratant Mary Cohr (que trouait littéralement mon regard consolateur posé sur son visage à elle désormais uniformément rouge, comme disparu derrière le masque hyperhyperhydratant d'un très profond chagrin), j'avais pris dans la mienne la main humide de Marie-Claire Ombredanne et je la serrais avec le plus d'affection possible, bouleversé par ses pleurs.

Elle a fini par s'apaiser. J'ai lâché sa main, elle s'est mouchée et essuyé le visage avec des lingettes qu'elle jetait dans une poubelle chromée disposée à ses pieds, avant de reporter sur moi son regard rouge et gonflé.

— C'est lui qui l'a tuée.

— Vous voulez dire son mari?

Pendant un bref instant, j'ai craint qu'elle ne se remette à pleurer, comme si Marie-Claire Ombredanne était revenue en tout début de boucle, exactement au même point de détresse qu'un quart d'heure plus tôt. Mais elle s'est ressaisie, articulant ses phrases dans une épaisse salive d'enfant, et d'une voix faible, plus sourde et étouffée que jusqu'alors. Elle n'arrêtait pas de renifler et portait régulièrement une lingette usagée à son nez qui coulait.

— Qui d'autre? Vous n'étiez pas au courant, pour son mari?

— Si, bien sûr que si. Mais quand vous dites qu'il l'a tuée, qu'est-ce que vous voulez dire? Je ne sais même pas comment Bénédicte est morte.

— D'un cancer.

— D'un cancer ?

— Elle a fait un premier cancer fin 2006, du sein, grave, stade 4, huit cures de chimio suivies d'une opération conservatoire et d'une radiothérapie quotidienne de sept semaines. Vous me dites que vous l'avez rencontrée quand, Bénédicte, pour la première fois ?

— Au printemps 2008, en mars.

— Son traitement avait pris fin en octobre 2007. Elle devait être encore très fatiguée, quand vous avez fait sa connaissance, non ? Elle était encore convalescente, à ce moment-là. Quand on marchait toutes les deux, elle devait s'arrêter régulièrement pour reprendre des forces et le soir elle s'écroulait d'épuisement.

— Vous avez raison, je l'ai trouvée plus en forme à l'automne. C'est vrai, elle avait assez mauvaise mine la première fois que je l'ai vue. Mais elle ne m'a rien dit, je n'étais pas au courant, nous n'avons pas parlé de ça du tout.

— Je ne suis pas étonnée : elle n'était pas du genre à se plaindre. Il y a un an, elle a fait un second cancer primaire. Ce n'était pas une récidive du premier, non, mais un cancer original (si je puis dire), qui n'avait rien à voir avec le précédent, ailleurs, loin des seins. *Vous comprenez ce que je veux dire ?* On ne fait pas deux cancers primaires coup sur coup si on ne veut pas absolument s'évader de son existence. Sa situation était devenue insoutenable, elle m'en a fait la confidence dans les semaines précédant sa mort. Jusqu'alors je ne m'étais rendu compte de rien, je la croyais relativement heureuse : *elle faisait toujours bonne figure, toujours, elle ne voulait pas importuner les autres avec ses problèmes, c'est là qu'était son drame.* Elle ne voulait plus vivre, elle voulait fuir la vie qu'il lui faisait subir, elle n'avait pas d'autre choix que

275

de mourir, j'en ai acquis la conviction, c'est pour moi une évidence. Soit en se suicidant, ce qu'elle n'aurait jamais eu le courage de faire, soit en développant une maladie incurable. Bénédicte a toujours été en bonne santé, mais depuis qu'elle était mariée avec cet homme elle n'arrêtait pas d'enchaîner les maladies, ablation de la rate, phlébites aux deux jambes puis au ventre, cancer du sein, kystes aux ovaires, psoriasis, dépression nerveuse, cancer généralisé. Elle me l'a dit, à la fin de sa vie : Marie-Claire, c'est bizarre, du jour où j'ai été mariée avec cet homme, j'ai été tout le temps malade. On dit somatiser : on dit que les gens somatisent, qu'ils produisent des maladies en réaction aux coups qu'ils prennent, à leurs angoisses, aux contrariétés qu'ils rencontrent. La dureté de ce que ma jumelle devait supporter venant de son mari la faisait somatiser par des maladies graves. Il n'y avait aucune vie chez eux, aucun amour, rien. Même de la part de ses enfants. Elle est morte de désolation. Il l'a tuée. C'est évident qu'on peut le dire comme ça.

— Il s'est déclaré quand, son second cancer ?

— Vous savez que je l'avais anticipée, sa maladie ? Que j'ai fait un rêve prémonitoire, trois semaines avant qu'on en découvre l'existence ? Comme quoi, les jumeaux…

— Il s'est déclaré quand, ce second cancer ?

— Il y a un an, en mars 2010.

— Vous vous souvenez de la date exacte ?

— On l'a appris le 14 mars. Il nous a été annoncé dix jours plus tard, le 24, après des examens approfondis, qu'il y avait des métastases partout.

Mon anniversaire est le 2 avril.

Bénédicte Ombredanne m'avait souhaité un bel anniversaire en sachant que ce serait vraisemblablement la dernière fois qu'elle serait en mesure de le faire.

Un long silence s'est installé.

J'avais détaché mon regard du visage de Marie-Claire Ombredanne et j'ai fermé les yeux.

La surface du masque hydratant Mary Cohr, lisse et glissante comme de la neige glacée, fit dévaler à la vitesse d'une luge les quelques larmes que mes yeux clos avaient laissé filtrer, réduisant à presque rien la durée de cet auto-apitoiement déplacé, affreusement complaisant.

— Quelque chose ne va pas?

J'ai rouvert les yeux et je les ai posés sur le visage de Marie-Claire Ombredanne:

— Vous seriez d'accord pour qu'on dîne ensemble ce soir, et qu'on parle de votre sœur?

Elle m'a souri:

— Avec plaisir. Vous m'expliquerez comment vous vous êtes rencontrés.

Elle m'a tendu une lingette pour que j'essuie mes yeux.

— Vos livres, c'est quoi, quel genre? Des romans? Des romans policiers, des romans d'amour, des nouvelles, des essais philosophiques?

— Uniquement des romans.

— D'amour?

— Si vous voulez. Mais pas seulement.

— Vous en avez écrit combien?

— Cinq.

— Mazette, vous êtes un vrai écrivain! Vous êtes connu?

J'ai éclaté de rire sous mon masque hydratant Mary Cohr, les yeux encore un peu humides.

— Vous ne voulez pas me retirer ce masque, et qu'on parle ensuite tranquillement?

— Répondez d'abord à ma question. Vous êtes connu?

J'ai massé sans le savoir le visage d'un écrivain célèbre?

J'ai regardé avec tendresse Marie-Claire Ombredanne, avant de lui répondre que ma notoriété était confidentielle : je n'étais pas ce qu'on appelle un écrivain célèbre, non. Mon dernier livre avait eu pas mal de succès, mais pas au point que mon nom soit familier du grand public. Sa sœur jumelle non plus n'avait jamais entendu parler de moi avant que son libraire ne lui recommande la lecture de ce roman, lui disant qu'il était fait pour lui plaire.

Marie-Claire Ombredanne m'a demandé de quoi il parlait pour que sa jumelle l'ait à ce point apprécié, allant jusqu'à écrire une lettre admirative à son auteur. Elle a ajouté qu'elle ne comprenait pas non plus pour quelle raison Bénédicte ne lui avait jamais parlé de ce roman, si elle l'avait tellement aimé. C'est peut-être parce qu'il a touché chez elle quelque chose de très intime, comme il arrive parfois avec les livres, non, vous ne croyez pas ? ai-je demandé à Marie-Claire Ombredanne. Elle a acquiescé d'un minuscule mouvement du menton, sans grande conviction. Avant de me dire qu'elles n'avaient, elles deux, depuis toujours, aucun secret l'une pour l'autre. J'ai poursuivi en lui demandant si elle lisait beaucoup et Marie-Claire Ombredanne m'a répondu pas tellement, elle préférait le cinéma et la télévision, sur quoi je lui ai dit que ceci expliquait sans doute cela. Elle m'a approuvé d'un sourire, je lui ai pris la main, elle a serré la mienne quelques instants. Je trouverai certainement mon livre, cette après-midi, dans une librairie de Reims, et je vous l'offrirai ce soir, avec une dédicace, quand nous nous verrons pour dîner, d'accord ? Elle m'a répondu oui sans se remettre à pleurer (ce que j'ai craint qu'elle ne fût sur le point de faire, l'espace d'un bref instant), avant de s'éloigner d'un pas rapide vers son laboratoire, pour endiguer son émotion.

Recouvrant sa contenance d'esthéticienne, Marie-Claire Ombredanne a retiré de mon visage le masque hydratant

Mary Cohr, après quoi nous avons échangé nos numéros de téléphone afin de pouvoir nous joindre en fin de journée et convenir d'un lieu de rendez-vous. Elle allait réfléchir à un restaurant agréable, où l'on pourrait parler sans être gênés par le bruit ou la proximité des autres tables, m'a-t-elle dit au moment de nous séparer, sur le pas de sa porte.

Nous nous sommes retrouvés à dix-neuf heures à la brasserie du Boulingrin. Au préalable, avant de quitter ma chambre d'hôtel, j'avais couché dans mon carnet la chronologie des dernières années de la vie de Bénédicte Ombredanne, afin de me repérer plus facilement dans cet entremêlement d'événements décisifs :

Mars 2006 — Après-midi avec Christian.

Juillet 2006 — Séjour à Sainte-Blandine.

Décembre 2006 — Découverte de son premier cancer.

Octobre 2007 — Fin du traitement. Lecture de mon roman.

Mars 2008 — Première rencontre au Nemours.

Septembre 2008 — Seconde rencontre au Nemours.

Mars 2009 — Rupture de notre correspondance.

Mars 2010 — Découverte de son second cancer.

Avril 2010 — Mail d'anniversaire resté sans réponse de ma part.

Janvier 2011 — Décès de Bénédicte.

Avril 2011 — J'apprends le décès de Bénédicte.

Le récit que m'a fait Marie-Claire Ombredanne, d'abord à table, ensuite dans sa voiture, jusqu'à trois heures du matin, m'a terrassé.

Nous n'arrivions pas à nous séparer, notre conversation était invariablement relancée à l'instant précis où mes doigts se posaient sur la poignée de la portière, après nous être une nouvelle fois salués.

Si j'avais su qu'on parlerait aussi longtemps, on ne serait pas restés dans ma voiture, je vous aurais invité à venir boire un verre à la maison, m'a-t-elle dit au moment où, étant enfin parvenu à m'extraire de son cabriolet BMW, je m'apprêtais à refermer la portière, debout dans la nuit devant mon hôtel, elle un peu penchée au-dessus du siège passager pour voir mon visage et me sourire une dernière fois.

Je me suis mis au lit immédiatement et j'ai dormi jusqu'à midi, après m'être réveillé à sept heures à cause du vacarme produit devant ma porte par un couple indélicat qui parlait bruyamment.

Dans le train du retour, j'étais triste et rêveur. La voix et les intonations de Marie-Claire Ombredanne, son accent régional étaient encore aussi présents dans mes pensées que sous mes yeux l'identité si familière des paysages de la Champagne, reconnaissables entre tous, sur lesquels mes regards s'appuyaient résolument, avec même un certain désespoir, comme pour trouver du réconfort ou simplement une prise à laquelle me raccrocher, pour ne pas me laisser emporter dans la tristesse que je sentais m'envahir : cette tristesse se dilatait comme un espace dans lequel je savais bien que je pourrais tout à fait disparaître, si je me laissais aspirer, si mon regard affolé d'angoisse lâchait les fermes, les troupeaux, les châteaux d'eau, les haies de peupliers qui attestaient derrière la vitre la permanence du monde réel.

J'aurais pu prendre un Xanax.

J'ai préféré, recours anxiolytique datant de mon adolescence, enfermé dans les toilettes du TGV, abuser avec délices du corps spectaculaire de Marie-Claire Ombredanne, que j'ai fait jouir en la prenant en levrette sur sa table de massage, jouissant à mon tour au creux de ma main, un peu secoué par les mouvements du TGV, tirant ensuite d'un enrouleur quelques feuilles de papier toilette, pour m'essuyer.

8

Ma jumelle a épousé le frère de mon mari à l'âge de vingt-cinq ans. Voilà pourquoi nous portons le même patronyme, elle et moi, Ombredanne. Mais elle avait été mariée une première fois. Un mariage humiliant, dont elle ne s'est jamais remise.

Elle ne vous l'avait pas dit ? Vous ne le saviez pas, qu'elle avait été mariée une première fois ?

Quand nous avons fait la connaissance de Damien et Jean-François, nous avions quatre ans et eux six et cinq ans. Du plus loin que je me souvienne, j'ai toujours été avec Damien, on ne s'est jamais quittés, c'est la passion des chevaux qui nous a d'abord rapprochés, aujourd'hui nous en possédons trois que nous allons voir courir le dimanche dans les hippodromes. Nous n'avons jamais eu le désir d'avoir des enfants, la question ne s'est même jamais posée, c'était pour nous une évidence qu'on resterait à deux, en couple. Quand j'ai embrassé mon mari pour la première fois, j'avais dix-neuf ans, c'était le 1er janvier 1989, nous nous sommes mis ensemble peu de temps après et nous nous sommes mariés six ans plus tard. Pendant toute notre enfance et notre adolescence, ma jumelle n'a jamais prêté un intérêt particulier au frère de mon futur mari, alors qu'on les voyait pratiquement tous les week-ends et pendant les vacances scolaires.

Une histoire simple, Damien et moi. Il y a une vraie amitié entre nous, même si nous avons des hauts et des bas, comme tous les couples. Il ne suffit pas de s'aimer, il faut aussi avoir des goûts communs, bien s'entendre, être amis. Damien et moi, nous sommes amis. Nous avons tous les deux des caractères difficiles, mais moi je ne suis pas comme ma jumelle, je ne suis pas au service des autres. Je reconnais que je suis égoïste. Nous n'avions pas du tout le même caractère, elle a toujours été plus fragile, plus fragile mais aussi plus dévouée, plus généreuse que je ne l'étais. Il fallait voir comment elle défendait les autres, à l'école, quand elle était déléguée de classe, elle se battait comme une furie et jusqu'au bout, mais elle, en revanche, elle était incapable de se défendre elle-même. Si on veut être heureux, il faut aussi penser un peu à soi. Ça, Bénédicte, elle ne l'a jamais compris, elle pensait que son bonheur passait par le bonheur des autres. C'est ce qui nous a toujours différenciées, mais cette tendance s'est encore accentuée avec l'âge — elle a atteint son paroxysme lors de son second mariage. Pareil avec ses enfants, elle leur donnait beaucoup, elle en attendait autant en retour, elle investissait énormément d'énergie dans leur éducation, il fallait toujours qu'ils soient à leur maximum sinon elle se fâchait.

Nos parents étaient cultivateurs, ils possédaient une grosse exploitation à une vingtaine de kilomètres d'ici, à Condé-sur-Marne, dont s'occupe à présent mon cousin. Mon père était reconnu dans toute la région pour être un grand professionnel. Il était très humain, de gauche, communiste, anticlérical. Notre mère, en revanche, et on se demande par quel miracle leur amour a pu surmonter ces clivages, elle était catholique pratiquante, mais chrétienne dans le vrai sens du terme, à la mode de l'ancien temps, c'est-à-dire qu'elle était charitable, elle aidait les gens du pays quand ils avaient des problèmes et qu'ils n'arrivaient pas à s'en sortir tout seuls. Elle les accompagnait en voiture chez le médecin, elle les aidait à effectuer des démarches administratives compliquées qui parfois nécessitaient d'aller plaider leur cause à Reims, à la mairie, aux impôts ou aux caisses d'allocations familiales, ce qu'elle faisait toujours avec beaucoup de gentillesse, de générosité. Une femme admirable, se préoccupant avant tout du bonheur de son prochain, avant de penser à elle et à son propre bien-être. Exactement comme ma jumelle mais ma mère a eu la chance de se marier avec un homme qui n'a jamais tiré profit de cette vertu pour la dominer. Moi j'étais plutôt comme mon père, cela dit ma jumelle était aussi très à gauche — mais sa philosophie de vie était d'inspiration chrétienne, si je puis dire. Le couple que formaient nos parents était très équilibré, ils avaient chacun leur style mais ils se complétaient. Lui était originaire de Condé-sur-Marne, où déjà ses parents avaient hérité des leurs la ferme qu'il a reprise et développée, et elle de Reims, d'une famille bourgeoise sur le déclin, ruinée et déclassée. Celle-ci avait dû céder au fil du temps la plupart de ses biens les plus importants, à l'exception de somptueux bijoux, pour la plupart anciens et de valeur, que maman nous a légués assez tôt, à nous ses filles. C'est de cet héritage que me vient ce pendentif du XVIIIe siècle, que j'adore, ainsi que ce bracelet, ce sont des émeraudes. Elles sont belles, non ? J'aime les émeraudes. Nous avons toutes récupéré de très belles choses. En particulier Bénédicte, une bague très rare avec un œil peint à la main sur un médaillon émaillé. Je ne sais pas ce que son mari en a fait. J'espère qu'il la conserve pour sa fille. Il serait bien capable de la mettre en vente à Drouot.

Les parents de mon mari, parisiens, avaient acheté une maison de campagne à Condé-sur-Marne, à deux cents mètres de la ferme. Le père était directeur d'un grand magasin du boulevard Haussmann, la mère ne travaillait pas, ils habitaient dans le neuvième arrondissement, rue de la Tour d'Auvergne. Ils venaient la plupart des week-ends et les deux frères passaient leur temps chez nous. Vous pensez bien, deux petits citadins, la ferme, les animaux, ça les fascinait ! Dès qu'ils arrivaient dans le village, les deux enfants se précipitaient à la ferme, où nous les attendions pour jouer. On partait se promener dans la campagne, on s'amusait le long du canal, on faisait des batailles de pommes, on jouait à cache-cache, on nourrissait les animaux de la basse-cour, on allait voir les veaux qui venaient de naître. Comme nous étions amoureux l'un de l'autre, c'est nous deux, mon futur mari et moi, qui étions le pivot du quatuor, ma jumelle et le frère de mon futur mari n'avaient en fait que des relations superficielles d'enfants qui jouent ensemble le week-end, sans plus. Pour le dire autrement, son frère accompagnait mon futur mari à la ferme pour ne pas rester seul chez leurs parents et s'ennuyer, mais c'est moi qu'il venait voir, Damien — et son frère le suivait. Ma jumelle, qui passait son temps avec moi, voyait donc débarquer à la maison ces deux Parisiens, dont l'un était le fiancé de sa sœur et l'autre le frère cadet dudit fiancé. Mais il a toujours été à la remorque, Jean-François, il a toujours été la pièce en plus, il n'était pas avec nous parce que nous avions spécialement envie de sa compagnie, ou que sa personnalité justifiait qu'on s'y attache. Vous comprenez ? D'ailleurs, nous les gamines de la campagne, intelligentes et débrouillardes, mutines, espiègles, on ne ratait pas une occasion de se moquer de lui, on avait toujours tendance à le tourner en ridicule. Il était maigre et maladroit, timide, trouillard, emprunté, susceptible. Constamment hésitant. Il se vexait pour un rien et on devait le consoler par de fausses phrases d'excuses qu'on lui lançait avec désinvolture et en riant sous cape, pour qu'il arrête de faire la tête ou de pleurer. Il était un peu comme un boulet, souvent. Je me souviens qu'il flottait dans ses bottes, c'est un détail qui m'est resté. Il se plaignait en permanence d'être tenu à l'écart, on le soupçonnait de prendre son temps exprès pour vérifier qu'on partait bien sans l'attendre et puis s'en plaindre. Vous voyez le genre de caractère tordu. Il avait peur de grimper dans les arbres. Il refusait d'enfreindre les interdits de ses parents en s'aventurant trop loin en dehors du village, comme il arrivait qu'on le fasse, avec ou finalement sans lui, à pied ou à vélo. Il n'osait pas sauter du haut des murs alors que nous, ma jumelle et moi, on se précipitait dans le vide. On marchait dans les ronces, on n'avait pas peur de s'écorcher les jambes, le sang ne nous effrayait pas, contrairement à lui qui tombait dans les pommes dès qu'il voyait une plaie. On avait des lance-pierres, ma jumelle et moi, et on pêchait dans la rivière, on allait dans l'eau sans avoir peur de mouiller nos chaussettes dans nos bottes. Lui, non. Toujours en décalage, jamais en phase, offrant une résistance, toujours une résistance, intérieure mais aussi physique, par sa lenteur, ses réticences, ses peurs, une résistance qui nous freinait dans nos élans et ça nous irritait. Mais enfin il était là, c'était le frère de mon futur mari, on jouait avec lui, ce n'était pas non plus si désagréable de devoir supporter sa présence, il ne faut pas exagérer.

Damien et Jean-François, à peine arrivés à Condé-sur-Marne le vendredi soir, se précipitaient à la ferme pour y passer l'intégralité du week-end : ils trouvaient chez nous une chaleur humaine inconnue dans leur foyer. Leurs parents, protestants, étaient rigides, sévères, pas expansifs pour deux sous — si je puis dire s'agissant d'un homme littéralement obsédé par le chiffre d'affaires de son grand magasin du boulevard Haussmann. Pour lui, seul le travail comptait, la discipline, le respect des principes, et la réussite sociale. Je ne critique pas, je dis seulement que c'était une autre culture que la nôtre — mais à tout prendre je préfère encore les catholiques, ces jouisseurs, aux protestants, que je trouve d'une rigidité mortifère. Dans leur famille, ils ne se touchaient pas, ils ne s'embrassaient pas, ils gardaient toujours leurs distances les uns vis-à-vis des autres. Si ma mère, dans une conversation, posait sa main sur l'avant-bras de la mère de Damien, comme ça, pour appuyer une idée au détour d'une phrase, elle sursautait comme sous l'action d'un fer rouge appliqué sur sa peau — ce qui heurtait profondément ma mère. Les enfants n'avaient pas le droit de tousser et aujourd'hui encore, si je suis prise d'une quinte de toux, mon mari me dit toujours, arrête de tousser, ne te force pas à tousser, je le vois bien que tu te forces à tousser. Alors que c'est naturel, de tousser, non ? Les deux parents étaient obsédés par la propreté, on devait retirer ses chaussures quand on allait chez eux et y évoluer en glissant sur le parquet avec des patins, même à la campagne. Il ne fallait pas se salir. Il y avait les vêtements qu'on portait dans la maison ou dans l'appartement, et les vêtements qu'on portait hors de la maison ou hors de l'appartement. Quand ils rentraient chez eux, les enfants devaient se changer pour revêtir les vêtements qu'il était d'usage de porter à l'intérieur, et quand ils sortaient ils devaient revêtir les vêtements qu'ils avaient l'habitude de porter à l'extérieur. Dingue, non ? Cette rigidité, qui n'admettait aucune entorse, je la retrouve parfois, atténuée, chez mon mari, je dois rester vigilante et ne surtout pas hésiter à le rappeler à l'ordre quand dans certaines circonstances l'éducation qu'il a reçue reprend ses droits. Il a la même réserve que ses parents, il parle peu, il ne se confie pas, il garde pour lui ses impressions. Il accorde trop d'importance au rationnel, il coupe les cheveux en quatre avec des raisonnements méticuleux toutes les fois qu'il pense avoir raison contre moi sur un sujet qu'il juge fondamental — il me considère alors comme une femme sans structure, livrée au flou de sa nature aléatoire et illogique. Jean-François, le mari de ma jumelle, avait exactement les mêmes travers, mais maladifs, irréductibles, confinant à la folie.

Ma jumelle, son premier mari, il convoitait la ferme de nos parents. Il ne fréquentait que des enfants de cultivateurs, c'était par des amis communs qu'elle l'avait d'ailleurs rencontré, lors d'une soirée à Châlons-sur-Marne, pas très loin d'ici. Il suivait des études d'agronomie et rêvait de diriger un jour une exploitation agricole. Mais personne n'avait imaginé qu'il n'avait épousé Bénédicte que pour pouvoir récupérer la ferme de nos parents.

Ma jumelle plaisait aux garçons, elle était joyeuse et pleine de vie, elle adorait s'amuser et ce côté aventureux et intrépide qu'elle pouvait avoir les attirait. Rien à voir avec la Bénédicte qu'elle est devenue par la suite, ni avec celle que vous avez connue, Éric. À l'époque, elle les menait par le bout du nez les garçons, c'était une grande briseuse de cœurs, elle ne restait jamais longtemps avec le même. Je me souviens d'un Rémi transi d'amour qu'elle avait abandonné après deux semaines à flirter avec lui, alors qu'il était vraiment parfait, à tous points de vue. Je lui avais dit : mais enfin qu'est-ce qui t'a pris de larguer ce pauvre garçon ? il était très bien ! tu es folle ou quoi ? À vrai dire, je n'ai jamais tellement compris ses choix sentimentaux, à ma jumelle. Ainsi, quand ils ont commencé à se fréquenter, je ne parvenais pas à m'expliquer pour quelles raisons elle restait aussi longtemps avec cet Olivier dont elle s'était amourachée (qui finalement allait devenir son premier mari), alors qu'il n'était pas plus beau ni plus intelligent qu'aucun des garçons avec qui elle était brièvement sortie jusque-là. Elle était en khâgne à Reims, au lycée Jean-Jaurès. Nous étions en 1989, elle vivait encore à la maison et c'est maman, chaque matin, à l'aube, qui l'accompagnait à Reims en voiture, et qui, chaque soir, venait la chercher à la sortie du lycée. Pendant cette année de khâgne, elle était notoirement en couple avec Olivier, il avait trois ans de plus qu'elle et terminait à Amiens ses études d'agronomie, ils se voyaient chaque week-end à Condé-sur-Marne et pendant les vacances scolaires. Mes parents, tout tolérants qu'ils étaient, n'en étaient pas à accepter l'idée que leurs jumelles fassent l'amour avec des garçons sous le même toit qu'eux, si bien que le samedi soir, la plupart du temps, ils dormaient chez des amies de Bénédicte. Tout comme moi j'ai perdu ma virginité, avec mon futur mari, à dix-neuf ans, ma jumelle a perdu sa virginité, au même âge exactement, avec cet Olivier funeste rencontré dans une fête. Ils s'amusaient beaucoup, il avait une DS et ils partaient le samedi soir faire la fête ici et là avec des amis, je me souviens d'un jour d'automne où ils étaient passés à la ferme avant d'aller à un bal masqué. Je ne sais plus où ma jumelle s'était procuré son costume mais nous l'avons vue arriver déguisée en marquise, vêtue d'une robe à crinoline en taffetas pourpre dont les sons du froissement étaient en soi un ravissement (je me souviens de ce détail), elle avait eu le plus grand mal, en raison du volume de sa robe, à s'introduire dans la DS stationnée dans la cour de la ferme, elle riait et faisait rire autour d'elle tous ceux qui les avaient accompagnés chez nous pour une coupe de champagne offerte par notre mère, notre mère adorait la jeunesse et recevoir chez elle de jeunes personnes. C'est un merveilleux souvenir. Ils étaient une douzaine répartis dans trois voitures et ils riaient, ils plaisantaient, c'était joyeux et trépidant, Bénédicte était rayonnante dans cette sublime robe pourpre. Tout le monde adorait le couple que ma jumelle formait avec Olivier, ils étaient la coqueluche de la bande. Du plus loin que je me souvienne, j'ai toujours connu ma jumelle inquiète et angoissée, idéaliste, terriblement exigeante vis-à-vis des autres et d'elle-même, tourmentée par la crainte de ne pas accéder plus tard à la vie dont elle rêvait. Mais elle était animée, en même temps, comme si tout ça allait ensemble et n'était pas dissociable, par une puissante envie de vivre et de s'amuser, de faire des rencontres, de profiter du moment présent, de connaître des expériences qui pourraient faire qu'elle se sente plus vivante, comme distinguée par l'existence. Je me souviens qu'*épiphanie* et *extatique* étaient des mots qui revenaient souvent dans ses propos. Elle recherchait l'intensité, elle aimait pouvoir se dire qu'elle était en train de vivre quelque chose de rare, de fort, de beau. Elle voulait pouvoir se convaincre qu'elle était sur le bon chemin et que ce chemin, si elle le suivait jusqu'au bout, la mènerait dans une vie conforme à ses attentes les plus élevées, une vie incandescente. C'était vraiment une obsession, chez elle, se connecter au monde sensible, comme si le monde sensible et lui seul pouvait transmettre à ma jumelle le sentiment qu'elle existait. Bien sûr, ce sont les livres, les livres des grands auteurs qui la guidaient dans cette recherche de l'exigence existentielle et poétique la plus élevée. Mais elle avait peur d'échouer, elle avait peur de se tromper, elle avait peur de rater sa vie. Alors, pour déjouer ces frayeurs, elle travaillait beaucoup, elle pensait que la réalité lui serait certainement plus clémente si elle parvenait à décrocher Normale sup ou l'agrégation, mais elle s'enivrait aussi beaucoup des plaisirs que la vie pouvait lui procurer, qu'elle percevait comme des faveurs célestes. D'une certaine façon, Bénédicte avait sacralisé sa vie et le réel, elle avait un sens aigu du sacré et de l'instant présent :

elle attendait de l'instant présent qu'il la conforte dans la sensation que sa vie était belle et qu'elle avait du sens, et c'est parce qu'elle sentait que sa vie était belle et qu'elle avait du sens qu'elle parvenait à déceler dans l'instant présent des beautés que personne d'autre ne percevait. C'est dans la dynamique de ce rapport réciproque au réel qu'elle se sentait vivante, unique, et estimable, et qu'elle pouvait envisager l'avenir avec sérénité. Elle était constamment en alerte, prête à tout voir, à tout sentir, à attraper au vol tout bel instant furtif qui se présenterait à sa sensibilité. On la voyait s'émerveiller d'une lumière, d'un paysage, d'une senteur, d'une configuration particulière d'événements simultanés qui soudain l'envahissait d'un sentiment de plénitude. Telle était ma jumelle, oui, telle était Bénédicte, et il n'est pas nécessaire d'être un grand psychanalyste pour se représenter les dangers de ce système : rien n'est plus périlleux que faire reposer son existence sur des fondations à ce point circonstancielles, si dépendantes de ce qui relève du sensible et de la perception sensorielle, du moment présent, de ce qu'on est intérieurement à chaque instant de sa vie, en dehors de tout principe d'invariance, d'acquis définitif et de stabilité — comme s'il lui fallait conquérir chaque jour, ou le réinventer, le sens de sa vie, plutôt que de l'avoir identifié et capturé un jour une bonne fois pour toutes.

Sur le plan du romanesque, Olivier était un homme étourdissant. Par la capacité qu'il avait de faire rêver ma jumelle (j'ignore comment il s'y prenait parce que moi il m'a toujours laissée de marbre, j'ai toujours vu tous ses trucs), il parvenait à lui faire oublier ses angoisses, de sorte qu'avec lui, dans la vitesse et les étincellements de leur amour, elle se vivait comme une élue. C'était un drôle de mélange, Bénédicte. Je ne sais pas si vous avez perçu chez elle cet alliage d'orgueil et de soumission, d'ambition et de terreur, de richesse intérieure et de doutes sur elle-même, de ferveur et de résignation, d'audace et de repli sur soi, de narcissisme et de dévouement. Avec les années, cette complexité est allée en s'atténuant, comme si exténuée de devoir lutter constamment contre ses peurs et ses démons Bénédicte avait fini par se rabattre sur le deuxième terme de chacune de ces tensions intérieures, systématiquement, autrement dit par reculer, capituler. Elle aimait rire, elle a fini par ne plus rire. Elle aimait s'amuser, elle a fini par ne plus s'amuser. Elle aimait aller de l'avant, elle a fini par ne plus aller de l'avant. Elle aimait prendre des risques, en certaines circonstances, quand elle se sentait portée par un élan invincible (comme Olivier avait le don de savoir en créer dans leur couple), elle a fini par ne plus prendre aucun risque. C'est même exactement le contraire qui s'est produit, elle s'est retrouvée dans l'incapacité de vivre sans s'entourer du maximum de précautions. Mais, avant que tout cela n'advienne, je crois que le talent d'Olivier est d'avoir su se faire passer pour le prince charmant qu'elle avait toujours attendu, un magicien qui pour elle seule savait créer des sortilèges et enchanter la réalité la plus ordinaire. Elle a été follement amoureuse de lui. Il a été son premier, son grand, son seul amour.

À l'été 1989, au terme de sa seconde année de classe préparatoire, comme Bénédicte n'avait pas été admissible à Normale sup et qu'entre-temps Olivier avait trouvé un travail à Tours, elle a pris la décision de ne pas faire d'année supplémentaire et de partir vivre avec lui. Elle s'est inscrite en licence, son projet était de tenter l'agrégation une fois qu'elle aurait obtenu sa maîtrise, qu'elle allait consacrer l'année suivante à son écrivain préféré, Villiers de l'Isle-Adam, que vous devez connaître, vous, Éric, contrairement à la plupart des gens à qui j'en parle, étant vous-même écrivain. Ils se sont mariés au printemps 1990, l'année où elle a passé sa maîtrise.

En juillet 1992, après un an de travail acharné, et d'autant plus acharné que son mari, constamment en déplacement (il était devenu, quelques mois plus tôt, représentant pour une boîte d'agro-alimentaire), n'était pratiquement jamais chez eux, Bénédicte a décroché l'agrégation, avec un excellent classement. En septembre 1992, après avoir appris que notre père allait transmettre la ferme à son neveu, son mari a quitté ma jumelle du jour au lendemain.

Elle avait commencé à avoir des doutes sur Olivier très peu de temps après s'être installée avec lui.

Ils avaient décidé, avant même de se marier, de faire compte commun, si bien que Bénédicte finançait en grande partie, avec l'argent reçu de nos parents, les régulières sorties nocturnes de son futur mari, lequel, ne gagnant pas suffisamment d'argent pour couvrir toutes ses dépenses, engageait ma jumelle à demander sans cesse des rallonges. Ma mère s'exécutait, mais demandait parfois à Bénédicte, gênée, ce qu'elle faisait de cet argent. Je suis toujours à remettre de l'argent sur votre compte, faites attention quand même ! Moi, un jour, à la ferme, scandalisée par son attitude, j'ai coincé Bénédicte pour lui dire que nos parents n'avaient pas à travailler d'arrache-pied pour procurer à mademoiselle, à Tours, avec son amoureux, un train de vie de princesse. Il n'a pas de salaire, Olivier ? Pourquoi tu demandes tout le temps des rallonges à papa et maman ? Ce n'est pas suffisant, ce qu'ils te donnent chaque mois ? Tu t'imagines qu'ils roulent sur l'or ou quoi ? Vous pouvez sortir un peu, mais quand même, pas tous les soirs ! Sur le moment, Bénédicte ne m'a pas répondu. J'ai appris bien plus tard qu'Olivier dilapidait leur argent à sortir le soir avec des amis à lui, à qui il payait des verres, et qu'elle n'arrivait pas à endiguer cette habitude qu'il avait prise de s'absenter de leur foyer une fois la nuit tombée. Passant toutes ses journées dans un bureau, disait-il à ma jumelle, il ne supportait pas, une fois sorti du travail, de rester enfermé comme dans une cage : il avait besoin de se défouler, d'être dehors dans la vraie vie, dans la ville, dans des endroits bruyants et animés, avec du monde autour de lui, de la musique — et c'était sa faute à elle si Bénédicte se retrouvait toute seule, puisqu'il lui proposait toujours de l'accompagner et qu'elle préférait rester chez eux à lire des livres ou à dormir. Un samedi, excédée d'être seule le soir, elle avait rassemblé toutes ses affaires et elle était partie, il l'avait rattrapée à la gare *in extremis*. Elle allait monter dans le train Tours-Paris, pour revenir à Condé-sur-Marne. Il l'avait ramenée à la maison en lui faisant la promesse de passer plus de temps avec elle. Il l'avait en grande partie tenue, ayant réalisé que Bénédicte n'était pas aussi docile qu'il avait pu le croire, et qu'elle serait tout à fait capable, si la situation n'évoluait pas, de mettre un terme à leurs relations, ce qui aurait pour conséquence d'anéantir instantanément ses ambitions d'exploitant agricole. Il en est résulté une période où ma jumelle a été de nouveau heureuse avec lui. C'est l'époque de leurs voyages en Italie, Rome, Florence, Venise. Elle est redevenue radieuse, comme si la chance et le bonheur ensoleillaient de nouveau son existence. Le visage de ma jumelle possédait la particularité de s'éclairer quand elle était heureuse, et de s'envelopper d'une sorte de crachin gris quand elle n'allait pas bien, exactement comme la façade d'une maison en fonction du temps qu'il fait.

Quand Olivier est devenu représentant, et qu'il s'est mis à passer pas mal de nuits dans d'autres villes de la région, il a commencé à avoir des maîtresses. Elle l'a compris en s'apercevant qu'il lui manquait parfois des chemises, qui réapparaissaient dans ses affaires la semaine suivante, comme par miracle : une autre femme devait les lui laver, quand il dormait chez elle. Un jour, elle a appelé l'hôtel où Olivier était censé passer la nuit, et étrangement, imprudemment pourrait-on dire, pris de pitié pour cette épouse décontenancée (elle avait appelé l'hôtel au moins six fois dans la soirée, entre vingt heures et minuit), le réceptionniste lui a révélé que depuis plusieurs mois son mari ne passait jamais la nuit dans son établissement : il déposait son sac dans sa chambre et repartait immédiatement, puis il revenait le lendemain matin régler sa note. Il faisait ça depuis des mois. Il ne dormait jamais dans son hôtel. Là, le monde de ma jumelle s'est écroulé, elle a essayé de lui en parler mais il a nié, il lui a dit que le réceptionniste devait le confondre avec quelqu'un d'autre : il l'aimait, il ne l'avait jamais trompée, il n'avait pas de maîtresse, il le lui jurait. Elle ne l'a pas cru, un trop grand nombre d'indices s'étaient accumulés, mais que faire, le quitter ? Le quitter sur des soupçons, alors même qu'il protestait de son innocence ?

Tout cela, je l'ignorais, je l'ai appris plus tard, après son divorce.

Pendant un long week-end que ma jumelle et moi passions ensemble chez nos parents en compagnie de nos époux respectifs, je me suis levée pendant la nuit pour aller aux toilettes, il devait être trois ou quatre heures du matin, il y avait de la lumière dans le bureau de maman, je me suis approchée pour voir ce qui se passait et par la porte entrebâillée j'ai vu Olivier qui étudiait les bilans comptables de l'exploitation. Ma tête s'est vidée d'un seul coup. Il ne m'a pas vue, je ne suis pas entrée, je me sentais terriblement honteuse. Ce fut un choc, j'ai aperçu dans cette vision toute l'ampleur du mensonge, de la manipulation. Je n'en ai rien dit à personne, pour ne pas mettre ma jumelle dans une situation délicate, ignorant que leur vie conjugale n'était pas aussi heureuse qu'elle s'efforçait de nous le faire croire. Si j'avais su qu'il la trompait, si j'avais su que leur couple avait déjà commencé à se fendiller, j'aurais raconté à Bénédicte ce que j'avais surpris cette nuit-là, si bien qu'elle aurait compris à son tour ce que j'avais immédiatement élucidé en découvrant cette scène infâme — toutefois, pour être honnête, je ne m'étais pas imaginé qu'il la quitterait sur-le-champ si le plan qu'il poursuivait n'exauçait pas ses espérances. Olivier n'était pas du genre, bien entendu, à passer des heures dehors sous la pluie, à se lever à l'aube pour affronter le froid et les intempéries, à sillonner des étendues interminables, dimanches compris, aux commandes d'une moissonneuse-batteuse. Le mari de ma jumelle n'était pas agriculteur mais technicien en agronomie, nuance, son idée n'était pas de remplacer notre père, autrement dit de se substituer à lui dans l'exercice de son travail quotidien, mais de diriger la ferme comme une entreprise. C'est pourquoi il auscultait clandestinement les bilans comptables de notre mère, il voulait s'assurer que la santé financière de l'exploitation lui permettrait d'embaucher suffisamment de personnel pour la faire tourner efficacement sans avoir à trop s'investir. Le plus étrange dans cette histoire c'est que tout le monde savait que notre cousin reprendrait la ferme à la suite de mon père, qui était son tuteur. Du plus loin que mes souvenirs d'enfance me permettent de remonter mon cousin est là avec nous à jouer, à manger, à dormir, à se laver dans la même baignoire que nous — ce sont mes parents qui l'ont élevé, comme leur propre fils. Mon frère aîné, treize ans de plus que moi, docteur en chimie, en poste à l'étranger depuis longtemps, ne souhaitant pas reprendre la ferme et l'ayant toujours exprimé de la manière la plus catégorique, il était apparu à notre père qu'elle devait revenir à son neveu. Tout le monde le savait, ce n'était pas dissimulé ni implicite — nous n'étions pas une famille où le non-dit avait cours. Simplement, comme mon père n'avait pas l'intention de se retirer prochainement, et que mon cousin travaillait à la ferme comme employé, nous n'en parlions jamais, cette transition relevait de l'évidence. Mais sans doute Olivier voyait-il mal au nom de quelle curieuse entorse à des principes séculaires bien établis, indiscutables, le frère aîné de Bénédicte ayant renoncé à la succession, son père la refuserait à sa propre fille si son mari en faisait la demande. Le plus étrange, encore une fois, dans cette histoire sordide, est qu'ils n'en aient jamais parlé, elle et lui, dans leur couple — car alors Bénédicte lui aurait dit qu'il se fichait le doigt dans l'œil s'il s'imaginait que son père allait priver son neveu d'un legs qu'il lui avait promis depuis longtemps. Toujours est-il que l'annonce a été faite officiellement, un dimanche de juillet, au terme d'une réunion de famille, que notre cousin reprendrait l'exploitation agricole à la retraite de notre père, prévue cinq ans plus tard. Olivier a quitté la maison sans saluer personne et abandonné ma jumelle une semaine plus tard, en août 1992, juste après qu'elle a été reçue à l'agrégation. Je ne l'ai plus jamais revu. Il a demandé le divorce en septembre. Ils ont divorcé en décembre de la même année.

Heureusement qu'ils n'avaient pas fait d'enfant.

Cette rupture, pour ma jumelle, a été un cataclysme. Commencer sa vie d'adulte sur un échec, une méprise, une trahison de cette ampleur était la pire épreuve qu'elle pouvait se voir imposer, elle la grande idéaliste. Avoir été trompée par le réel, et par les apparences, avec une telle effronterie, et d'une manière aussi cinglante, lui avait fait perdre instantanément toutes ses illusions — elle me disait qu'elle ne parviendrait plus à y croire, plus jamais, elle le savait. Surmonter cette déconvenue lui paraissait au-dessus de ses forces. Pour elle, la fête était finie, finie pour toujours.

Elle savait qu'avec cet homme elle allait dans la mauvaise direction, elle s'était rendu compte qu'il fréquentait d'autres femmes, il lui avait fait dépenser beaucoup d'argent à sortir seul le soir avec des amis à lui et pourtant elle n'a pas supporté leur séparation, c'est bizarre, quand même, non ? Elle était jeune, elle n'avait que vingt-deux ans, rien en définitive n'avait été endommagé par cet échec, son avenir se présentait devant elle avec exactement le même potentiel de promesses que si cette catastrophe n'avait jamais eu lieu (une fois passée la violence du choc, et absorbée l'amertume de la trahison), eh bien non, elle s'est sentie brisée, comme si une chose infiniment précieuse pour elle avait été détruite en elle à l'occasion de cet affreux traumatisme — et que cette chose allait désormais lui manquer pour être heureuse. Comment revenir d'une telle épreuve ? me demandait Bénédicte chaque fois qu'on en parlait. Eh bien c'est simple, je vais te donner la réponse : on n'en revient pas.

Elle était dans un état, je ne vous dis pas.

Elle est revenue vivre à Condé-sur-Marne, où elle s'est enfermée dans sa chambre pendant trois mois.

Nous n'avons plus jamais retrouvé Bénédicte telle qu'elle était avant cette dépression. Sur tous les plans, physiquement, moralement, psychologiquement, mais aussi dans ses gestes, ses attitudes — disparues sa spontanéité, son intrépidité un peu anxieuse. Un ingrédient qui entrait pour une large part dans la composition de son tempérament s'est en effet irrémédiablement perdu et son visage en a été modifié, tout du moins pour tous ceux qui en avaient une connaissance intime. Sa propre vie l'avait trahie en l'humiliant, j'ai beaucoup réfléchi à ce qui s'est passé et je pense qu'on peut le formuler de cette façon. Elle s'était sentie autorisée à attendre beaucoup de l'existence, car elle avait toujours suivi son chemin avec foi et ferveur, guidée par l'idée simple que si l'on vit les choses sincèrement, avec droiture, sans dévier, concentrée, au plus près de ses intimes convictions, sans se parjurer ni se mentir ni faire de concessions, la réalité n'est pas en mesure de vous décevoir : même, elle ne peut qu'exaucer vos volontés les plus secrètes et vos rêves les plus fous. Elle s'en était remise intégralement à ce principe. Appelons ça la foi, une forme de foi profane, sociale, existentielle. Implicitement liée à l'idée de mérite. Tout son système reposait sur cette croyance et elle s'y était abandonnée sans réserve, aveuglément, emportée par la fougue et l'énergie et le bonheur de vivre d'Olivier — et elle s'était fracassée contre un mur, les yeux fermés, sans s'attendre le moins du monde à l'irruption d'un choc et d'un arrêt aussi brutal, sur ce chemin qu'elle croyait sans obstacle. C'est ce système existentiel qu'elle a laissé périr en elle pendant les six mois qu'a duré sa dépression. Bénédicte était semblable à un navire dans une tempête, on le sentait aux expressions de son visage mais sans qu'on puisse rien faire pour lui venir en aide, elle était à des centaines de kilomètres de nous, en pleine mer, dans sa chambre, au beau milieu d'un océan nocturne. Elle était seule et égarée, dans l'œil même de la mort, loin de tout littoral, sous nos regards et nos caresses impuissantes à la tranquilliser. Elle se battait avec quelque chose de lointain et elle n'a pas triomphé. Le scepticisme et le désenchantement l'ont emporté.

Elle m'a dit un matin qu'elle avait toujours adoré le mot *surrender*, entendu dans une chanson fameuse. À présent, elle savait pourquoi : elle connaissait la raison d'être de cet obscur attachement pour ce mot. *Surrender. Reddition.* Il est beau, ce mot, non ? m'a-t-elle dit ce matin-là. Reddition, avec ses deux *d*, c'est sublime, tu ne trouves pas ? Mais enfin, ai-je protesté, qu'est-ce que tu racontes, tu dis n'importe quoi ! Pas du tout, m'a répliqué calmement ma jumelle. Je t'assure, Marie-Claire. Le moment est venu de me rendre. Le bonheur n'a pas voulu de moi, j'ai pourtant tout fait pour le mériter, tant pis, ma décision est prise, j'abandonne. Tu m'énerves,

Bénédicte ! Tais-toi, tu dis vraiment n'importe quoi, tu ferais mieux de te secouer au lieu de te lamenter toute seule dans ton coin ! Je te trouve franchement exaspérante depuis quelque temps ! lui ai-je dit ce jour-là, avant d'obtenir d'elle qu'elle revienne sur ses propos.

En avril de l'année suivante, en 1993, un samedi après-midi, alors que j'entrais en trombe dans le salon de la maison de mes parents pour y récupérer mon sac à main, j'ai surpris ma jumelle et Jean-François qui s'embrassaient sur les lèvres, assis l'un près de l'autre au fond du canapé.

Un choc.

Elle m'a vue, elle a paru gênée, j'ai dit excusez-moi, je suis sortie.

Je suis retournée dans la cour de la ferme, où mon mari était en train de brosser notre jument, et je lui ai dit, affolée, pâle comme la mort : tu sais quoi ? Bénédicte, elle est avec ton frère. Il m'a dit : mais elle est folle ! Mon père, même chose, six mois plus tard, quand ils se sont mariés, il m'a dit, tel un oracle, avec cet air pensif du paysan accoutumé à décrypter les éléments : c'est trop précipité tout ça.

J'étais très en colère. Le choix qu'elle avait fait de se mettre avec cet homme, sans m'en parler en plus, me déplaisait au plus haut point.

Ma jumelle ne l'aimait pas, j'en étais certaine. Elle n'avait jamais éprouvé pour lui d'affection particulière, ni enfant, ni adulte, ni depuis qu'elle était séparée d'Olivier. Jean-François passait beaucoup de temps à la ferme parce qu'il faisait partie de la famille, mais il n'avait jamais été plus proche de Bénédicte que de chacun d'entre nous, surtout pendant les années où elle avait été en couple avec Olivier, d'autant plus que ce dernier ne l'aimait pas et ne s'était jamais privé de le lui faire sentir. Ils étaient à l'opposé l'un de l'autre : Olivier, drôle, flambeur, roublard, jovial et séduisant, et

Jean-François, à l'inverse, compliqué, timide, mutique, paranoïaque, insignifiant, rougissant toutes les fois qu'on lui adressait la parole.

Il la connaissait bien, ma jumelle, par la force des choses. Depuis ce poste d'observation privilégié qu'il occupait, tout près d'elle mais en retrait, silencieux, se sentant mal aimé, il avait étudié les événements avec un soin particulier, l'œil rivé à une longue-vue, en détails et en plans rapprochés. Sa sale mentalité fait qu'il perçoit toujours la réalité en détails et en plans rapprochés. C'est souvent le cas avec les grands complexés. De fait, peut-être avait-il compris ce qui se passait avec plus d'acuité qu'aucun d'entre nous. Peut-être avait-il senti que le couple de ma jumelle était vicié, qu'il n'était pas aussi exemplaire que nous pouvions l'imaginer. Peut-être avait-il identifié, lui, contrairement à nous, des signes avant-coureurs de sa déréliction. Peut-être avait-il attendu, à l'affût, sûr de sa stratégie, que leurs liens amoureux se délitent — et c'est depuis le promontoire de sa folie malsaine, en silence, dans sa solitude de vieux garçon, qu'il avait vu advenir violemment, comme nous tous mais en l'ayant sans doute anticipée et attendue, souhaitée de toutes ses forces, la dislocation de ce couple qu'il enviait, réputé indestructible. Après quoi, toujours aux aguets, il avait vu ma jumelle s'enfoncer dans une longue dépression, il avait attendu le moment opportun pour fondre sur elle et il l'avait attaquée quand il avait jugé qu'elle n'était plus en mesure de lui refuser sa tendresse.

Ce baiser du mois d'avril ne s'est pas ébruité, je n'en ai parlé qu'à mon mari, je n'ai même pas osé m'en ouvrir à ma jumelle tellement j'étais abattue par cette idée qu'une idylle avait pu exister entre elle et lui. Je ne dis pas *puisse* mais *avait pu*. J'essayais de me convaincre qu'elle avait eu besoin d'un réconfort momentané, ne portant pas à conséquence, avec un homme qu'elle connaissait depuis toujours et avec qui il était évidemment inconcevable que puissent se nouer des relations amoureuses, des relations de couple. Évidemment qu'elle ne pouvait nouer avec lui des relations amoureuses, des relations durables. C'est ce que j'espérais du fond du cœur mais sans oser interroger Bénédicte, de crainte que ses réponses ne me détrompent. À ce moment-là je m'étais déjà installée à Reims avec mon mari, où, après une maîtrise de philosophie, je travaillais comme secrétaire médicale pour un kinésithérapeute. Comme ma jumelle habitait toujours chez mes parents, nous allions tous les week-ends, mon mari et moi, à Condé-sur-Marne, rejoints par Jean-François qui consacrait le plus clair de ses journées à lui servir de chaperon. Ils ne se touchaient pas. Ils ne s'embrassaient pas. Leurs attitudes ne témoignaient d'aucune intimité particulière.

Nous pensions naïvement, Damien et moi, qu'il n'y avait rien entre eux, dans la mesure où nous étions le plus souvent tous les quatre et qu'il allait dormir, la nuit, dans la maison de ses parents, derrière l'église. Si je n'avais pas surpris leur baiser du mois d'avril, la question de savoir où en étaient leurs relations ne se serait même jamais posée, elle aurait été complètement absurde, extravagante. Bénédicte était certes plus amicale avec lui qu'elle ne l'avait jamais été, mais j'ignorais si l'on devait en attribuer la cause à sa dépression, qui avait fait qu'elle réclamait de tous, implicitement, douceur et réconfort, ou à une réelle évolution de leurs rapports.

Je suis certaine qu'elle avait honte de ce baiser que j'avais vu et c'est pour cette raison précise qu'on n'en a jamais parlé. Si j'avais senti qu'elle éprouvait l'envie de se confier, je l'aurais interrogée, bien entendu. Je l'aurais écoutée. Mais dans les jours qui ont suivi cette scène, j'ai bien vu qu'elle m'évitait.

Ce que je savais, en revanche, et ceci n'était pas de nature à me rassurer, c'était que Jean-François désirait ardemment que ma jumelle lui appartienne. Il me l'avait laissé entendre au téléphone le jour où nous avions appris que son mari avait abandonné Bénédicte. Jean-François se trouvait en voyage en Italie et nous avait téléphoné depuis son hôtel, c'était un samedi en fin d'après-midi, pour avoir des nouvelles de la famille. C'était moi qui avais décroché, il m'avait demandé comment ça allait et je lui avais répondu que Bénédicte venait de se faire larguer par Olivier, on était tous sous le choc, elle était encore à Tours mais s'apprêtait à prendre le train pour nous rejoindre à Condé-sur-Marne. Elle était détruite, c'était une catastrophe, elle ne comprenait pas ce qui s'était passé pour qu'il s'en aille comme ça du jour au lendemain, elle tombait des nues. C'est alors que me sont parvenus des cris de joie. Il disait au téléphone que son vœu s'était réalisé, que c'était une excellente nouvelle. *Un vœu ? mais de quel vœu tu parles ?* je lui ai demandé, stupéfiée par ce que je venais d'entendre. Il m'a dit qu'il avait, la veille, jeté des pièces de monnaie dans la fontaine de Trevi, en faisant le vœu que ma jumelle et Olivier se séparent. Quelle excellente nouvelle ! c'est super ! youpi, enfin une bonne nouvelle ! Youpi, hourra, champagne ! Je n'en revenais pas, je n'ai pas su quoi lui répondre, je lui ai dit je vais chercher ton frère, bon séjour en Italie, salut, et j'ai posé le combiné du téléphone sur le guéridon, pour aller chercher Damien.

Je m'en souviens comme si c'était hier.

Un jour de juin, Bénédicte a annoncé à ma mère, devant moi, dans la cuisine, tandis qu'on épluchait des légumes, qu'elle partait en vacances en juillet avec Jean-François, ils avaient prévu un voyage en Toscane. Non, que tous les deux, lui et moi, a répondu Bénédicte à maman qui lui demandait qui d'autre de ses amis les accompagnait dans ce périple. Cette phrase concise de ma jumelle, prononcée sur un ton étrangement impassible, les yeux rivés sur l'économe, avec un naturel qu'elle-même savait aberrant dans ces circonstances, a retenti dans le salon comme une déflagration. Personne n'a fait aucun commentaire. Un long silence s'est installé. On entendait seulement le bruit sec et saccadé des lames sur la peau des courgettes. J'étais tellement abattue que je suis sortie de la maison pour aller voir ma jument et j'ai pleuré dans l'écurie. Éric, vous n'imaginez pas la douleur que j'ai éprouvée en apprenant qu'ils partaient en vacances tous les deux. C'était un peu comme si je n'avais pas obligé ma jumelle, quelques mois plus tôt, à se préoccuper d'un symptôme corporel alarmant, et qu'elle m'annonçait maintenant qu'elle allait bientôt mourir. Oui, si ce jour-là Bénédicte m'avait appris qu'elle était atteinte d'une maladie incurable j'aurais été à peine plus accablée qu'en apprenant l'officialisation de ce couple horrifiant, contre-nature, aussi funeste qu'une maladie incurable, ou qu'un dérèglement cellulaire du tissu familial. Je me suis dit que j'avais été bien naïve, et bien inconséquente, frivole, inexplicablement aveugle à ce que la réalité des faits m'avait pourtant raconté ce jour-là avec une acuité et une puissance de persuasion on ne peut plus indéniables, pour l'avoir considéré, ce baiser, comme anodin, ou plutôt comme possiblement anodin, possiblement non significatif, et je m'en suis voulu, ce jour-là, ce jour-là et dans les mois qui ont suivi (et jusqu'à aujourd'hui, oui, aujourd'hui encore je m'en veux, Éric), de n'avoir pas tiré profit de ce baiser que le destin m'avait donné l'opportunité d'apercevoir pour forcer ma jumelle à s'expliquer sur sa nature (sur la nature de ce baiser) et sur ses intentions (ses intentions à elle), ce qui m'aurait permis, peut-être, si elle s'était confiée à moi (et sans doute se serait-elle confiée à moi, vu l'état d'extrême fragilité où elle se morfondait alors), de la dissuader, de la mettre en garde, d'empêcher cette union, de la ramener à la raison, de lui proposer mon aide, de lui donner confiance en elle, de l'assurer qu'elle n'avait pas besoin de se jeter sur la première proposition venue, qu'elle avait tout son temps et que sa vie était loin d'avoir été irrémédiablement détruite par le départ de ce salaud d'Olivier, qu'elle devait se donner du temps et ne surtout pas paniquer, car elle rencontrerait, c'était certain, jolie et brillante comme elle l'était, le grand amour, un homme incomparable, celui dont elle rêvait depuis toujours. Je lui aurais affirmé qu'il n'était écrit nulle part, sauf peut-être dans certains livres qu'elle avait trop lus, de la fin du XIXᵉ siècle, qu'on ne rencontrait dans sa vie qu'un seul amour sacré, et qu'il était possible, moi en tout cas j'en étais convaincue, de conserver intacts ses idéaux les plus élevés, même après que certaines circonstances de la vie eurent fait mentir les serments qu'on s'était faits à soi-même.

Sweet surrender.

C'étaient les premiers mots de la chanson. Une chanson de Dire Straits qui était souvent passée à la radio, quand nous étions adolescentes.

Jusqu'à sa rupture avec Olivier, ma jumelle avait toujours dominé Jean-François par son esprit, par son physique, par sa culture, par son éloquence, par son intensité, par son intelligence. Elle ne l'avait même jamais regardé comme un homme sexué, mais toujours comme un ami d'enfance, un ancien camarade de jeux, un membre de la famille. Mais au cœur de sa dépression, ma jumelle était apparue à Jean-François, pour la première fois depuis qu'ils se connaissaient, comme une femme à sa portée. Pour lui, c'était providentiel. Elle avait voulu aller décrocher le bonheur haut dans le ciel, très haut, en présumant de ses forces et de la bienveillance de la réalité à son égard, elle s'était brûlé les ailes au soleil de ses folles exigences et voilà qu'elle était à terre, elle était tombée depuis le haut du ciel et tous ses membres étaient brisés. Bénédicte l'avait humilié, lui Jean-François, depuis leur plus jeune âge, par l'ambition démesurée de ses exigences existentielles, ne le jugeant pas digne, lui Jean-François, de les satisfaire, eh bien voilà, elle était à terre, elle était tombée depuis les hauteurs du ciel et tous ses membres étaient brisés — et c'était lui qui était là, lui Jean-François et personne d'autre, pour la recueillir. Quand il l'a vue à terre, il s'est jeté sur elle. Toute l'horreur ultérieure de leur couple provient des conditions dans lesquelles il s'est formé, et qui l'ont rendu possible. Leur couple, qu'on le veuille ou non, est issu d'une configuration circonstancielle dont Bénédicte a passé les treize années suivantes à essayer de se déprendre.

Quand leur couple a été officialisé, absolument personne n'a compris qu'elle choisisse ce garçon : ils n'allaient pas du tout ensemble.

Mais qu'est-ce qui se passe, pourquoi elle est avec lui ?

Qu'est-ce que c'est que cette histoire ? Mais ça ne va pas du tout, il faut faire quelque chose !

Mais elle est folle ou quoi ? Marie-Claire, parle-lui, tu ne peux pas ne rien faire pour la dissuader !

J'ai entendu ces phrases et ces questions pendant des semaines.

Un jour, j'ai dit à Bénédicte que j'avais des clientes qui haïssaient tellement leurs maris qu'elles trouvaient qu'ils sentaient mauvais. Tu te rends compte du calvaire, mais c'est horrible, comment font-elles pour tenir ! On s'en va quand c'est comme ça, on ne reste pas avec un homme dont on peut dire qu'on ne supporte plus son odeur ! lui ai-je dit ce jour-là. Eh bien Bénédicte, à la fin de sa vie, elle m'a dit que son mari sentait mauvais, que quand il l'embrassait elle lui trouvait une odeur. Elle m'a demandé : tu n'as pas remarqué, Marie-Claire, quand tu lui dis bonjour, qu'il dégage une odeur ? Pour la première fois de ma vie je comprends l'expression ne plus pouvoir sentir quelqu'un, m'a-t-elle alors avoué.

Elle n'a jamais aimé cet homme : j'en mettrais ma tête à couper.

Quand il n'y a plus eu de doute pour personne que Bénédicte allait faire sa vie avec Jean-François, je suis allée voir un psychiatre pour essayer de trouver des réponses aux questions que je me posais. Il m'a dit : on n'épouse pas son ami d'enfance. Je vous vois sourire, Éric. D'accord, c'est ce que j'ai fait avec Damien, mais moi c'est différent, je suis tombée amoureuse de lui à l'âge de quatre ans, je l'ai toujours aimé, on a toujours été ensemble. On est amis, époux, amants, confidents, frère et sœur, partenaires. On n'a pas voulu d'enfants parce que la gémellité, cette caractéristique fondamentale de mon identité, je la retrouve avec mon mari : on est tous les deux. Quand je suis en duo avec quelqu'un, voir arriver une tierce personne ne me plaît pas, y compris dans mon travail. Si une cliente arrive trop en avance à son rendez-vous et que je la sais dans la pièce d'à côté, ça ne me convient pas, il n'y a plus de vérité possible. Je n'aime pas ça, être plus de deux : je suis bien soit à deux, soit toute seule. La solitude ne me fait pas peur, mais à la condition de ne pas être seule dans la vie : seule dans la vie, j'aurais du mal, et justement à cause de la gémellité. Mais j'ai la chance de n'avoir jamais connu la solitude, ayant toujours été, depuis l'enfance, soit la jumelle de ma jumelle, soit la fiancée de mon futur mari. Je ne pense pas que l'être humain soit fait pour être seul, mais c'est encore plus vrai, il me semble, dans le cas des jumeaux. Bénédicte, c'était pareil, elle ne supportait pas l'idée d'être seule au monde et c'est pour cette raison qu'elle a accepté la proposition que Jean-François lui a faite.

Le jour de leur mariage, Bénédicte a enfin consenti à me parler, brièvement, en une phrase, de leur couple. Elle m'a dit, je m'en souviens au mot près : il m'a proposé quelque chose, et je l'ai suivi. Dans l'état de fragilité où elle était alors, envisager de rester seule éventuellement quelques années était au-dessus de ses forces.

Bénédicte avait besoin, pour vivre, d'être dépendante affectivement, moyennant quoi elle pouvait trouver la force d'être seule, voire solitaire, sauvage, au quotidien. C'est ce que son mariage lui a procuré, être dépendante affectivement. Mais comme elle ne l'aimait pas, dès qu'elle a été mariée elle s'est inventé qu'elle était amoureuse de son mari, elle a bâti de toutes pièces, mais *a posteriori*, la fiction selon laquelle un authentique amour les avait réunis, ou finirait par se former, telle une émulsion chimique, peu à peu, dans le creuset de leur vie conjugale, grâce à l'adjuvant de la sincérité — et elle a commencé à souffrir de ce que Jean-François ne réponde pas à ce désir d'amour comme elle l'aurait souhaité. Mais cet amour n'existait pas, c'est son besoin d'aimer qui a créé chez elle la nécessité de cet amour, elle s'est trouvée enchaînée à une chimère dont elle savait au fond d'elle-même qu'elle n'avait pas d'existence, mais à laquelle, malgré tout, elle n'a jamais cessé de vouloir croire, parce que Bénédicte était incapable de vivre sans croire. Elle avait fini par oublier que cet amour était un mensonge, pour la bonne et simple raison que ce mensonge était devenu la réalité sur laquelle elle bâtissait sa vie. Au bout de quelques années, la question de savoir dans quelle mesure on a un jour éprouvé de l'amour pour une personne n'a plus aucun sens, car les choses sont telles qu'elles sont et il faut bien s'en accommoder, quel que soit le nom qu'on peut leur donner, voilà tout. Le mensonge par lequel on s'est inventé un amour peut devenir la substance, la réalité de ce qu'on est libre de considérer alors comme un véritable amour, si on le décide. Ce lointain mensonge peut prendre le nom d'amour. Sa vie, c'était ça, amour et mensonge étaient devenus deux notions interchangeables, indifférenciées, qui se mélangeaient pour constituer le fantasme, qui perdurait en elle, de réussite conjugale, de plénitude familiale, de longévité matrimoniale, au fil des jours, dans l'intimité du foyer, sous des apparences parfaitement trompeuses, y compris pour elle-même. Je ne sais pas si je suis très claire. Ma jumelle se rémunérait de ses déceptions par l'ambition de représenter un exemple de famille accomplie, pour elle-même mais aussi pour les autres. Le plaisir qu'elle en retirait valait bien les jouissances de l'amour. C'est la raison pour laquelle elle ne m'a jamais laissée entrevoir le mal que lui faisait Jean-François.

Avoir été jumelle lui a rendu la solitude insupportable : il était là, son problème. Vouloir qu'on soit tout le temps ensemble, à la fin de sa vie, à l'hôpital, sans personne d'autre, ce qui rendait furieux son mari, c'était un peu comme un retour aux origines. Elle voulait mourir comme elle était née, avec sa sœur jumelle tout contre elle.

Elle ne m'a jamais parlé de son mariage avec Jean-François parce qu'elle savait que je désapprouvais cette relation depuis le début.

En épousant ma jumelle, Jean-François avait surtout voulu créer un foyer, montrer qu'il était comme tout le monde — alors qu'il se sentait, depuis l'enfance, marginalisé, stigmatisé de mille manières. Ce qu'il convoitait, c'était une image, une simple image, une apparence extérieure de famille normale. Ce qui lui manquait, pour pouvoir réaliser ce rêve, c'était une femme, tout simplement.

Ma jumelle a été sa première petite amie : il avait vingt-quatre ans et il n'avait jamais embrassé aucune femme. C'est aussi pour cette raison qu'il ne pouvait concevoir de prendre pour femme qu'une femme à terre, ou bien une femme dans la même situation que lui, vierge et terrifiée. Ou bien une femme d'une grande laideur, mais il avait trop d'orgueil pour y consentir, ne serait-ce que par rapport au regard de son père. Bénédicte, diminuée comme elle l'était, ayant perdu toute confiance en elle, ne lui permettait pas seulement de fonder une famille, elle lui permettait d'envisager sans trop d'inquiétude le fait d'avoir à vingt-quatre ans sa première expérience sexuelle. Elle ne serait pas en mesure de juger défavorablement ses prestations, n'étant pas elle-même à ce moment-là particulièrement épanouie, sexy, intimidante.

Vous me trouvez méchante.

Ce qu'il voulait, c'était fonder une famille qui soit aussi unie et soudée que la nôtre. Mais qui soit à lui, indépendante des Baussmayer.

Tout ça par manque de reconnaissance dans sa propre famille, de la part de son père. Parce que son père préférait mon mari, Damien, l'aîné, et cette place de deuxième, il ne l'a jamais acceptée, il en a toujours souffert. Ce n'était pas que mon beau-père n'aimait pas Jean-François, mais il travaillait soixante-douze heures par semaine, il ne pensait qu'à son grand magasin du boulevard Haussmann, il n'était pas souvent à la maison, il n'avait pas tellement le temps de s'occuper de ses enfants — et c'était mon mari qu'il préférait, c'était à lui qu'il consacrait le plus de temps et d'attention, c'était flagrant et évident pour tout le monde, et il négligeait Jean-François. Quant au dernier des trois fils, il n'avait pas non plus la reconnaissance de son père mais il s'en moquait du moment qu'on lui donnait suffisamment d'argent pour qu'il puisse s'amuser, en bon fils à papa pourri gâté qu'il était. Alors que Jean-François, lui, à l'inverse, avait été élevé dans une grande rigueur, sans beaucoup d'affection et surtout sans cette reconnaissance paternelle qu'il avait tant convoitée, le laissant assoiffé. Les gens qui ont manqué de reconnaissance dans leur enfance, j'ai remarqué une chose, ils aspirent, adultes, à toujours plus de reconnaissance, ils sont insatiables, au travail comme dans leur vie intime, et ça donne de grands malades, de grands pervers. Jusqu'au bout il a cherché à obtenir la reconnaissance de son père, jusqu'au bout il s'en est occupé et il n'y a rien eu à faire : cette reconnaissance paternelle, il ne l'a jamais obtenue. Mon beau-père, lui, il n'était pas du tout là-dedans, ce n'était pas un homme de cœur et encore moins un homme sentimental, sans doute Jean-François attendait-il de son père qu'il lui dise qu'il l'aimait, ou qu'il le respectait, ou qu'il l'estimait, et il n'est rien venu, jamais. Il a voulu faire la même chose avec ma sœur, pour ses propres enfants : à la fin, à l'hôpital, il a voulu qu'elle dise à ses enfants qu'elle les aimait, et elle n'a rien voulu leur dire. C'est tout du moins ce que j'ai déduit d'un certain nombre d'éléments que j'ai pu recueillir. Ma sœur, ce n'était pas un être particulièrement démonstratif, qui embrassait ses enfants facilement. Ce qu'elle voulait c'était qu'ils travaillent bien à l'école, qu'ils soient bien éduqués, qu'ils aient de la culture, qu'ils s'expriment avec soin. Elle avait mis la barre très haut, comme je vous l'ai dit tout à l'heure. Ça aussi c'était exténuant pour elle, parce que ça relève de l'utopie de vouloir former ses enfants à l'image d'un modèle qu'on s'est mis dans la tête, un modèle exemplaire. Je ne sais pas combien de fois j'ai reproché à Bénédicte d'être trop sévère avec ses enfants, trop exigeante, excessivement intransigeante. Chez les enfants, il y a une part connue, sur laquelle on peut agir, et une part inconnue qu'il faut savoir respecter, dont on doit pouvoir se dire, en tant qu'éducateur, qu'elle ne vous appartient pas, qu'elle doit demeurer en dehors de votre champ d'intervention. Et ma sœur, ses enfants, elle voulait qu'ils soient comme elle avait décidé qu'ils devaient être, y compris leur part inconnue. Sur cette question, elle se trompait, elle partait d'un mauvais postulat : ça ne marche pas comme ça, c'était un combat parfaitement vain, perdu d'avance. Jean-François a juxtaposé son histoire et celle de ses enfants : il voulait que Bénédicte dise à sa fille les phrases qu'il n'avait pas entendues de son propre père. Il avait attendu que son père lui dise qu'il l'aimait, parce qu'il sentait qu'il ne l'aimait pas, et sans doute, de fait, ne l'aimait-il pas, ce père, son fils. Il est mort d'un cancer du poumon, Jean-François est resté près de lui jusqu'à la dernière seconde (c'est celui de ses trois fils qui a passé le plus de temps à son chevet, à l'hôpital), il idolâtrait son père et il n'a jamais obtenu la phrase qu'il désirait entendre, il attendait un signe et ce signe n'est jamais venu, même dans les dernières secondes, à l'hôpital.

Quand Bénédicte est morte, j'ai relevé dans son téléphone portable les numéros de deux personnes âgées dont elle m'avait parlé plusieurs fois, elles avaient été les principales des deux premiers collèges où elle avait enseigné, une fois remise de sa dépression. Elles avaient entouré Bénédicte de toute leur gentillesse quand elles avaient vu arriver dans leur établissement ce petit oiseau tombé du nid, jeune agrégée brillante et consciencieuse, perfectionniste, mais fragilisée par un récent traumatisme, selon toute apparence. Bénédicte s'était très bien entendue avec ces deux femmes, deux femmes qui n'avaient pas d'enfants et qui s'étaient prises d'affection pour elle — si bien qu'elle était restée en contact avec elles après son départ de ces deux premiers collèges, c'étaient en fait ses deux seules amies. Je les ai appelées et elles m'ont dit, une en particulier, que Bénédicte lui avait toujours paru morose, terriblement mélancolique. Elle ne lui avait fait aucune confidence pendant tout le temps où elle avait enseigné dans son établissement, mais après, quand elles avaient commencé à avoir des relations amicales, elle lui avait confié à différentes reprises que son mari lui rendait la vie sinistre, qu'il n'y avait aucune gaieté dans leur maison, qu'il ne pensait qu'à son travail et à l'organisation du foyer, à la gestion du budget familial et au respect de cette abominable discipline budgétaire. Tout était quadrillé, rationnel, répertorié, anticipé et planifié, sans aucun sens de l'improvisation et du mouvement, du spontané, de l'instinctif, du poétique. Sans aucun sens de la vie et du bonheur. Si ma jumelle allait boire un thé dans une brasserie du centre-ville, avait raconté Bénédicte, à l'époque, à cette ancienne principale de collège, elle devait rapporter à la maison le ticket de sa consommation, afin que son mari puisse en enregistrer le montant dans son ordinateur personnel. Ce n'était pas qu'il supervisait la gestion du budget familial : il tenait la comptabilité du foyer exactement comme son père avait tenu les rênes de son grand magasin du boulevard Haussmann. Il rentrait dans son ordinateur les montants de toutes les dépenses du ménage, de quelque nature qu'elles soient, y compris un pain au chocolat ou une sucette, si bien que l'existence de ma jumelle avait été canalisée en permanence par les murailles de ce couloir budgétaire névrotique, sans qu'il lui soit possible de faire la moindre incartade.

Un jour, il y a longtemps, peut-être une dizaine d'années, Bénédicte m'a confié que ce qu'elle aurait aimé, c'est avoir un amant et le retrouver une fois de temps en temps dans un hôtel, l'après-midi, pendant que les autres travaillent et que la ville continue de bourdonner, sans elle, industrieuse, de l'autre côté des rideaux. S'extraire de la banalité du réel pour connaître une expérience inoubliable, récurrente, addictive, de plus en plus merveilleuse, de plus en plus enchanteresse, dans les bras d'un homme, dans un recoin secret de la réalité, et de son existence. Je m'en souviens, elle m'en a parlé en ces termes, en me donnant tous ces détails, comme si vraiment elle y pensait souvent. J'ai trouvé ça beau que ce soit ça son rêve, mais en même temps ça m'a un peu attristée car j'ai compris que Bénédicte rêvait sa vie, elle rêvait la vie qu'elle aurait aimé avoir, sa vie était en grande partie virtuelle. D'une certaine manière, ayant trente ans de plus qu'elle et n'habitant pas dans la région, ses deux amies n'étaient pas des femmes du monde réel mais un peu comme des songes, des fantasmes, des refuges, des projections rassurantes de son mental, des femmes qui possédaient une existence dans ses pensées mais pas dans sa vie de tous les jours : Bénédicte fuyait la vie sociale, c'étaient des femmes d'une autre époque, invariablement bienveillantes, comme si ma jumelle avait trouvé le moyen de communiquer avec les personnages d'un roman qu'elle aurait lu et adoré. Vous comprenez ce que je veux dire ? C'était pareil avec sa vie amoureuse : elle fantasmait ces après-midi clandestines derrière les lourdes tentures d'une chambre d'hôtel plutôt que de faire des rencontres, de nouer des relations intimes, secrètes, avec des hommes. Par bien des côtés, ma jumelle n'était pas dans la vraie vie.

Elle m'en a parlé plusieurs fois de ce rêve, ça n'avait pas été une lubie passagère, c'était vraiment un désir qui la faisait vibrer. Elle me disait, Marie-Claire, écoute, retrouver son amant dans une chambre, hors du monde, sans que personne n'en sache rien, c'est tellement poétique. Elle avait les yeux pleins de beauté quand elle me disait ça. Ça vous étonne, n'est-ce pas, vous qui avez connu Bénédicte. C'est étonnant en effet car elle était la dernière personne chez qui on aurait pu soupçonner de telles aspirations, elle qui était si entière, loyale, sincère, éprise de vérité, mais son imaginaire était plus puissant que ses principes. Par ailleurs, à la fin de sa vie,

Bénédicte m'a confié que Jean-François, sexuellement, était un homme immature. Ils faisaient rarement l'amour, il avait surtout besoin de se serrer contre elle dans le lit. Il se colle à moi comme un enfant se colle à sa mère et une fois de temps en temps, quand ça lui prend, il me saute dessus, me disait Bénédicte. Mais la plupart du temps ce n'est pas doux, ce n'est pas tendre, ce n'est pas sensuel, me disait-elle : juste sexuel, sommairement sexuel. Vous savez, Éric, c'est terrible de ne plus être touché. Une femme qui n'a pas de vie affective, je le sens tout de suite, à sa peau, quand je la masse. Mes mains, elles se souviennent des peaux, elles lisent les vies à livre ouvert, elles comprennent beaucoup de choses. Une personne qui n'est jamais touchée, je le sens. C'est difficile à supporter, de n'être jamais touché. Je constate souvent ce manque chez mes clientes les plus âgées, plus personne ne veut entrer en contact physique avec elles et elles en souffrent, elles sont en demande, elles veulent qu'on leur caresse le visage, qu'on leur caresse les bras, qu'on leur caresse le dos et les épaules. Qu'on leur prenne la main. C'est un besoin, d'être touché, un besoin vital. J'ai vu des femmes s'écrouler, après un massage. Je leur masse longuement le corps, je sens qu'il se passe quelque chose de fort et juste après je les vois qui s'écroulent et qui pleurent dans mon salon sans pouvoir s'arrêter, au point que je doive annuler le rendez-vous d'après. Des femmes absolument inconsolables, dont j'avais senti qu'elles n'avaient pas été touchées depuis des années, comme si mes mains avaient fait remonter dans leur mémoire le souvenir qu'elles possédaient un corps, et que sentir son corps est essentiel, que c'est dans le fond la plus belle chose qui soit.

Je lui disais, à ma jumelle, quand elle évoquait ce fantasme d'un rendez-vous secret avec un homme, mais Bénédicte, qu'est-ce qui t'empêche d'avoir un amant, si c'est ça que tu veux vraiment ? C'est impossible, les hommes ne me regardent même plus, m'a-t-elle répondu. Je ne les attire pas, mon corps ne leur fait pas envie, je le vois bien. Mais si un jour l'occasion s'en présente, je n'hésiterai pas, ça c'est certain.

Malheureusement, l'occasion ne s'en est jamais présentée et elle est morte avant d'avoir réalisé ce rêve.

Ils ne te regardent pas, mon œil ! je lui ai dit. Bien sûr qu'ils te regardent et que tu les attires, Bénédicte ! C'est seulement que tu ne le vois pas ! Bien sûr qu'ils te regardent, enfin, qu'est-ce que tu vas t'imaginer ! Bénédicte, si tu veux un amant, il n'y a rien de plus facile, tu n'as qu'à tendre la main, crois-moi ! C'est parce que tu n'as pas confiance en toi que tu ne remarques pas que les hommes te regardent, mais ils te regardent, je peux te l'assurer ! je lui ai dit. Éric, quand un homme qui n'était pas insensible à ses charmes la regardait, elle était incapable d'y reconnaître de l'attirance et d'entrer dans un processus de séduction. Impossible. Son mari avait trop mutilé sa confiance pour qu'elle puisse croire qu'elle pouvait plaire encore aux hommes. Non, tu te trompes, je le vois bien, les hommes ne me regardent jamais, m'a-t-elle dit ce jour-là. Je le sais, quand même, Marie-Claire ! Si les hommes me dévoraient des yeux, je serais au courant ! *Si les hommes voulaient faire de moi leur maîtresse, ils me le feraient savoir d'une manière ou d'une autre !* Elle se trompait, bien entendu. Elle ne se voyait plus comme elle était.

C'est mon joyau qui est parti.

On a découvert son second cancer le 14 mars : il était généralisé.

En décembre, trois mois plus tôt, quand elle était venue passer le réveillon à Condé-sur-Marne, je l'avais trouvée terreuse, ses expressions étaient absorbées par son visage, donc simplifiées, atténuées, comme quelqu'un qui vient tout juste de se réveiller. Je lui avais demandé si ses résultats étaient bons, parce que après son cancer du sein j'avais vécu dans la terreur d'une récidive. Elle m'avait dit qu'elle venait juste de voir ses médecins, tout allait bien, les analyses n'avaient rien signalé d'anormal, c'était seulement qu'elle se sentait fatiguée, à cause du premier trimestre qu'elle avait trouvé un peu long, chargé. Pendant ces quelques jours, le matin, quand elle se réveillait, j'avais observé qu'elle avait une petite toux. Pas grand-chose, trois expulsions insignifiantes, de chatte, au réveil, mais qui m'avaient tout de même alertée. Je lui avais demandé ce qui se passait et elle m'avait répondu que ce n'était rien, elle ne toussait jamais pendant la journée, elle n'en avait même pas parlé aux médecins qui la suivaient.

En février, ils étaient partis faire une grande marche dans le Cotentin. Jean-François voulait toujours tester la résistance de sa femme, pour lui démontrer qu'elle était en parfaite santé, contrairement à ce qu'elle prétendait. Il lui reprochait d'accorder trop d'importance à ce qu'elle ressentait dans son corps et de toujours tirer de ces ressentis des conclusions catastrophistes. Quand elle avait mal quelque part, il l'emmenait faire des tours de stade, il la faisait marcher pendant des heures, soi-disant pour entretenir sa forme physique et la sortir de cet état maladif où elle se complaisait. Allez, on va marcher, ça va nous faire du bien ! Tu as mal ? Ce n'est pas grave, ça va se remettre, c'est dans ta tête ! Allez, en route, mets tes baskets, on y va, ne sois pas si complaisante avec ton corps, c'est insupportable ! Il citait tout le temps ce slogan d'une marque de chaussures pour personnes âgées, lui disant d'en prendre de la graine : la marche, c'est la vie. Un jour, quelques années plus tôt, pendant l'une de ces marches forcées, elle s'était évanouie, les pompiers étaient venus la secourir et ils l'avaient transportée à l'hôpital : elle se trouvait à deux doigts de l'embolie pulmonaire, à cause de phlébites qu'elle avait aux deux jambes.

Malgré cet épisode, Jean-François avait continué d'affirmer que les douleurs de ma jumelle ne pouvaient être que d'origine psychologique — et qu'il fallait les combattre par des exercices physiques d'endurance, mais aussi en décidant de ne plus les prendre en considération, c'était sa théorie, d'où ce projet de marche dans le Cotentin. En effet, depuis quelques mois, Bénédicte se plaignait d'avoir très mal au dos. Souvent, Éric, elles souffrent du dos les personnes atteintes d'un cancer. Elle se sentait fatiguée, elle n'était pas en forme, elle avait mal au dos et aux jambes, aux articulations. Elle lui avait dit qu'elle ne se sentait pas la force de faire cette randonnée, qu'elle ne pourrait jamais y arriver, que son mal au dos était vraiment insoutenable, mais son mari était resté inflexible. Mais si, tu peux marcher ! Tu n'es pas handicapée, on ne va pas annuler ces vacances sous prétexte que madame a un vague lumbago ! C'est pénible à la fin de t'entendre te plaindre sans cesse, j'ai l'impression de vivre avec une retraitée ! Ah, c'est sexy ! qu'est-ce que c'est sexy la vie avec toi ! Ma jumelle se disait qu'elle devait avoir une cruralgie, ou un lumbago, et des problèmes d'articulation dans les jambes, genre de l'arthrose. Elle était allée voir un médecin, après le deuxième jour de marche, tellement elle avait mal, il lui avait prescrit des calmants pour une lombalgie, lui recommandant d'aller consulter son généraliste quand elle serait de retour à Metz, après ses vacances. Ma jumelle a marché tous les jours en souffrant le martyre, pendant une semaine entière, malgré ses plaintes, malgré ses larmes. Mais son mari était dans le déni complet. Il disait que c'était de la pure comédie. Même Lola a fini par prendre le parti de son père, accablant sa mère qui gâchait leurs vacances. Sur la route du retour, Jean-François a freiné un peu sèchement pour éviter un chien qui traversait, et comme ma jumelle était de constitution fragile, toute menue, elle a cru que la ceinture lui avait fêlé une côte, car après cet incident elle a eu vraiment mal. Deux jours plus tard, le lundi, elle avait un rendez-vous prévu de longue date avec son phlébologue, elle lui a montré sa côte pour avoir son avis et le phlébologue lui a dit qu'elle n'avait rien. C'est bizarre, j'ai vraiment mal, pourtant, lui a-t-elle répondu. J'ai ça, aussi, je ne sais pas ce que c'est, vous pouvez regarder ? Elle avait, depuis quelques semaines, au niveau de l'abdomen, au-dessous de la côte en question, une grosseur pour laquelle elle ne s'était pas inquiétée, qu'elle avait prise pour un nodule. Lui ayant palpé cette grosseur, son phlébologue lui a dit : je n'aime pas ça du tout, il faudrait que vous alliez consulter d'urgence à l'hôpital. À l'hôpital, où ma jumelle s'est rendue le jour même, on lui a fait des examens complets, desquels il est ressorti, trois ou quatre jours plus tard, qu'elle était atteinte d'un cancer généralisé. Il y avait des métastases partout : dans un poumon, au foie, aux os, aux surrénales. En décembre, ils n'avaient rien vu. Le médecin nous a dit que son cancer avait été foudroyant mais je ne pense pas : il était déjà là en décembre, je l'avais vu à son teint, je l'avais pressenti à sa toux. Il n'y avait plus rien à faire.

Bénédicte est morte dix mois plus tard, le 23 janvier 2011.

J'ai découvert la réalité de sa situation conjugale quand j'ai commencé à aller beaucoup chez eux pour m'occuper d'elle, je venais la voir le vendredi vers treize heures et je passais l'après-midi en sa compagnie. Quand j'ai vu de quelle façon Jean-François se comportait vis-à-vis d'elle dans leur intimité, j'ai compris ce qui se passait entre eux et Bénédicte s'est mise à me faire des confidences sur leurs relations.

Pour Jean-François, j'étais le diable et il me combattait sans relâche. Cela faisait des années que nous voulions partir en voyage toutes les deux, on en parlait souvent, on avait des idées de destination, mais on ne passait jamais à l'acte, elle reculait sans cesse. Elle m'a avoué que c'était lui qui avait toujours catégoriquement refusé ce projet et qu'elle n'avait jamais osé me le dire, préférant l'assumer et prétendre que le moment était mal choisi, à cause de ses phlébites, ou d'un crédit supplémentaire pour la voiture, ce genre d'excuses bidons. Elle me l'a avoué à ce moment-là, quand elle a été malade et qu'on a commencé à se voir non plus à Condé-sur-Marne, comme on l'avait toujours fait jusqu'alors, mais dans sa maison de Metz, où en réalité je n'étais peut-être allée que deux ou trois fois. Elle m'a appris que l'objectif de son mari, ces dernières années, avait été d'évincer définitivement la jumelle de sa femme : il ne voulait plus en entendre parler. Il ne voulait plus aller le week-end à la ferme, il ne voulait plus qu'on se voie ou qu'on se téléphone, chaque jour, midi et soir, comme on avait pris l'habitude de le faire, de sorte qu'elle avait été obligée de défendre ardemment ce territoire, de le défendre avec courage pendant toutes ces années pour qu'il ne soit pas tout simplement supprimé de son existence, rayé de la carte. Éric, si nous avions été une famille envahissante, si j'avais été une jumelle critique, désagréable ou intrusive, j'aurais peut-être compris qu'il veuille se tenir à l'écart de la première et évincer coûte que coûte la seconde, mais on ne venait jamais à Metz, on les laissait tranquilles, personne ne s'était jamais permis la moindre réflexion sur leur couple ou sur lui. Il devait estimer que Bénédicte m'aimait trop, comparé à lui. Il devait sentir chez sa femme, à mon égard, un amour sacré et inconditionnel. L'amour qu'elle lui vouait n'avait rien de sacré ni d'inconditionnel et il le sentait bien. Il jalousait notre famille de s'aimer avec un tel naturel, une telle gaieté, alors que dans la sienne l'amour n'avait jamais été prodigué qu'avec parcimonie. Vous vous imaginez l'immaturité de cet homme, Éric ! Ces amours de natures différentes, comme chacun sait, n'entrent pas en concurrence ! On ne met pas sur la même balance l'amour que l'on éprouve pour sa jumelle, et l'amour que l'on éprouve pour son mari ! L'amour que l'on éprouve pour sa jumelle ne peut pas nuire à l'amour que l'on éprouve pour son mari ! Sauf si, naturellement, la jumelle en question passe son temps à vouloir nuire audit mari, et met elle-même sur les plateaux d'une même balance ces deux amours, pour acculer sa sœur à choisir. Ce qui n'était pas mon cas, n'ayant jamais, pendant toute la durée de leur mariage, y compris quand Jean-François, à la toute fin, comme je vais bientôt vous le raconter, s'est révélé abject et monstrueux, n'ayant jamais dénigré cet homme devant ma jumelle, ni manifesté à son égard, jamais, la moindre hostilité, alors que j'aurais dû, à un moment, oui, l'anéantir — ce que je regrette amèrement de n'avoir pas fait, je vous le dis comme je le pense. Il doutait tellement de lui, il se sentait, intérieurement, si peu de chose, il se savait à ce point insignifiant qu'il allait jusqu'à redouter la concurrence de notre amour. Mais plus probablement avait-il peur que je m'immisce dans leur vie conjugale et que je l'empêche de dominer Bénédicte comme il le faisait.

Quand je la quittais, elle m'embrassait, et elle pleurait. Toujours. À la fin de chacune de mes visites, elle pleurait de devoir me laisser rentrer chez moi, à Reims.

Vers la fin, à l'hôpital, un jour, elle m'a dit : c'est toi qui souffriras le plus, quand je serai partie.

Logique : je n'avais pas d'enfant, je n'avais qu'elle.

C'est toi qui souffriras le plus. Sous-entendu : plus que ma fille, plus que mon fils, plus que mon mari. Elle ne s'est fait aucune illusion sur sa propre famille, je veux dire sur ses enfants, sur son mari.

Ma sœur, pour moi, c'était tout. C'était l'amour de ma vie. Jusqu'où cet homme a pu aller à son encontre, c'est inimaginable. Je me disais souvent qu'il n'était pas possible de s'élever davantage sur les degrés de la bassesse et de l'ignominie, eh bien pas du tout, il se hissait d'un cran supplémentaire régulièrement, malgré le fait que Bénédicte vivait ses derniers mois.

Un jour, quand je suis arrivée, ma jumelle m'a dit qu'elle avait froid. Comme ils avaient des difficultés pour joindre les deux bouts, Jean-François n'avait pas encore allumé le chauffage, nous étions fin septembre et il reculait le plus possible le moment où il serait contraint, en raison des températures extérieures, à chauffer leur maison. Bénédicte, qui passait ses journées chez elle sans bouger, affaiblie par la chimiothérapie, s'en était plainte plusieurs fois à son mari, mais celui-ci lui répondait qu'elle n'avait qu'à se couvrir un peu plus et bien fermer la porte de sa chambre, il ne faisait pas si froid, il fallait attendre encore quelques jours. J'ai tellement froid, Marie-Claire, m'a-t-elle dit, je grelotte toute la journée, fais quelque chose, je t'en supplie. Moi-même je trouvais qu'il faisait froid, l'atmosphère de leur maison était glaciale et humide, ma jumelle était atteinte d'un cancer généralisé et son mari la laissait chez elle sans chauffage, il devait faire seize ou dix-sept degrés. Bénédicte m'a dit qu'elle n'osait pas allumer le chauffage sans son autorisation, il serait furieux en rentrant le soir et se mettrait en colère, alors je lui ai demandé si on ne devait pas l'appeler, Bénédicte m'a répondu qu'il ne valait mieux pas, il refuserait et ça l'énerverait qu'on le dérange pour ça au bureau, alors j'ai dit à Bénédicte que je lui parlerais quand il rentrerait le soir et Bénédicte m'a répondu qu'elle m'en serait reconnaissante, et que j'étais gentille. Le soir, j'ai expliqué à

Jean-François le plus calmement possible qu'on ne pouvait pas laisser une femme atteinte d'un cancer généralisé dans une maison aussi glaciale, que c'était inhumain, moi-même j'avais été frigorifiée toute l'après-midi. Il ne m'a rien répondu mais il est allé allumer le chauffage en claquant toutes les portes derrière lui, avant de prendre sa voiture et de disparaître pendant deux heures, m'obligeant à attendre son retour avant de repartir pour Reims car Bénédicte n'aimait pas ça que son mari quitte leur maison sous le coup de la colère, elle se disait que cette fois-ci il allait l'abandonner pour de bon et cette pensée la torturait. Je lui disais qu'elle n'avait aucune inquiétude à avoir, non seulement Jean-François, bien entendu, n'allait pas la quitter, mais le ferait-il qu'elle ne serait pas seule, on s'occuperait d'elle, elle viendrait vivre à Reims, c'était vraiment stupide de se faire du mauvais sang pour ça dans la situation où elle était. Mais Jean-François avait sur elle, inexplicablement, une emprise absolue, il était parvenu à la rendre à ce point dépendante, affectivement, de sa personne, qu'il pouvait, par son comportement, de la manière la plus primaire, agir sur la psychologie et sur l'état mental et donc physique de Bénédicte, exactement comme s'il appuyait sur les boutons d'un tableau de bord incrusté dans sa poitrine. S'il voulait lui faire peur, et de la sorte la mettre au pas, il lui suffisait de disparaître pendant trois heures sans répondre à son téléphone portable. Ainsi, un jour que nous avions déjeuné dans une brasserie de Metz, avant d'aller en voiture à Luxembourg où Bénédicte désirait visiter la Philharmonie (un bâtiment de toute beauté sur lequel elle avait lu un article de journal), nous étions revenues vers dix-huit heures et son mari n'était pas encore rentré. C'était un jour où il ne travaillait pas, donc un mardi, et il avait décidé de rendre visite à un ancien collègue qui habitait non loin d'une administration où il devait se procurer des papiers, il avait dit à sa femme qu'il avait envie d'effectuer ces déplacements à vélo et qu'il serait de retour au plus tard à dix-sept heures. Bénédicte, voyant qu'il n'était pas encore rentré, essayant de le joindre en vain par téléphone, demandant à ses enfants s'ils avaient eu des nouvelles de leur père (non, ils n'en avaient pas eu), avait commencé à paniquer. Elle avait insisté, malgré le froid, pour se poster à l'angle de sa rue et de l'avenue par laquelle il allait forcément arriver, afin de rapprocher le plus possible du moment présent celui où son apparition, au loin, à l'horizon, la rassurerait définitivement : elle avait peur qu'il ait eu un accident. Au bout de vingt minutes à faire le guet à ce carrefour, et en ce qui me concerne à considérer l'anxiété de ma jumelle avec une stupeur grandissante, je lui ai dit qu'on devait rentrer, qu'elle allait prendre froid, la journée avait été longue, elle risquait de le payer le lendemain par une immense fatigue, elle devait garder des forces pour la séance de chimiothérapie qui aurait lieu la semaine suivante. J'essayais de l'entraîner par le bras. Mais Bénédicte résistait, elle me disait attends, attendons encore un peu, il ne va pas tarder, je préfère l'attendre ici, comme ça on le verra venir de loin. Avant de me dire, presque en larmes, le regard perdu à l'horizon : il le fait exprès, je suis certaine qu'il le fait exprès pour me faire peur, il le sait parfaitement qu'en ce moment je suis très vulnérable, il accentue son pouvoir sur moi en faisant ça et je ne peux pas m'en défendre. Comment je ferais, dans mon état, si je suis toute seule, pour m'occuper des enfants, de la maison ? En entendant ma jumelle prononcer ces phrases, mais surtout en constatant que sa lucidité sur la mentalité, les stratagèmes puérils de son mari ne lui permettait pas de mieux s'en défendre, je me suis dit qu'elle était vraiment en péril : il avait tout pouvoir sur elle.

Il lui préparait ses médicaments, c'était lui qui détenait les ordonnances et qui connaissait les doses de chacune des nombreuses molécules qu'elle devait ingérer. Elle s'en était remise entièrement à lui. Le matin, avant de partir au bureau, il disposait sur un plateau, avec un grand verre d'eau, toutes les gélules qu'elle devait avaler, ne la laissant qu'après que le plateau eut été entièrement nettoyé de cette composition de comprimés. Je lui ai dit qu'elle avait tort de se soumettre ainsi à Jean-François. Il veut se rendre indispensable et te rendre entièrement dépendante, son objectif est de t'amener à croire que sans lui, tu es perdue. Il t'infantilise, Bénédicte. Ça te déresponsabilise qu'on te donne tes médicaments à la becquée. Tu es maître de ton corps, de ta maladie, de ta personne, de ton destin. T'occuper toi-même de tes médicaments, c'est affirmer que tu tiens tête à ton cancer, que tu n'es pas soumise ni subissante. Ne te laisse pas faire, ni par ta maladie, ni par ton mari. Reprends le pouvoir sur les deux. Exige de Jean-François qu'il te rende les ordonnances. Il faut que tu reprennes ton autonomie, tu en es tout à fait capable. Dis-lui dès ce soir que tu veux t'occuper toi-même de tes médicaments.

Un jour, un vendredi, quand je suis arrivée, Bénédicte m'a ouvert la porte en me prévenant que son mari se trouvait dans un état de rage insensé à cause d'une table basse en verre que leur petit garçon avait brisée, par inadvertance, une heure plus tôt, en faisant tomber dessus un objet lourd. Non seulement il avait grondé Arthur, qui entre-temps était reparti à l'école, mais depuis il n'avait pas cessé de vociférer, elle ne parvenait pas à pénétrer la raison de cette colère considérable dans la mesure où cette table basse n'avait aucune valeur, n'était pas particulièrement belle et surtout avait été achetée des années auparavant, au début de leur mariage, dans une grande surface. Bénédicte, ce jour-là, ne se sentait pas bien, elle avait des vertiges et des nausées, elle avait mal, de sorte qu'elle ne saisissait pas que Jean-François accorde une telle importance à un objet aussi dérisoire, alors que son corps à elle se trouvait dans un état bien pire que cette affreuse table basse en verre — et visiblement son état à elle ne lui inspirait pas autant de colère. J'ai bien vu que Bénédicte en était attristée. J'ai constaté par moi-même, pendant les trente minutes qui ont suivi, à quel point Jean-François était contrarié par ce ridicule incident domestique, j'ai surtout pu vérifier que la table basse en question ne présentait en effet aucun intérêt, jusqu'au moment où son mari, plongé dans l'examen d'un document Excel affiché sur l'écran de son ordinateur, nous a dit soudain que ça allait, qu'en fait ça allait, ce n'était pas si grave, il ne l'avait payée, cette table, il avait là le chiffre sous les yeux, que deux cents francs. Deux cents francs, le 8 janvier 1998, en soldes, à Conforama, a-t-il dit avec fierté en se retournant vers nous qui étions assises sur le canapé du salon. J'ai retrouvé le montant, c'est pas beau, ça ? Vous n'êtes pas bluffées ? Que je sois capable, comme ça, en moins de vingt minutes, de retrouver sur mon ordinateur le montant et la date d'achat d'une table basse achetée en 1998 ? Je ne sais pas pourquoi, je pensais que nous l'avions payée plus cher. Deux cents francs, ça va, c'est acceptable.

Une fois que Bénédicte, après la troisième cure de chimiothérapie, eut perdu tous ses cheveux, ses cils et ses sourcils, elle demanda à Jean-François de bien vouloir l'accompagner dans des boutiques de Metz où elle pourrait se procurer une perruque et des faux cils, du maquillage, ainsi que des turbans à se mettre sur la tête, mais celui-ci refusa catégoriquement, lui disant que tout cela était ridicule, qu'elle n'allait pas se déguiser pour sortir, de toute manière elle ne pourrait bientôt plus aller en ville alors à quoi bon ces dépenses superflues, la réponse était non, inutile d'insister. (Lors de son premier cancer du sein, elle ne s'était pratiquement pas arrêtée de travailler, elle avait tenu à assurer la plupart de ses cours au lycée. Elle ne voulait rien dire à personne, même ceux de ses collègues avec lesquels elle s'entendait le mieux s'étaient laissé convaincre qu'elle avait une maladie bénigne, une maladie qui certes nécessitait une chimiothérapie suffisamment puissante pour qu'elle en perde tous ses cheveux (devaient-ils penser par-devers eux, incrédules), mais Bénédicte passait son temps à minimiser la gravité de son état et le mot de cancer n'avait jamais été prononcé par quiconque, ni par elle, ni par ses collègues, y compris Amélie. Dans ces circonstances, il avait bien fallu que son mari consente à l'achat d'une perruque ressemblant à s'y méprendre à ses cheveux naturels (perruque qu'elle avait victorieusement jetée à la poubelle une fois que ces derniers eurent repoussé), ainsi qu'à l'intervention régulière d'une maquilleuse professionnelle. Comme cette fois-ci sa femme n'était pas en mesure d'aller travailler, Jean-François s'était juré qu'on ne l'y reprendrait plus, ça lui apprendrait de jeter des objets de valeur à la poubelle, par pure bêtise et par superstition. Si tu l'avais conservée, comme je te l'avais dit de le faire, tu aurais pu la remettre, bien fait pour toi, lui disait-il chaque fois qu'elle abordait le sujet.) Bénédicte, comme vous le savez, était soucieuse de son apparence, elle aimait les beaux vêtements, elle en possédait quelques-uns dont elle prenait grand soin, elle appréciait, en certaines circonstances, de se savoir élégante, bien habillée. Par exemple, les deux fois où vous l'avez rencontrée, je suis convaincue que Bénédicte avait réfléchi à sa tenue, qu'elle avait mis ses jolies bottines, sa veste la mieux coupée, la bague de sa grand-mère. Voilà, j'en étais sûre. Alors même qu'elle n'avait plus que quelques mois à vivre, il était particulièrement criminel de contraindre Bénédicte, devenue chauve, soit à garder le lit, soit à sortir tête nue, ou affublée d'un bonnet, sous prétexte qu'elle avait jeté sa perruque datant de

327

son cancer du sein. Il était important que Bénédicte, toutes les fois qu'elle sortirait de chez elle, continue de se savoir agréable à regarder, mais elle n'insista pas, elle n'avait pas la force de contrer son mari, elle se contenta de me raconter cette anecdote au titre d'une des nombreuses vexations qu'il avait coutume de lui infliger. Alors, ni une ni deux, j'ai demandé à ma jumelle de s'habiller pour sortir, je l'emmenais faire un tour en ville. Mais où on va ? m'a-t-elle demandé. Viens, dépêche-toi, je vais t'acheter toutes les perruques, tous les turbans, tous les chapeaux qui te feront plaisir, et nous sommes parties toutes les deux dans la boutique qu'elle avait repérée sur Internet, où l'on pouvait trouver de jolis postiches. Nous avons passé deux heures là-bas, Bénédicte s'est résolue à profiter de son infortune pour s'autoriser une fantaisie dont elle avait envie depuis longtemps, sans avoir jamais osé passer à l'acte : elle s'est offert une perruque rousse, cuivrée, coupée court, qui allait à merveille avec la pâleur de son teint, on eût dit une rouquine authentique. Elle était heureuse de se voir dans la glace, habillée de noir, avec ses cheveux roux, son image dans le miroir est même parvenue à tirer de son visage une lumière de félicité, nous avons ri, elle m'a demandé si je croyais qu'elle pouvait se permettre, dans ces circonstances, d'avoir les cheveux roux, je lui ai dit bien sûr, mais bien sûr Bénédicte, tu es sublime, j'adore ! À la suite de quoi je l'ai emmenée dans sa boutique préférée, rue Gambetta, sous les arcades, pour lui offrir un chapeau cloche inspiré des années folles, qui descendait assez bas sur la nuque et sur les côtés, dissimulant grandement le crâne. Quand, le soir, radieuse et fière de nos emplettes, Bénédicte est apparue à Jean-François en jolie rousse, espérant lui soutirer des compliments sur sa nouvelle allure, il nous a dit que tout cela était grotesque, que nous avions foutu par la fenêtre du temps et de l'argent, qu'il était important de garder notre énergie pour des choses plus importantes que ces conneries de bonnes femmes. Tu es parfaitement pitoyable avec cette perruque, a-t-il dit à ma jumelle. Tu crois que tu n'avais pas assez de ta maladie, qui t'enlaidit, sans avoir besoin d'en rajouter une couche en te mettant cette perruque de vieille pute ? Combien ça a coûté, toutes ces conneries ? Hein ? Combien ça a coûté ? s'est-il mis à hurler. C'est moi qui ai payé, je les lui offre, ai-je répondu du tac au tac. Tu as gardé les factures, au moins ? Tu les laisseras sur la table de la salle à manger. Maintenant que le mal est fait, autant se faire rembourser par la mutuelle, a-t-il ajouté. Je n'ai pas envie de me faire rembourser, ai-je répondu : c'est un cadeau que je fais à ma sœur. Eh bien moi je n'ai pas l'intention de faire cadeau de ces machins à la mutuelle : tu me laisseras les factures, j'ai la ferme intention de faire payer à la mutuelle tout ce que peut me coûter cette saloperie de maladie qui fout ma vie en l'air, à la suite de quoi il est monté dans sa chambre en claquant les portes.

Cette saloperie de maladie qui fout ma vie en l'air.

Un vendredi, j'arrive, je sonne, c'est lui qui m'ouvre la porte alors que d'habitude c'est plutôt ma jumelle qui vient m'accueillir (avec lui qui m'attend dans le salon planté comme un piquet, pour bien me faire sentir que c'est son territoire), nous nous disons bonjour, je lui demande où est Bénédicte et il me dit qu'elle est dans son lit, je lui demande si tout va bien et il me dit ça va, elle se plaint mais si on se met à prêter l'oreille à toutes les plaintes de Bénédicte, surtout en ce moment, on passerait son temps à appeler les médecins et l'hôpital. J'arrive dans la chambre et je vois Bénédicte plus pâle et décharnée que jamais, squelettique, absolument défaite, les traits tirés. Elle avait pris dix ans en une semaine. Au téléphone, elle ne m'avait rien dit. Je m'assois à côté d'elle, lui prends la main et lui embrasse le front. Je lui demande si ça va et elle me répond non, pas du tout, ça ne va pas du tout. Je lui demande ce qui se passe. Elle me répond qu'elle se sent vraiment mal, elle n'arrête pas de vomir, elle ne supporte pas cette cure de chimio, elle ne comprend pas pourquoi, jusqu'à présent ça allait plutôt bien mais là elle a l'impression d'avoir cent douze ans, elle ne tient pas debout, elle ne peut plus rien avaler depuis deux jours, elle vomit tout. Qu'est-ce qu'on peut faire ? je lui demande. Je veux aller à l'hôpital, me répond-elle. Je n'en peux plus, on doit me mettre sous perfusion, je vais mourir si on me laisse ici, j'en suis sûre, fais quelque chose, je t'en supplie. Si tu veux aller à l'hôpital, il n'y a pas de problèmes, tu vas à l'hôpital, je ne comprends pas, je lui réponds. Pourquoi tu me supplies ? Parce que Jean-François m'a dit non, il veut que je reste ici, me répond-elle. Je regarde Bénédicte en passant ma main sur son front : elle me regarde avec un œil suppliant. Il ne veut pas que tu ailles à l'hôpital ? Non de la tête, faiblement. Tu le lui as dit, que tu voulais aller à l'hôpital ? Oui de la tête, faiblement. Et il t'a répondu qu'il ne voulait pas ? Oui de la tête, faiblement, le regard implorant. Un court silence. Je lui caresse le front et le visage. Il dit que tout va bien, que je vais m'en remettre, que c'est juste les effets secondaires de la chimio. Il dit qu'il ne faut pas confondre les effets secondaires de la chimio avec les ravages de la maladie. Ce que je sens dans mon corps, selon lui, ce n'est pas la maladie, mais les produits qui sont censés me faire guérir. Mais moi, Marie-Claire, je me sens mal, c'est la maladie, je vais mourir si je reste ici une nuit de plus, j'ai terriblement peur, j'ai besoin d'être entourée d'une équipe médicale.

Il est heureux que je sois venue ce jour-là, autrement il l'aurait laissée dans sa chambre à souffrir, elle n'en pouvait vraiment plus, elle y serait peut-être passée, il était urgent qu'elle soit prise en charge.

Elle n'est restée hospitalisée que trois jours, le temps de reprendre des forces. Mais bientôt elle ne pourrait plus demeurer dans sa maison, elle allait être admise à l'hôpital public de Metz pour y finir ses jours.

Nul n'était en mesure de savoir avec un tant soit peu de précision combien de temps allait durer son combat contre la mort. Le jour où ma jumelle est entrée à l'hôpital, mon frère se trouvait en compagnie de Jean-François quand celui-ci a demandé au cancérologue, abruptement, sans la moindre émotion, combien de temps il lui restait à vivre. Ce dernier lui a répondu qu'il était difficile d'être précis en la matière, elle pouvait mourir dans quinze jours comme dans deux mois. Mon beau-frère a certainement retenu quinze jours car il est sorti du bureau sans dire un mot avant de se rendre dans la chambre de Bénédicte, où on était en train de l'installer, elle venait juste d'arriver. Alors, sans lui adresser la parole ni lui demander si le transport en ambulance depuis chez eux s'était bien passé, il a prié les infirmiers de monter un lit d'appoint au bout du lit de sa femme, sur quoi les infirmiers sont sortis pour aller le lui chercher. J'étais là. Bénédicte lui a dit, devant moi, distinctement, affolée, pourquoi tu veux dormir au bout de mon lit, qu'est-ce que c'est que cette histoire ? C'est parce que je vais bientôt mourir, c'est ça ? On t'a dit que j'allais bientôt mourir, c'est pour ça que tu veux dormir au bout de mon lit ? Oui, c'est ça ? Ils t'ont dit que je n'en avais que pour deux ou trois jours, oui ? Je ne veux pas que tu dormes ici, ça m'angoisse, ça me terrifie, ça veut dire que je vais bientôt mourir. Jean-François, s'il te plaît, je t'en conjure, je préfère que tu rentres dormir à la maison et que tu t'occupes des enfants. Jean-François n'a rien répondu, il est sorti de la chambre, les infirmiers sont revenus avec le lit d'appoint, qu'ils ont placé au bout du lit de ma jumelle sans qu'elle ose leur demander de le remporter. Marie-Claire, je t'en supplie, fais quelque chose, ne le laisse pas s'installer au bout de mon lit, je ne veux pas qu'il reste ici avec moi, j'ai besoin d'être seule, il va m'angoisser, je n'y arriverai pas. Quand Jean-François est revenu dans la chambre, je lui ai dit que Bénédicte ne souhaitait pas qu'il dorme au bout de son lit, elle le lui avait dit tout à l'heure de la manière la plus claire, elle venait de me le répéter, elle ne le souhaitait pas, je ne comprenais pas pour quelle raison, dans ces conditions, il insistait, il devait respecter sa volonté. Tu n'as pas compris, Jean-François ? Elle te l'a dit, elle ne veut pas de toi au bout de son lit. Il m'a répondu de m'occuper de ce qui me regardait, que Bénédicte était sa femme et qu'à ce titre il avait parfaitement le droit de l'assister dans ses derniers jours. Il a réellement prononcé cette phrase abominable devant elle : l'assister dans ses derniers jours. Tout en parlant, il s'activait à faire son lit, je serrais tendrement la main de ma jumelle qui avait fermé les yeux, il a fini par sortir de la chambre et Bénédicte les a rouverts : alors j'ai vu dans ses yeux la détresse la plus insondable qu'il m'ait été donné de voir de toute ma vie.

Il a dormi au bout de son lit, chaque nuit, contre l'avis de Bénédicte, pendant un mois et demi. Il avait pensé que ça n'allait durer qu'une quinzaine de jours, c'est la raison pour laquelle il avait pris cette décision, mais il lui a imposé sa présence, chaque nuit, à son corps défendant, pendant un mois et demi.

Deux ou trois jours après son arrivée à l'hôpital, voyant que Jean-François ne passait pas seulement ses nuits au bout de son lit, mais se mettait à venir pendant la journée, elle lui a demandé comment ça se faisait qu'il n'était pas à la banque. Je n'y vais plus, lui a-t-il répondu. Ah bon, tu n'y vas plus, mais pourquoi ? Pour pouvoir venir ici, lui a-t-il répondu. Mais je n'ai pas besoin que tu viennes pendant la journée, déjà tu dors ici, j'ai ma famille qui vient me voir, je ne suis pas seule, tout va bien, tu n'es pas obligé de faire un tel sacrifice. Je ne fais aucun sacrifice, je me suis fait faire un arrêt maladie. Un arrêt maladie ? lui a demandé Bénédicte. Oui, tu ne penses tout de même pas que je vais brûler tous mes jours de congé pour venir voir ma femme malade ? J'ai demandé un arrêt maladie pour pouvoir garder mes jours de vacances, c'est la moindre des choses vu à quoi je vais les consacrer. Je trouve ça choquant, lui a répondu ma jumelle. Soit tu ne viens pas me voir pendant la journée et tu continues de travailler, soit, si tu viens, au moins tu as la décence de le faire sur tes jours de vacances. Elle parlait avec les plus grandes difficultés, à voix basse, essoufflée, la gorge prise, et elle s'est mise à tousser longtemps après avoir prononcé ces phrases, je m'en souviens. Sur quoi Jean-François lui a dit : c'est comme ça que tu me remercies de m'occuper de toi, alors Bénédicte lui a répliqué, lentement, en ménageant ses forces, après avoir repris son souffle mais d'une voix à peine audible : je ne t'ai rien demandé du tout, ça me stresse que tu sois là sur mon dos en permanence, alors retourne travailler et n'arnaque pas la sécurité sociale avec tes faux certificats médicaux, ça va me porter malheur, sur quoi Jean-François est sorti en claquant violemment la porte derrière lui, furieux. Mais celle-ci était équipée d'un groom, alors nous l'avons vue rectifier la violence de son comportement en une suave expiration, avant de s'enclencher doucement, sans bruit, comme si la porte disait à Jean-François, dans un murmure, avec tact : chut, calme-toi, ce n'est pas le bon endroit pour faire des scènes comme celle-ci.

Il lui faisait peur.

La nuit, il lui disait qu'elle allait mourir.

Elle le savait qu'elle allait mourir, il n'était pas nécessaire de le lui rappeler quand elle semblait l'avoir oublié. Je n'ai jamais autant menti à ma jumelle que pendant cette période, je lui disais qu'elle allait s'en sortir, je lui parlais des voyages que nous ferions quand elle serait guérie, je lui disais qu'elle devait se battre, que le jeu en valait la chandelle. Allez, courage, tu vas voir, tu vas t'en sortir, on ira enfin à Madagascar toutes les deux, rien que toi et moi, comme on se l'est toujours promis ! Regarde, tu marches, tu peux aller aux toilettes toute seule, ça va aller Bénédicte, je suis sûre que tu vas t'en sortir !

Son œil brillait. Elle n'allait pas bien du tout mais au milieu de ses traits livides son regard scintillait d'espérance. Je voyais bien qu'elle me croyait et qu'elle voulait avoir ces idées-là en tête plutôt que des idées de mort certaine et imminente.

Un jour, j'étais dans le couloir devant la chambre de Bénédicte en compagnie de mon frère et de ma sœur aînée, soudain la porte s'ouvre et Jean-François sort brusquement en s'écriant : elle ne sait même plus qu'elle va mourir !

J'étais abasourdie.

Sa fille est apparue à son tour et nous l'a confirmé, stupéfaite, sur un ton désolé.

Oui, c'est complètement dingue, *elle ne sait même plus qu'elle va mourir !* a-t-elle répété, secouant la tête, ses deux mains à plat sur ses tempes, sur le ton d'une personne qui veut entraîner les autres dans son indignation.

D'après le ton de ses phrases, j'avais l'impression qu'elle parlait de ma jumelle comme d'une folle irresponsable.

Nous étions sidérés.

Je regardais Lola et j'étais médusée.

Ils nous l'ont dit à nous, en insistant sur l'offusquante incongruité du comportement de Bénédicte à leur égard, comme si, en refusant de se présenter à eux comme une femme qui s'apprête à franchir dignement, avec courage, le seuil de la mort, prête à leur faire des adieux solennels qu'ils pourraient garder en mémoire comme un beau et grand moment d'émotion, elle se rendait coupable d'un grave manquement à ses devoirs de mère et d'épouse — puis nous les avons vus se précipiter sur un médecin qui passait par là pour s'étonner auprès de lui que Bénédicte ne sache plus qu'elle allait mourir.

Elle vient de nous parler du jour où elle reviendra à la maison! Elle pense ce soir qu'elle va bientôt rentrer chez elle! disait Jean-François, interloqué, au médecin.

Elle a même dit qu'elle allait faire repeindre sa chambre en bleu!!?? disait Lola, les yeux ronds, n'en revenant toujours pas. Mais qu'est-ce qui se passe?

Le médecin leur a expliqué qu'il était fréquent que les malades ne mémorisent pas le fait qu'ils allaient mourir, Dieu merci, et qu'il fallait respecter cette volonté.

Comme je vous l'ai déjà expliqué, Jean-François souhaitait qu'elle dise à ses enfants ce que son propre père, sur son lit de mort, ne lui avait pas dit à lui, et elle le refusait obstinément.

Jean-François faisait les cent pas pendant des heures au bout de son lit.

On lui avait dit quinze jours, ça faisait un mois, il ne comprenait pas, il était là chaque jour et il marchait, elle ne mourait pas, c'était incompréhensible pour lui comme situation.

Il marchait, il marchait, il marchait, il marchait, il marchait.

Il attendait.

Il passait son temps à attendre.

Il fatiguait Bénédicte à marcher comme ça au bout de son lit pendant des heures.

Je n'en peux plus, dis-lui qu'il s'en aille et qu'il me laisse tranquille, me disait Bénédicte, en larmes, quand j'arrivais et qu'il quittait la chambre, sans même lui dire un mot ou lui donner un baiser. Je ne veux plus le voir, il passe son temps à faire les cent pas au bout de mon lit, ça m'angoisse, j'ai l'impression qu'il est sur le quai d'une gare et qu'il attend un train en retard qui n'arrive pas. Je le connais, c'est exactement ce genre de comportement qu'il a quand il est impatient et que ça l'énerve d'attendre pour rien. C'est atroce. Je t'en supplie. Fais quelque chose.

Je n'ai jamais vu Jean-François qu'au bout du lit de ma jumelle, soit à faire les cent pas, soit assis dans un fauteuil avec une tasse de café dans les mains, jamais près d'elle, jamais à ses côtés.

Il attendait. Comme quelqu'un qui installé sur le rivage face à la mer guette l'arrivée d'un bateau à l'horizon.

Il voulait être celui qui peut dire qu'il a attrapé le dernier moment. Il n'aurait pas supporté l'idée de ne pas être le dernier à l'avoir vue vivante, le dernier à avoir reçu d'elle un regard, voire celui qui aurait eu la chance inespérée d'enregistrer son dernier souffle, pour pouvoir s'en vanter et le revendiquer comme une victoire ou comme un avantage sur nous, ou contre nous.

Toujours dans le paraître.

Il voulait démontrer au personnel de l'hôpital, ainsi qu'à nous, à sa famille, qu'il aimait sa femme, qu'ils formaient un couple et un ménage exemplaires, qu'ils seraient unis tous les quatre jusqu'au dernier moment, jusqu'au dernier soupir de Bénédicte, que ça nous plaise ou pas.

Les enfants étaient au bout du lit et regardaient leur mère de loin et il n'y avait rien qui se passait. La raideur de ce conciliabule me faisait penser à un tableau flamand, la scène du mort sur le lit avec la petite bougie et les proches qui sont autour, un peu cette ambiance-là, funèbre et compassée, morbide, sans tendresse. Il n'y avait pas d'émotion, il n'y avait rien. Nous, quand nous quittions Bénédicte, c'était horrible, on pleurait, elle nous serrait dans ses bras en pleurant elle aussi, alors qu'avec son mari et ses enfants, à l'inverse, il n'y avait jamais aucun geste, il n'y avait rien qui se passait. Lola restait toujours adossée contre le mur du fond et elle attendait que la visite se termine en mâchant un chewing-gum, avec l'air de s'ennuyer, ou bien elle se collait contre son père et le tenait tendrement par la main comme pour le consoler de l'épreuve qu'il traversait, le pauvre, bientôt veuf. Elle soutenait son père au lieu d'être avec sa mère et de lui apporter du réconfort. Comme si c'était le plus malheureux des hommes alors qu'il n'attendait qu'une chose, c'était qu'on arrive pour le relever et qu'il puisse aller préparer les obsèques. Ostensiblement liés, unis, ensemble, solidaires, le père et sa fille, face à Bénédicte toute seule dans son lit en train d'agoniser.

Jean-François a capté l'affection de ses enfants au détriment de ma jumelle. Les enfants ne souffraient pas de l'autorité paternelle, ils ne souffraient que de l'autorité maternelle. Chez eux, depuis de nombreuses années, c'était Bénédicte qui jouait le rôle de l'homme, elle faisait régner l'ordre, encadrait les devoirs, les envoyait au lit, restreignait les sorties, fixait les objectifs et sévissait. Jean-François, lui, il se réservait le beau rôle et la faisait passer pour une despote. Ainsi, la mort de ma jumelle, c'était un peu la fin du despotisme, d'une certaine manière. Je ne nierai pas qu'elle a toujours eu un côté un peu rigide, mais il s'est nettement accentué avec les années parce que Jean-François exigeait que la maison soit impeccable, gérée rationnellement, que leurs enfants soient bien élevés et que leurs performances scolaires soient exemplaires, donc ma jumelle se fatiguait beaucoup pour être à la hauteur de ces exigences, elle donnait beaucoup pour ses enfants, elle se battait pour rectifier les effets néfastes de l'adolescence sur l'implication de sa fille au collège, elle était de plus en plus fatiguée et cette fatigue la rigidifiait encore davantage. Quand elle a eu son premier cancer, comme elle était à la maison et qu'ils ne gagnaient pas suffisamment d'argent pour boucler les fins de mois, il a supprimé la femme de ménage et celle-ci n'a jamais été remplacée par la suite, même pendant son second cancer : elle devait faire le ménage, le repassage, sous chimiothérapie, épuisée. Ma jumelle a fini par détester sa fille, à la toute fin de sa vie elles deux se détestaient et cette détestation vient de là — elle vient du fait qu'elle avait beaucoup donné à Lola et que celle-ci, loin de rétribuer ces efforts par de la gentillesse, un minimum d'obéissance ou de bons résultats, devenait l'inverse de ce que ma sœur avait ambitionné qu'elle soit, délibérément, en le revendiquant. Lola se construisait en opposition à sa mère, dans le conflit et les reproches, et en parfaite connivence avec les valeurs de son père, qu'elle adorait, et ça les a éloignées l'une de l'autre, elles ont fini, toutes les deux, par se haïr. Les rapports de Lola avec sa mère ont dégénéré quand Lola a eu son premier petit ami, très jeune, vers sa treizième année. Tout est tombé en même temps : son premier cancer, qui la fatiguait, et ces problèmes avec l'adolescence de Lola, qui s'est mise à ne plus rien faire à l'école parce qu'elle avait un petit ami. Bénédicte considérait que sa fille était trop jeune pour avoir déjà un fiancé attitré à qui elle avait l'air de sacrifier son avenir. Elle a voulu prendre la pilule et Bénédicte a trouvé que c'était trop jeune. C'est devenu conflictuel. Lola voulait tout le temps sortir et reprochait à sa mère de la brimer. Entre nous, Bénédicte s'exagérait l'ampleur des problèmes car en réalité les résultats scolaires de Lola n'ont jamais vraiment décliné, ou rien qu'un peu, et aujourd'hui que sa mère est morte il paraît qu'elle s'est mis en tête de faire une prépa HEC à Paris, pour travailler plus tard dans le monde du luxe. Bénédicte ne supportait plus de voir Lola devenir comme Jean-François, se calquer sur lui et sur son rapport au réel, rejeter la littérature pour glorifier la réussite sociale, les signes extérieurs de richesse, le clinquant, la frime, les beaux mecs, les blockbusters américains et les voitures de sport. Sur Arthur, en revanche, tout glissait et c'était, dans un genre d'une nature diamétralement opposée, tout aussi épuisant. Il était désordonné, dissipé, instable et désobéissant, et Jean-François le reprochait à sa femme constamment : il lui disait que c'était sa faute si ce petit garçon se comportait aussi mal. Limite dépressif, cet enfant : comme s'il souffrait de l'ambiance familiale. Cette maison était un lieu malsain à tous points de vue et Arthur le ressentait avec une acuité particulière — et il le répercutait sur son entourage en devenant immaîtrisable : il était hypersensible. Moi aussi, Éric, je suis comme vous, j'ai du mal à saisir qu'on puisse finir par ne plus aimer ses enfants, j'ai du mal à concevoir que l'amour qu'on a pour ses enfants puisse ne pas être absolument inconditionnel. Mais il faut croire que l'idéalisme de Bénédicte était à ce point radical qu'elle ne pouvait franchir sans dommages un écueil comme celui-ci : voir sa fille revendiquer avec mépris, et avec une forme de violence intériorisée, perceptible par son style vestimentaire, son maquillage et son comportement, de ne surtout pas ressembler à sa mère.

Un jour, pendant sa maladie, elle était encore chez elle, j'ai vu Arthur serrer sa mère contre lui, il était debout et il la serrait par la taille, et ma sœur restait les bras ballants. Elle ne le prenait pas dans ses bras, ça m'a fait bizarre de voir ça. Elle était très malade, elle n'était plus que dans sa maladie, à mon avis. Un jour, elle m'a dit, quand tu sais que tu vas mourir, les gens, ils n'ont plus d'importance, tu t'éloignes, tu t'éloignes tout doucement. Même les enfants, Éric, je pense. Face à la mort, on est seul. On se détache des choses. C'est peut-être ce qui s'est passé, aussi, avec ses enfants.

Elle avait du mal à manger, elle ne pouvait plus marcher, bientôt elle n'allait plus pouvoir parler, et Jean-François faisait venir ses enfants tous les soirs sans exception, comme un devoir qu'il leur imposait, et les visites duraient trop longtemps, elles s'éternisaient, ils s'ennuyaient, c'était pénible pour Bénédicte de se montrer à ses enfants sous ce jour-là, diminuée, à l'agonie. Elle aurait préféré les voir autrement, moins mais mieux, mais lui il s'était fait un devoir d'imposer à Bénédicte, chaque jour, par des visites beaucoup trop longues, la présence de ses enfants. Eux-mêmes n'avaient certainement pas envie de voir leur mère tous les jours dans cet état, c'est quand même une maladie très dégradante. Mais, comme ce spectacle de l'agonie de Bénédicte ne le troublait aucunement, insensible comme il l'était, il imaginait que tout le monde réagirait de la même façon. Je ne l'ai jamais vu affecté par la décrépitude de ma jumelle, ni en souffrance, ni désespéré par l'imminence de sa disparition. Il était toujours pareil, identique, invariable, comme une ligne.

Ce qu'il a fait à ma jumelle, pour moi, c'est de l'abandon caractérisé : il avait beau être là tout le temps dans sa chambre, il l'a abandonnée, c'était de l'abandon. Elle était pire que seule : elle était avec du vide. Son mari n'était qu'une présence vide, une absence. Cet homme traîne avec lui un vide irréductible et c'est ce vide en lui qui angoissait Bénédicte. Elle le sentait bien qu'il n'y avait aucune sub-

340

stance, aucun contenu ni aucune émotion dans la présence physique de son mari et donc elle avait peur, sa présence insensible était comme une préfiguration de ce qui l'attendait, elle ne faisait que lui rappeler qu'elle allait mourir.

Dans ma clientèle, les personnes vides, quand je les masse, je le sens qu'elles sont vides, j'ai beaucoup de mal à m'en occuper, il peut m'arriver de me sentir défaillir une fois qu'elles sont parties, au point de m'allonger ou de devoir rentrer chez moi. Parce que je prends tout, les mauvaises énergies comme les bonnes. J'ai une cliente, je ne veux plus l'avoir en massage. Quand je la masse, j'en ai pour quinze jours à m'en remettre. C'est insoutenable, comme si ces gens venaient puiser en vous votre énergie, pour se remplir.

À la fin, Bénédicte, elle ne pouvait pratiquement plus parler, elle crachait des mots épars, des bouts de phrases, des murmures. N'empêche qu'on recevait des SMS de Jean-François, parfois, le matin, nous annonçant qu'ils avaient parlé toute la nuit. Il avait coutume de nous informer, le matin, par SMS, de l'état de Bénédicte, et voici ce qu'il écrivait, pour nous montrer qu'ils avaient des relations beaucoup plus tendres, douces, confiantes et essentielles qu'on se plaisait à le croire : *très bonne nuit de Bénédicte, nous avons parlé toute la nuit,* alors que nous savions qu'elle était en train de mourir, elle était à bout de forces, elle n'arrivait même plus à boire, ce qui n'empêchait pas Jean-François d'essayer de nous faire croire que la nuit il se produisait entre eux, du fait de leur amour, des phénomènes surnaturels dignes des nouvelles de Villiers de l'Isle-Adam, des phénomènes qui permettaient à Bénédicte de parler toute la nuit. Ta jumelle n'a jamais osé te l'avouer de peur de te déplaire mais son seul véritable amour, c'est moi, semblaient vouloir m'asséner ces SMS idiots qu'il m'envoyait, criminellement naïfs dans ces circonstances.

Elle était tellement faible que les médecins voulaient voir dans quel état était son cœur. J'ai accompagné Bénédicte en chaise roulante dans la salle où devait se pratiquer l'examen. Moi, dans mon institut, j'ai une table électrique qui monte et qui descend, eh bien lui, le cardiologue, sa table était fixe et il attendait que Bénédicte s'y allonge, sans amorcer le moindre geste pour l'assister. Il me regarde, l'air de me dire, eh bien, qu'attendez-vous ? Je suis costaud, certes, mais pas au point de porter une personne adulte, même amaigrie, sur une table haute. Je vous jure que c'est vrai, Éric, j'ai pris ma sœur, je l'ai soulevée, j'avais une plume dans mes bras. C'était incroyable. On s'est regardées, j'ai senti qu'elle me disait par ses yeux : comment tu fais pour me soulever comme ça ? J'avais peur de lui faire mal parce qu'elle souffrait de partout, de tous ses os, je lui ai demandé est-ce que je te fais mal, elle m'a répondu non, je l'ai portée et je l'ai déposée délicatement sur la table haute, je ne sais pas comment j'ai fait, c'était tellement important pour moi d'y arriver que Bénédicte ne pesait plus d'aucun poids dans mes bras, c'était miraculeux, je ne la portais pas. Une fois déposée sur la table haute, elle m'a regardée une nouvelle fois en me disant avec ses yeux, mais Marie-Claire, comment tu as fait ? Je ne sais pas. Je ne sais pas comment j'ai fait. Il le fallait, c'est tout, et mon corps a répondu à cette nécessité en déployant des ressources insoupçonnées.

Bénédicte avait conscience de ce qui se passait autour d'elle, elle souffrait du corps, de l'esprit et du cœur. De grosses larmes coulaient parfois sur ses joues, si pâles et si creusées qu'on avait du mal à reconnaître ce visage que nous aimions tant. Elle portait les yeux de mon côté mais elle ne me voyait pas, son regard était déjà voilé par la mort prochaine. Cependant, elle me souriait.

Tous les soirs, elle me téléphonait.

Je vais mourir, tu crois ?

Mais non tu ne vas pas mourir, enfin, voyons ! Bénédicte, qu'est-ce que tu racontes, bien sûr que non !

Bon, d'accord, alors ça va, me répondait-elle, comme si elle avait besoin de ces paroles réconfortantes pour s'endormir. À demain, alors, me disait-elle avec insistance, exactement comme un enfant qui a besoin de s'entendre dire à demain pour conjurer la peur de la nuit.

À demain, mon tendre amour. À demain, ma Bénédicte.

À demain, Marie-Claire, bonne nuit, à demain, merci, me disait-elle à son tour, avec une petite voix, tout essoufflée, laissant passer parfois beaucoup de temps entre les mots, avant de raccrocher avec lenteur, comme une très vieille personne.

Puis arriva ce jour fatal qui ne fut plus que pour moi seule le lendemain du précédent : elle était décédée pendant la nuit à cinq heures quarante-cinq.

C'est ma sœur aînée qui m'a appelée à huit heures pour me l'annoncer.

Je suis partie de Reims pour Metz immédiatement et j'ai passé plusieurs heures aux côtés de Bénédicte.

Elle n'avait pas l'air d'avoir souffert, son visage était apaisé, elle avait un œil un peu moins fermé que l'autre. Je me suis dit, en contemplant son visage, qu'elle avait voulu nous faire passer l'idée qu'elle ne nous perdrait pas de vue, qu'on pouvait compter sur elle pour avoir l'œil sur chacun de nous afin qu'il ne puisse rien nous arriver, elle y veillerait. Sans doute n'avait-elle pu se résoudre, jusqu'au bout, en dépit de la douleur, à mourir, et elle était déjà quasiment morte que son œil droit continuait d'enregistrer la vie environnante et les ténèbres de sa chambre d'hôpital tandis que son œil gauche s'était déjà couché, résigné, dans le silence et

343

la douceur de la mort, et il n'y avait plus eu assez de vie en elle pour que cet œil resté curieux jusqu'à l'ultime instant se referme en entier.

Je pleurais ma jumelle et je lui embrassais le visage, je lui caressais doucement les mains, je lui disais des phrases à l'oreille, dans mes sanglots. Mon frère et ma sœur aînée étaient avec moi, nous nous soutenions les uns les autres. Jean-François et ses enfants avaient quitté la chambre quand nous étions arrivés, pour nous laisser seuls avec notre sœur.

À un moment, nous sommes sortis de l'hôpital pour téléphoner à maman restée à Condé-sur-Marne. En chaise roulante après un AVC survenu trois semaines plus tôt, elle n'avait pas pu nous accompagner à Metz pour rendre à Bénédicte une dernière visite, à son grand désespoir. Devant l'hôpital, nous nous sommes succédé au téléphone portable de notre frère pour dire chacun à maman quelques phrases de réconfort et lui parler de Bénédicte, la lui décrire sur son lit de mort, faire d'elle un beau portrait mortuaire, à elle qui était si croyante. Elle pleurait, nous pleurions avec elle, elle était inconsolable. Pendant que nous parlions à notre mère, voyant que nous avions quitté la chambre, Jean-François avait ordonné qu'on envoie ma sœur à la morgue, sans nous prévenir ni avoir la délicatesse de nous demander si l'on souhaitait la revoir sur son lit d'hôpital. Ainsi, quand nous sommes remontés, j'ai vu les portes d'un monte-charge se refermer sur le lit qui emportait son corps, j'ai aperçu ses pieds disparaître par ce mince et furtif interstice, je me suis précipitée mais elles s'étaient déjà rejointes et la cage commençait sa descente. Alors j'ai posé mon front sur le métal des portes du monte-charge et j'ai versé toutes les larmes de mon corps, dévastée, en proie à une douleur inconcevable, debout, détruite, appuyée presque sans vie contre les portes de métal froid du monte-charge, désirant mourir.

Un peu plus tard, un peu calmée par un Xanax que m'avait donné ma sœur aînée, je suis retournée dans la chambre pour y récupérer ma doudoune et c'est alors que Jean-François est arrivé, intact, sans émotion, accompagné de ses enfants, équipé d'un grand sac-poubelle. Aucun des deux enfants ne pleurait ni n'avait l'air affecté. Alors nous l'avons vu vider les placards et jeter par terre à la hâte toutes les affaires de Bénédicte, comme s'il fallait faire vite et libérer la chambre dans les plus brefs délais. Ces affaires, maintenant que leur propriétaire n'existait plus, ne méritaient aucun égard. Nous l'avons vu, c'est difficile à croire mais c'est ainsi pourtant que se sont passées les choses, précipiter sa robe par terre, sa veste, une jupe, un pantalon, des T-shirts et ses sous-vêtements, il avait de petits gestes nerveux et saccadés, comme s'il dénombrait les effets qu'il jetait sur le sol, avec une attitude qui n'était plus que pragmatique. Nous nous sentions meurtris, meurtris mais tellement tristes et accablés qu'aucun de nous n'a réagi. Car la seule réaction proportionnée à ce qu'il faisait eût été sa mise à mort immédiate : si nous étions intervenus, ç'aurait été pour le tuer, là, dans la chambre, à mains nues, avec un vase fracassé sur son crâne, alors on est restés prostrés. Puis il a fourré à toute allure dans le grand sac-poubelle les journaux et les magazines posés sur la table, tous les papiers, les paquets de biscuits à peine entamés, les bouteilles d'eau, les fleurs, les plantes, les objets que différentes personnes avaient apportés. Tout devait disparaître, comme si chaque chose avait été contaminée par la mort de ma jumelle et n'était donc pas retraitable dans leur saine réalité. Non seulement un bouquet de roses en bouton, mais également un paquet de Granola non ouvert que les enfants avaient apporté récemment — je n'oublierai jamais le paquet de Granola jeté avec dégoût par son mari dans le grand sac-poubelle, comme si du fait du décès de sa femme ces biscuits n'étaient plus comestibles. À la suite de quoi il est allé dans la salle de bains, il a jeté dans le grand sac-poubelle la brosse à dents de Bénédicte, son lait hydratant, ses cotons, ses crèmes, sa trousse de toilette, son maquillage, tout est parti en plusieurs gestes hâtifs et radicaux dans le grand sac-poubelle maintenant complètement plein. Nous l'avons vu ouvrir ensuite le sac de voyage de Bénédicte et y glisser sans les plier les vêtements qu'au préalable il avait dispersés sur le sol, il les y a enfouis sans plus de ménagement que des ordures, il a fermé d'un geste la fermeture éclair et il a dit à ses enfants, allez les enfants, on y va, puis il est sorti sans un regard pour aucun de nous, emportant avec lui le sac de voyage de Bénédicte et le grand sac-poubelle maintenant complètement plein, les enfants ne pleuraient toujours pas, ni ne manifestaient le moindre signe d'accablement ou de tristesse.

La séquence du débarrassage de la chambre avait duré quatre minutes grand maximum.

Je suis allée vers la fenêtre et j'ai regardé le ciel, le paysage, les champs et une petite forêt qui surplombait l'hôpital, des larmes coulaient en abondance sur mes joues, je me mordais les lèvres pour garder contenance, un oiseau est passé qui m'a fait sentir que la réalité ne serait plus jamais la même pour moi, qu'elle m'était devenue étrangère, cet étourneau n'avait plus aucun sens — ou bien c'est moi qui n'en avais plus, je serais désormais pour moi-même comme un absurde étourneau anonyme. Alors j'ai vu apparaître Jean-François et ses enfants sur le parking et jeter dans une benne le grand sac-poubelle puis dans le coffre de sa voiture, du même geste négligent et hâtif, le sac de voyage de Bénédicte, après quoi nous l'avons vu démarrer, Lola à l'avant, Arthur derrière sa sœur. Jamais je n'ai vu une voiture se déplacer avec aussi peu de sensibilité, avec autant de bêtise et de grossièreté. Elle a reculé, elle a dessiné un bref arc de cercle, elle est repartie de l'avant et a freiné parce qu'une autre voiture reculait pour sortir de sa place de parking. Jean-François a klaxonné pour prévenir qu'il passait, il a contourné l'autre voiture par l'arrière sans la laisser reculer davantage, après quoi il a accéléré puis il est sorti en trombe de mon champ de vision, comme si c'était ce cadre qu'il voulait fuir, le cadre de mon regard, le cadre de ma conscience, de mon amour pour Bénédicte, où il n'y avait pas de place pour nous deux.

Ma jumelle est morte un dimanche, elle est partie à la morgue le matin même et là-bas ils étaient censés la préparer.

Quand je suis arrivée à la morgue le lundi matin, elle était toujours dans sa petite chemise de nuit et elle n'avait plus de bijoux : dévalisée.

Elle n'était pas préparée, elle n'était pas habillée, rien n'avait été fait pour améliorer son apparence. Elle n'avait pas été touchée du tout et j'en étais horrifiée, comme si personne ne s'était occupé d'elle et qu'on l'avait oubliée dans son tiroir.

Mais comment ça se fait ? je me suis dit.

J'ai filé aux pompes funèbres qui étaient juste en face et je leur ai demandé pour quelle raison madame Ombredanne n'était pas habillée.

Je ne comprends pas, que se passe-t-il ? Vous vous rendez compte, on va bientôt venir la visiter et elle n'est même pas présentable ! ai-je dit à la dame des pompes funèbres qui m'a reçue.

J'avais commencé à me mettre en colère, j'étais au bord des larmes, la seule façon d'éviter qu'elles ne jaillissent était de m'emporter.

Ah mais il faut demander à son mari, il ne nous a toujours pas apporté les vêtements, m'a répondu la dame des pompes funèbres.

Alors je me suis éloignée du comptoir et j'ai appelé Jean-

François mais il a rejeté l'appel au bout de deux sonneries. Je lui ai envoyé un SMS pour lui demander d'apporter les habits de Bénédicte, c'était inadmissible de la laisser dans cet état, vêtue de la chemise de nuit dans laquelle elle était décédée.

On devait enterrer ma jumelle le vendredi.

Le lendemain, le mardi, en arrivant, je croise Jean-François devant le bâtiment des pompes funèbres, où il venait de retirer les faire-part. Je lui dis que j'imagine qu'il sort de voir Bénédicte à la morgue et il me répond non, pas du tout, je ne retournerai la voir que le jour de la mise en bière, vendredi. Pour moi il tombait sous le sens qu'étant devant le bâtiment des pompes funèbres il venait de leur apporter les vêtements de Bénédicte, pour qu'on puisse enfin la préparer.

Le lendemain après-midi, le mercredi, quelle ne fut pas ma stupéfaction quand j'ai découvert que Bénédicte n'était toujours pas habillée.

Le jeudi en début d'après-midi, elle n'était toujours pas prête, alors qu'on l'enterrait le lendemain à dix heures à Condé-sur-Marne.

Bénédicte était toujours dans sa petite chemise de nuit.

Des amis et des parents venaient la visiter et elle était, verdâtre, abandonnée, dans sa petite chemise de nuit.

Là mon frère aîné nous a dit qu'il y avait vraiment un problème avec ce type, que ça devenait sordide, que c'était un calvaire, qu'on n'allait jamais se remettre de cette histoire si ça continuait et il s'est mis à pleurer.

Mais comment elle a fait pour vivre avec un type pareil? l'ai-je entendu murmurer.

Mon frère est un homme qui parle peu, qui est timide, logique et modéré. Un grand scientifique, s'aventurant rarement sur les terrains sensibles, sentimentaux. Qu'il ait dit ça, c'était énorme.

Elle qui était si soignée, si attentive à son apparence, qui adorait ses belles bottines, la dentelle et les chapeaux, les jolies robes d'allure ancienne, se parfumer, se vernir les ongles en noir, c'était honteux de la laisser dans cet état. Elle commençait à sentir. Il commençait à émaner de son cadavre, qui n'était pas préparé, une légère odeur de putréfaction, irrécusable. Bénédicte se décomposait et elle sentait la pourriture. Ça se voyait aux yeux, à la bouche. La bouche, devenue bleue sur son pourtour. Pareil autour des yeux. La peau grise. Alors qu'habillée avec soin, avec de beaux vêtements, on l'eût maquillée, on l'eût coiffée d'une perruque, elle eût paru digne et non pas demeurée tout entière aux mains de la maladie. On l'eût rendue à elle-même. C'était terrifiant. On avait l'impression qu'elle se trouvait toujours sur le lit où elle était décédée, environnée de machines, de perfusions. C'est une vision de ma jumelle que je ne pourrai jamais oublier, par la faute de cet homme.

Ma sœur aînée est sortie de la morgue et est allée en face aux pompes funèbres pour demander pourquoi madame Ombredanne n'était toujours pas habillée, il fallait faire quelque chose en urgence, on ne pouvait pas la laisser comme ça. Ce n'était pas le corps d'une défunte que les gens qui venaient la voir avaient sous les yeux mais un cadavre, et le cadavre d'une femme ayant succombé à une longue maladie, et ce cadavre commençait à pourrir, il empestait, c'était horrible, s'est mise à dire ma sœur sur un ton véhément, hurlant, avant de s'effondrer, en larmes, sur le comptoir.

La dame des pompes funèbres a posé sa main avec tendresse sur celle de ma sœur aînée et elle lui a dit qu'elle n'avait toujours pas de nouvelles de son beau-frère. Elle lui avait laissé plusieurs messages insistants sur sa boîte vocale, il n'avait pas réagi mais elle allait le rappeler sur-le-champ. La dame a téléphoné à Jean-François, il a répondu, elle lui a dit qu'il était impératif qu'il vienne dans les deux heures avec des vêtements pour son épouse.

Jean-François est venu en fin d'après-midi avec les vêtements les plus hideux qu'il avait pu trouver.

Il a apporté aux pompes funèbres des vêtements parfaitement étrangers à la personne de ma jumelle.

Si un jour vous écrivez un livre à partir de cette histoire, on pensera que vous avez beaucoup d'imagination et que cette imagination n'est pas terrible, qu'elle est un peu lourde.

Mais je vous jure que c'est vrai.

Il est venu avec des vêtements que je n'avais pas le souvenir d'avoir jamais vus sur Bénédicte. Des vêtements des années 1980, démodés, défraîchis. Il les avait sans doute trouvés au fond d'un placard, des vêtements que ma jumelle avait dû oublier de donner à Emmaüs.

Pourtant, le lundi, il avait demandé à ma sœur aînée comment il devait habiller Bénédicte, ce qu'elle lui conseillait. Geneviève lui avait dit de prendre sa robe préférée, en drap de laine marron foncé. Ses bottines noires qui montaient haut, avec le laçage compliqué et les petits talons. Sa veste en velours grenat. Des mitaines en dentelle et des bas noirs. Tu vois ? Ainsi elle sera superbe, elle aurait aimé ça partir dans ses plus beaux vêtements, lui avait dit ma sœur aînée, m'a-t-elle répété ce jour-là quand nous avons vu Bénédicte dans cette tenue sordide et humiliante.

On aurait juré qu'il avait demandé son avis à ma sœur aînée pour pouvoir faire exactement le contraire.

Plusieurs de ses connaissances, en particulier Amélie et ses deux amies retraitées, m'ont fait observer avec étonnement qu'elles n'avaient jamais vu ces vêtements sur ma jumelle. Elles m'ont toutes trois demandé, à l'écart, avec tact, qui avait vêtu Bénédicte de la sorte et pourquoi son aspect était à ce point étranger à la jeune femme qu'elles avaient connue, avant de pleurer de colère quand je leur ai raconté ce qui s'était passé.

Mon cousin m'a dit : tu verras, dans quelques jours on va trouver les vêtements de Bénédicte sur eBay.

Il l'avait habillée comme un homme, c'est ça que j'ai trouvé bizarre, dérangeant.

Un chemisier saumon en acrylique, alors que Bénédicte détestait les couleurs pastel. C'est la raison pour laquelle je me demande si ce chemisier a réellement appartenu un jour à ma jumelle. N'aurait-il pas acheté ces vêtements dans une friperie au poids, l'ensemble à deux euros, pour pouvoir revendre sur eBay, le soir, à la veillée, pendant des semaines, l'intégralité des effets de ma sœur, pour en retirer quelques centaines d'euros ?

Un tailleur-pantalon à large carrure, avec des épaulettes et des pinces, une coupe ample, un col monumental, comme on en faisait dans les années 1980, bleu marine avec de fines rayures blanches.

Aux pieds, des mocassins usés dont la couleur marron jurait avec le bleu et le saumon de son affreuse tenue.

Elle ne portait aucun bijou.

Comme il s'était dispensé de revêtir son crâne de la jolie perruque rousse que je lui avais offerte, et dont elle avait adoré orner sa gaieté chaque fois qu'on était sorties toutes les deux dans Metz pour déjeuner, on avait l'impression que c'était un petit monsieur, un minuscule contrôleur de la SNCF, chauve et alcoolique, irascible.

Odieux.

Ce n'était plus ma sœur.

Il avait refabriqué son image en la mettant dans des vêtements dégradants, démodés. Bénédicte avait l'air déguisée, un peu comme s'il avait voulu lui faire jouer une mascarade, une parodie grinçante, pour lui faire dire à sa famille : on vous emmerde, Jean-François et moi.

Bénédicte est morte il y a trois mois et ma famille est toujours en état de choc. Tout le monde. Ma sœur, mon frère, mes nièces et mes neveux. C'était une tante tellement adorable, sensible, mystérieuse, avec une vraie part d'ombre, ils l'aimaient beaucoup.

Lola a appelé notre mère trois jours après les obsèques pour lui dire que c'était sa faute si la sienne était morte, parce qu'elle avait forcé sa fille à venir la voir tous les quinze jours à Condé-sur-Marne et que ça l'avait fatiguée. Elle lui en voudrait jusqu'à la fin de ses jours, lui a-t-elle dit encore, avant de raccrocher.

Le soir même on hospitalisait maman et elle est morte trois semaines plus tard.

9

— Allô ?

— Christian ? C'est Bénédicte.

— Bénédicte ! Comment allez-vous ?

— On ne se tutoie plus ?

— Si, pardon. Comment vas-tu ?

— Je te dérange ?

— Pas du tout.

— Je voulais savoir.

— Je t'écoute.

— Non. Rien. Je ne sais pas. Tu vas bien ?

— Si, dis-moi. Qu'y a-t-il ? Quelque chose ne va pas ?

— Il y a tellement longtemps que j'ai envie d'entendre ta voix.

— Mais pourquoi tu ne m'as pas appelé, alors ? C'est une envie qu'il ne m'aurait pas été difficile d'assouvir, tu sais ?

— J'avais peur que tu m'en veuilles. Je peux venir te voir ?

— Mais pourquoi t'en aurais-je voulu, Bénédicte ?

— Tu sais bien. Je n'ai pas rompu nos relations d'une manière très courtoise.

— Quelque chose me disait qu'un beau jour tu reviendrais. Je pense à toi souvent.

— Moi aussi.

— Tu veux venir quand ?

— Eh bien.

— Je pars demain pour Bruxelles. Je reviens samedi. La semaine prochaine ?

— Tu es chez toi ?

— Quand, là ?

— Oui, là, tu es chez toi ?

— Oui, pourquoi ?

— Je peux être là très rapidement.

— Rapidement ?

— Je suis devant chez toi.

— Devant chez moi ?

— À l'entrée du jardin.

— Je n'ai rien entendu.

— J'ai garé ma voiture un peu plus bas. Je ne savais pas très bien...

— Ça y est, je te vois. Oui, tu ne savais pas très bien ?

— Eh bien, tu vois ! Si tu serais seul ! Si tu aurais envie qu'on se revoie !

— Mais comment peux-tu dire...

— Tu aurais pu te marier, entre-temps ! faire de nouveaux enfants ! une rencontre ! m'avoir oubliée, je ne sais pas !

— Mais enfin, Bénédicte. Tu ne te souviens pas du mail que je t'ai envoyé ?

— Je ne te vois pas, moi, par contre, où es-tu ?

— À la fenêtre du salon, en bas.

— Ah, ça y est, je te vois.

— Ce que tu aurais le plus risqué, c'est que je ne sois pas là.

— J'ai beaucoup pensé au moment où je retournerais chez toi, tu sais, pendant ces vingt-deux mois. Ça m'a beaucoup aidée. Et dans mes rêves, c'était de cette façon que je revenais te voir, en réapparaissant sans t'avoir prévenu, par surprise.

— Tu as bien fait.

— Si tu m'as un peu attendue, toi aussi, pendant toute cette période, alors ce moment est pour toi comme un petit miracle, non ?

— Bénédicte.

— Je voulais t'offrir ça. Pour me faire pardonner. Et aussi pour me montrer à la hauteur de ta lettre.

— Tu ne viens pas ? Pourquoi tu restes comme ça à l'entrée du jardin ?

— J'aimerais qu'on aille marcher dans la forêt, comme la dernière fois.

— Comme la dernière fois... Tu n'es venue qu'une seule fois, Bénédicte...

— Je t'attends, rejoins-moi.

— Tu ne veux pas venir te réchauffer un peu ? Il y a du thé.

— Non, viens.

— C'était comme ça, dans tes rêves ? On allait immédiatement faire une promenade dans la forêt ?

— Exactement.

— Alors j'arrive. J'enfile mes bottes et ma parka, attends, ne quitte pas cinq secondes, ne quitte surtout pas.

— Je ne quitte pas. J'ai tout mon temps. Ça fait vingt-deux mois que j'attends ce moment, je ne vais pas me priver de le déguster. Sois aussi lent que tu en as besoin, c'est doux, il ne fait pas si froid.

— C'est bon, ça y est, j'arrive.

— Je n'ai jamais autant aimé attendre quelqu'un qu'en cet

355

instant, je crois. J'avais tellement peur que tu ne veuilles plus me revoir. Ou que ce ne soit plus possible.

— Tu sais, tu vas finir par devenir la spécialiste des journées les plus inoubliables de mon existence.

— Christian...

— Mais tu ne disparais plus, tu m'entends ? Sinon tu peux repartir tout de suite !

— Ah, mais ça, je ne sais pas, tout dépendra ! C'est que monsieur est exigeant, tout à coup ! Il ne faudrait pas croire que la partie est gagnée parce que je suis venue !

— Tu me fais rire.

— C'est déjà ça !

— Me voilà, j'ouvre la porte. Alors, je n'ai pas trop changé ? Pas de regret ?

— Tu es encore un peu loin. Approche-toi, je te dirai.

— Tu n'as pas changé, toi.

— Si tu savais. Oh que oui, j'ai changé.

— Ne raconte pas n'importe quoi.

— Toi en revanche tu es toujours aussi séduisant. Ne raccroche pas tout de suite, je veux t'entendre respirer pendant que tu viens vers moi.

— Tu as mis tes jolies bottines, je suis content. Ce sont les mêmes que la dernière fois ?

— Oui. Les mêmes. Je ne les ai quasiment jamais remises. On ne porte pas dans sa vie quotidienne ce qui s'est hissé un jour au rang de relique, par la grâce d'une journée miraculeuse.

— Tu as les cheveux rasés ou quoi ? Ils n'étaient pas si courts, la dernière fois, non ?

— Christian, quand tu arriveras devant moi, j'aimerais qu'on ne s'embrasse pas, ni sur les lèvres, ni sur les joues, mais qu'on parte se promener tout de suite, qu'on recule le plus longtemps possible le moment où des choses seront dites, où des choses seront faites. Je vais marcher avec toi, être avec toi, dans cette belle suspension, pendant encore un peu de temps, d'accord ?

— On peut raccrocher, là, non ? On ne va pas se parler au téléphone alors qu'on est l'un devant l'autre, si ?

— Je l'ai tellement attendu, Christian, ce moment. Voir ton œil pour de vrai plutôt que sur mon doigt, un peu humide comme à présent plutôt que sec, petit, fixe, ancien.

— Tu me plais, avec ces cheveux ras. C'est très sexy, je trouve.

— Oui, raccrochons.

— Bonjour, Bénédicte.

— Bonjour, Christian.

(Ils s'engagent dans la forêt. Ils marchent l'un près de l'autre en silence.)

— Je reconnais. Ton grand chêne est par là-bas. Je me souviens d'un long baiser à cet endroit, à cet endroit précis, près de cet arbre.

— J'y repense toutes les fois que je passe ici.

— Tiens, tu as fait comme tu m'avais dit, tu as fini par installer ton banc !

— Je fais toujours ce que je dis.

— Tu me feras lire tes poèmes, alors ?

— Mes poèmes ?

— Oui, tu m'avais dit, mais textuellement, car je connais par cœur toutes nos répliques de cette journée...

— Et moi toutes ses images, je suis un visuel.

— Et moi une littéraire. Tu m'avais dit, un banc où je pourrais, l'été, romantique, lire de bons livres et écrire des poèmes, à l'ombre des frondaisons séculaires. Je vous les enverrai, mes poèmes, Bénédicte, vous en serez l'héroïne !

— On va passer par là cette fois-ci, à gauche. Je voudrais te montrer quelque chose, un beau panorama.

357

— Alors, ces poèmes ?

— J'en ai effectivement écrit des dizaines. Tu en es effectivement l'héroïne. Mais je préfère les garder pour moi.

— J'adore le bruit des pas dans les feuilles mortes, la terre, les brindilles, les glands, les cosses de châtaignes. Les bruits de pas dans les forêts plutôt que sur les plages, dans l'herbe, sur les trottoirs.

— ...

— Et pourquoi ça, Christian ?

— De quoi ?

— Pour quelle raison ne les lirais-je pas, ces poèmes ?

— Ils te feraient pleurer.

— J'aime beaucoup les chemins creux.

— Alors j'ai bien fait de choisir cette promenade.

— J'ai toujours trouvé romantiques les chemins creux. C'est fascinant de se promener comme ça enfoncé dans le sol au milieu des vieilles racines des arbres, avec les branches qui font voûte, on a une vue rasante sur les sous-bois, on croirait un tunnel creusé par des sorcières.

— Quelle imagination ! Mais c'est assez gothique, en effet.

— D'où ça vient, les chemins creux ? Ce ne sont tout de même pas les sorcières qui les ont creusés, si ?

— Il y a plusieurs explications possibles. La plus vraisemblable c'est que les paysans, souvent, dans le temps, n'avaient pas assez de paille pour amender les champs. À l'automne, comme on trouve des feuilles mortes sur les chemins, ils les clôturaient et ils y conduisaient leurs bêtes régulièrement. À la fin de l'hiver, ils ramassaient au tombereau le mélange de feuilles mortes et d'excréments et ils le répandaient dans les champs. Et forcément, ils prenaient chaque fois un peu de terre avec cette matière qu'ils prélevaient dans les chemins.

— Je vois.

— C'est ce qui a fini par les creuser. Celui-ci est vraiment profond. Tu verras, il débouche sur un panorama idyllique.

— Il est incroyable, cet arbre. Comment ça se fait qu'on a tous ces troncs qui partent de la même souche ? C'est un peu comme des fleurs dans un vase, sauf que ce sont des troncs tout vieux et tout noueux.

— C'est une cépée de charme.

— Une cépée ? On croirait un arbre de conte de fées.

— Une cépée c'est quand on coupe un arbre et qu'on laisse la souche repartir. Tous ces arbres que tu vois là, c'est le même arbre.

— Et celui-là ?

— Ça c'est un chêne qui était têtard mais qui n'est plus entretenu.

— Têtard ?

— Émondé.

— Il est sublime.

— On le coupait tous les quinze ou vingt ans, à environ trois mètres du sol, pour faire du bois de chauffage. On grimpait et on coupait les branches. Là ça n'a plus été fait depuis une ou deux générations, les branches qui partent là doivent avoir un peu moins d'une quarantaine d'années.

— À peu près comme moi.

— Elles sont sans doute un peu plus vieilles que toi, Bénédicte. Du coup, il est quasiment voué à mourir.

— Merci ! C'est sympathique !

— Non, je veux dire, arrête. Ce n'est pas ce que je voulais dire, moi aussi j'ai trente-huit ans ! En fait, le système de branches est devenu trop lourd pour le tronc. Comme, souvent, ces arbres-là sont creux, leur résistance est moindre.

— Ah bon, mais pourquoi est-ce qu'ils sont creux ?

— Quand tu coupes une grosse branche comme celle que tu vois là, tu crées une plaie qui va cicatriser plus ou moins bien. Par cette plaie l'eau de pluie va s'infiltrer, tu vas avoir des insectes et des plantes qui s'installent, l'intérieur va finir par se décomposer. La cicatrice peut se creuser et devenir comme un cylindre de plus en plus profond vers l'intérieur du tronc, au point qu'il finira un jour par être complètement creux. Regarde, si je passe la main par ce trou, tu vois, je peux y engager mon bras en entier, l'intérieur est entièrement pourri, c'est de la matière en décomposition, il n'y a plus rien jusqu'aux premières branches.

— D'être creux comme ça, ça lui donne une allure fantastique, un peu comme une demeure de lutins.

— Mais ça le fragilise. Il pourra moins résister aux contraintes mécaniques. Il n'a plus aucune résistance structurelle.

— Les contraintes mécaniques, les contraintes mécaniques... Moi je préfère qu'il soit beau plutôt que d'être capable de résister aux contraintes mécaniques !

— À la première tempête un peu forte, il se brisera en deux, il n'aura pas la force de résister.

— Mais pourquoi ils ont arrêté de l'élaguer, alors, le pauvre ?

— Parce que c'est pénible à faire, il faut grimper sur une échelle à trois mètres de hauteur pour scier les plus grosses branches, c'est périlleux, tu ne peux pas partir en courant au moment où la branche tombe, c'est contraignant. Il faudrait que je le fasse faire.

— Et ça, c'est quoi ?

— Ça c'est du lierre qui a poussé au pied du tronc et qui s'élève au milieu du branchage. Tu vois, il est même carrément à l'intérieur de l'arbre.

— C'est comme deux arbres entrelacés. C'est magnifique.

— Contrairement à ce qu'on entend parfois, le lierre n'est

pas un parasite. C'est une liane qui s'accroche aux arbres et qui peut donc avoir tendance à les étouffer, ils sont contraints, dans leur croissance, par ce grillage qui est autour, mais ça ne les empêche pas de pousser. Ça peut juste leur créer des blessures.

— Ils vont très bien ensemble, je trouve, ce lierre et ce grand chêne.

— L'avantage du lierre, pour les insectes, c'est qu'il a une floraison hyper tardive, septembre, octobre.

— Mes mois préférés.

— C'est bénéfique pour les abeilles car il n'y a plus tellement de fleurs à cette époque de l'année. Ce que tu vois là, ce sont les fruits qui sont seulement en train d'arriver, ils vont mûrir pendant l'hiver pour être gros au printemps. Tu as pas mal de plantes de sous-bois qui ont comme ça des cycles inversés. C'est le cas des bulbes, qui commencent à pointer leur nez en ce moment, en plein milieu de l'hiver. Les jacinthes. Les perce-neige. Les jonquilles. Les narcisses. Les iris nains. Tout à l'heure on ira dans un endroit où j'ai vu des jacinthes, la semaine dernière.

— Et là, le vert, c'est quoi ?

— Eh bien c'est du lierre.

— Là aussi ? Tout ça c'est du lierre ? Si gros ? Il est tellement développé qu'on ne sait plus qui est venu sur qui ! Ce sont deux arbres à part égale, pratiquement !

— Ils se concurrencent pour la lumière, ça c'est certain.

— C'est un chêne ?

— Exactement.

— Ce qui est beau c'est que ce chêne, du coup, il a des feuilles. Regarde, il est tout vert, on se croirait en plein été. Les autres chênes sont dénudés, mais pas lui, il est resplendissant.

— Mais ce ne sont pas ses feuilles.

— Qu'importe, puisqu'il a un feuillage. Les forêts seraient moins grises, l'hiver, si chaque arbre avait son lierre.

— Cet été il le sera encore plus, quand tu auras les feuilles du chêne au milieu des feuilles du lierre. Comme deux arbres mélangés. Comme une troisième espèce transcendant les deux premières.

— Il monte tout en haut.

— Il est allé chercher la lumière. Le lierre, au départ, il est rampant, mais dès qu'il trouve un support pour grimper, il s'élève vers la lumière. Ce n'est pas comme le gui, il n'est pas parasite, il ne tue pas les arbres. On ne va pas tarder à arriver à la sortie du chemin.

— Le gui, il tue les arbres ?

— Bien sûr !

— Ah bon ? Mais je ne savais pas ! Quelle triste nouvelle !

— Pourquoi ça ?

— Parce que j'adore les boules de gui. Les arbres qui ont des boules de gui, ils ont l'air d'avoir plus de valeur que les autres. C'est comme des ornements, des distinctions. Je trouve qu'avec ces sphères dans leur branchage, parfaites, de différentes tailles, disposées harmonieusement, ils ont beaucoup d'allure, on les croirait ajoutés aux paysages de la main même d'un peintre. Par Léonard de Vinci.

— C'est très joli ce que tu dis.

— C'est ce que je vois.

— Eh bien ce sont des parasites.

— Qui l'eût cru !

— Tout le monde sait ça, Bénédicte !

— Sauf ceux qui préfèrent croire aux illusions. Qui aiment ce que les images leur racontent, même si elles sont piégées. J'ai dû le savoir mais je l'ai éjecté de ma mémoire pour pouvoir continuer à préférer les arbres qui ont des boules de gui, à ceux qui n'en ont pas. Pourtant, je suis une fille de la campagne.

— Dis-toi que les arbres qui ont des boules de gui sont en train de mourir.

— Vraiment en train de mourir ? Ce n'est pas juste qu'ils sont gênés dans leur développement ?

— Vraiment en train de mourir. Désolé.

— Et sur cet arbre, là, il y a tout à la fois du lierre et des boules de gui ?

— Tout à fait.

— Du coup, il est vraiment somptueux. Des feuilles en plein hiver, des ornements sphériques un peu partout, un pur chef-d'œuvre.

— En train de mourir.

— J'en prendrai soin. Je viendrai lui parler tous les jours.

— Tous les jours ?

— Jusqu'à sa mort. Tu ris mais c'est pourtant ce que je vais faire, tu vas voir !

— D'accord, je te prends au mot. Quand il sera mort, je l'abattrai, nous penserons à lui quand nous le ferons brûler dans la cheminée.

— Je lirai en me réchauffant à ses flammes.

— Je te ferai des côtes de bœuf à la braise. Tu aimes ça, les côtes de bœuf à la braise ?

— Nous ferons l'amour. Tu crois peut-être que je ne l'ai pas remarqué, coquin, ton gros tapis devant la cheminée ?

— Nous ferons l'amour devant la cheminée. Sur mon beau et doux tapis. Avec ou sans ton arbre malade dans le foyer.

— Comment elles vont là-haut, les boules de gui ? Comme le lierre, en partant du sol ?

— Rien à voir. Mais alors, Bénédicte, pas du tout !

— Ah bon ? Mais pourquoi tu ris ? Ce n'est pas drôle !

— Mais si, c'est drôle ! Tu es adorable, je suis tellement heureux que tu sois revenue !

— ...

— Surtout si c'est pour ne plus repartir.

— Alors, les boules de gui ?

— Tu les comparais tout à l'heure à des ornements. Les boules de gui poussent à l'endroit exact où tu les vois.

— Mais comment font-elles pour aller là-haut ?

— Le gui produit des baies qui ne sont pas comestibles pour l'homme, mais que mangent volontiers les oiseaux, comme les grives, les merles. Alors, soit les oiseaux emportent la baie et ils la perdent sur une branche, et comme le fruit du gui est collant il va rester sur la branche et germer au printemps d'après. Soit, comme beaucoup de graines, le fruit du gui, pour germer encore mieux, il a besoin de passer par le tube digestif d'un animal. Donc les oiseaux vont manger les baies du gui, ils vont chier ça sur les branches et ça va déclencher la germination.

— Ça alors, mais mon Dieu quelle horreur ! Par quel tube digestif absolument terrible faites-vous passer le raffinement des boules de gui, mon ami ! Elles ne seraient donc que le résultat de la défécation des oiseaux !

— Eh bien oui. On appelle ça la dormance. C'est poétique, comme mot, dormance, non ?

— Dormance, c'est beau, je te l'accorde. Il me plaît, ce mot, le mot dormance, je te pardonne.

— Regarde ce paysage.

— Je ne m'attendais pas à voir surgir pareille vallée.

— À partir d'ici, ce n'est plus chez moi. Ce sont les terres d'un paysan, sa ferme est un peu plus bas. Là, normalement, derrière cette clôture, il y a des vaches, je ne sais pas où elles sont. La forêt, de l'autre côté, au-delà des prairies, sur la colline d'en face, tu vois ? Je vais souvent m'y promener.

— C'est somptueux. On peut descendre tout en bas ?

— On va y aller, c'est ravissant, il y a un cours d'eau, un grand étang. Puis ça remonte par un joli chemin vers l'autre forêt, en face. Tu veux qu'on continue, ou qu'on rentre à la maison ?

— Qu'on continue encore un peu. On rentrera à la maison plus tard.

— Où en étais-je ?

— À la dormance.

— À la levée de dormance.

— Du soleil ! Regarde, le soleil fait son apparition !

— Tu vois, là-bas, au milieu de la prairie, l'arbre isolé, l'aulne ?

— Où, là ? Celui-là ?

— Oui. C'est mon arbre préféré.

— Tu as raison.

— L'aulne, c'est un arbre très ancien. Il fait des espèces de pommes de pin alors que c'est un feuillu. Des pommes de pin un peu rudimentaires. Il est à la frontière entre deux règnes, les conifères et les feuillus.

— …

— L'aulne a une très belle couleur. En face, c'est principalement une forêt d'aulnes. Au printemps, tu verras, les bourgeons, ils sont violets, et ça donne une couleur magnifique. Ils commencent déjà à être violets, d'ailleurs. On est début janvier, les branches sont nues, mais si tu regardes bien, on devine une légère couleur violette, diffuse, évanescente, un peu comme un parfum, à travers les branchages, tu vois ?

— Tu as raison. C'est en effet légèrement violet, on dirait un halo. Comme quoi, si on ne montre pas les choses, la plupart du temps, les autres ne les voient pas.

— Je prends ça pour un compliment. C'est même un très beau compliment, je trouve.

— C'en est un. Je te remercie de m'avoir permis de percevoir cette légère couleur violette, ce frémissement sensible de la forêt, en plein hiver. Tu n'es pas près d'arrêter d'en recevoir, des compliments, si tu continues sur cette lancée !

— Ils seront toujours les bienvenus mais celui-ci me fait particulièrement plaisir.

— Il est vraiment magnifique, c'est vrai, ton arbre.

— Tu as vu comme il est souverain ! L'arbre de prairie n'a pas du tout le même port que l'arbre de forêt. L'arbre qu'on isole au milieu d'une prairie afin de faire de l'ombre pour les bêtes, il est très illuminé, il a du soleil de tous les côtés, il se développe un peu comme les boules de gui, comme une sphère. Alors qu'un arbre du même âge mais en forêt, ça donne ce qu'on appelle une futaie, il va pousser tout droit comme une chandelle à cause de la concurrence de ses voisins, pour aller chercher la lumière. Le houppier est beaucoup plus haut. C'est moins majestueux et harmonieux qu'un arbre de prairie. En revanche, on valorise bien mieux son bois car tu vas avoir des fûts tout droits, sans branches, donc sans nœuds, pour faire des planches parfaites. Alors que celui-ci, mon bel arbre de prairie, mon tendre amour, à part le regarder ou profiter de son ombre en été, tu ne peux rien en faire. On y va ? On continue ?

— Christian ?

— Oui ?

— Je crois que le moment est venu de nous embrasser.

Ma profonde et chaleureuse reconnaissance à Pascale, Fabienne, Élisabeth, Anna, Françoise, Florence, Nathalie, L., Jacques Fourest, Christophe Houvet, Cédric Godbert, Ludovic Escande, Dominique. Une pensée particulière pour Marion, et pour Jean-Marc Roberts.

Les épreuves de ce livre ont été relues à Rome, à la Villa Médicis, du 12 au 19 mai 2014.

Composition : IGS-CP à l'Isle-d'Espagnac (16)
Achevé d'imprimer
sur timson
par Normandie Roto Impression s.a.s.
61250 Lonrai, en septembre 2014
Dépôt légal : août 2014
Premier dépôt légal : juin 2014
Numéro d'imprimeur : 1403316
ISBN 978-2-07-014397-9 / Imprimé en France

277647